Zofia Helena Huebner

Ona

Ludowa Spółdzielnia Wydawnicza
Warszawa 2012

Projekt okładki
Barbara Kuropiejska-Przybyszewska

Opracowanie redakcyjne i korekta
Jerzy Dobrzański

ISBN 978-83-205-5519-6

Skład i łamanie
LEDOR

Ludowa Spółdzielnia Wydawnicza
01-445 Warszawa, ul. E. Ciołka 15 lok. 8
tel./fax (22) 620 57 18
e-mail: biuro@lsw.pl
www.lsw.pl

Od Wydawcy

Zdecydowaliśmy się opublikować powieść Zofii Heleny Huebner pt. „Ona", chcąc wywołać dyskusję czytelników, krytyków, a także historyków w związku z przedstawionym w książce obrazem rzeczywistości lat 60-tych i 70-tych.

Oceny i poglądy głównej bohaterki powieści w wielu momentach różnią się zasadniczo od naszych sądów i odczuć.

Powieść została oparta na faktach, udramatyzowanych na potrzeby literackie. Imiona i nazwiska bohaterów zostały zmienione w stopniu uniemożliwiającym ich identyfikację.

Wszelkie podobieństwo do osób żyjących lub nieżyjących jest całkowicie przypadkowe.

„Sed pereundi mille figurae"

„Żyła w Aleksandrii pewna niewiasta imieniem Hypatia; była ona córką filozofa Teona. Udało jej się osiągnąć taki wysoki stopień wykształcenia, że przewyższała współczesnych sobie filozofów, stała się kontynuatorką wznowionej przez Plotyna filozofii platońskiej (...). Ze względu na zmuszającą do szacunku szczerość i swobodę wypowiedzi, którą zapewniło jej posiadane wykształcenie, umiała mądrze występować także i wobec przedstawicieli władzy; i nie potrzebowała się wstydzić, kiedy pojawiła się pośród mężów: wszyscy nie tylko szanowali ją dla nieprzeciętnej roztropności, ale nawet czuli się onieśmieleni. Otóż tym razem przeciwko niej uzbroiła się zawiść. Ponieważ bowiem dość często spotykała się z Orestesem, fakt ten skłonił ludzi ze sfer kościelnych do wysunięcia oszczerczego oskarżenia, że to właśnie ona stoi na zawadzie i sprzeciwia się nawiązaniu przyjaznych stosunków pomiędzy Orestesem a biskupem Cyrylem. Tak więc ludzie porywczego usposobienia, którym przewodził niejaki Piotr, lektor, umówiwszy się między sobą upatrzyli moment, kiedy owa niewiasta wracała skądś do domu i wyrzuciwszy ją z lektyki zawlekli pod kościół zwany (...) Cezarejon; tu zdarłszy z niej szaty zabili ją odłamkami skorup. Następnie rozszarpawszy ciało na sztuki poznosili poszczególne części na miejsce zwane Kinaron i spalili w ogniu (...).

(...) Działo się to wszystko w czwartym roku sprawowania urzędu biskupiego przez Cyryla, za konsulatu Honoriusza po raz dziesiąty i Teodozjusza po raz szósty, w miesiącu marcu, w czasie postu".

Sokrates Scholastyk „Historia Kościoła",
przekł. Stefan Józef Kazikowski, wyd. Instytut Wydawniczy PAX, Warszawa 1986, rozdz.14, księgi VII, str. 514–515.

Hypatia urodziła się w roku 355 lub 370. Za jej śmierć odpowiedzialność ponosi patriarcha Aleksandrii, Cyryl, który „zaczął więc podjudzać masy, w swych kazaniach oczerniał ją jako czarownicę i kolportował zmyślone informacje na jej temat".[1]

Wspomniane wydarzenia miały miejsce w roku 415, za pontyfikatu Innocentego I, wybranego 22 grudnia 401 roku (zmarł 12 marca 417), syna poprzedniego pontifeksa, Atanazego I, za panowania cesarza Teodozjusza II (408–450) i Honoriusza (395–423). Biskupem Aleksandrii był Cyryl (412–444), prefektem Egiptu zaś Orestes (412–416). Cyryl Aleksandryjski został wyniesiony na ołtarze, a w roku 1882 papież Leon XIII zaliczył św. Cyryla w poczet Doktorów Kościoła. Encykliki poświęcone św. Cyrylowi wydali papieże Pius XI, 25 grudnia 1931 roku, w tysiąc pięćsetną rocznicę Soboru Efezkiego i Pius XII w 1944 roku, dla uczczenia tysiąc pięćsetnej rocznicy jego zgonu.

Dzień jego śmierci, 27 czerwca, obchodzony od dawna przez Koptów i Greków, został wyznaczony na jego wspominanie w nowym kalendarzu rzymskim.

Jak zauważyła hiszpańska filozof Amelia Valcárcel „Aleksandria nie mogła strawić zbrodni na Hypatii i wymyśliła legendę o świętej Katarzynie". Tej prawdopodobnie nigdy nie istniejącej kobiecie wymyślono baśniowy żywot wedle którego miała być starannie wykształconą córką zamożnej rodziny, która „w uczonej dyskusji na temat naiwności bałwochwalstwa miała pokonać pięćdziesięciu pogańskich filozofów".[2] Zgodnie z tą samą legendą miała ponieść śmierć męczeńską za panowania Maksymiana. „Martyrologium" wspomina, że relikwie świętej znalazły się na Górze Synaj, gdzie w VI wieku cesarz Justynian polecił zbudować monastyr prawosławny i kościół.

Katarzyna Aleksandryjska za sprawą hagiografów została patronką chrześcijańskich filozofów i katolickich uniwersytetów, również Sorbony, a także kolejarzy, krawcowych, modystek i starych panien.

Dziś jej wspomnienie obchodzi się dwudziestego piątego listopada.

Ostatnie dni lata przyniosły ulgę po długotrwałych upałach, gwałtownych burzach i niszczycielskich ulewach. W słoneczne, niedzielne, późne popołudnie, doktor Krzysztof Brandt, wystrojony w białe, lniane ubranie do koszuli w biało – niebieskie prążki, w kapeluszu panama i z laseczką w dłoni, wybrał się na spacer. W miasteczku każdy strój budził wesołość dzieci i zdumienie dorosłych, jak to na prowincji, ale tyczkowata postać i ustawicznie niezadowolona mina popularnego lekarza, niemłodego już zatwardziałego kawalera, nikogo nie bawiły. Doktor Brandt był specjalistą od wszystkiego i od lat cieszył się niezmiennie zaufaniem miejscowych.

Połamane kończyny, zawroty głowy, kłucie w boku, kamienie nerkowe, żółciowe, dolegliwości kobiece, niestrawność, nic nie było w stanie zadziwić, zirytować czy rozbawić kostycznego medyka. Doktoryzował się przed wojną na Uniwersytecie Jagiellońskim i ten fakt napawał go taką dumą i radością, że umieścił stosowną wzmiankę o tym na tabliczce umocowanej na fasadzie domu, w którym mieszkał. Żywił też szczerą, choć niewylewną sympatię do wszystkich absolwentów UJ, jako swoich komilitonów. Odbył w młodości staż w Paryżu i był zafascynowany kulturą i literaturą francuską.

Nie miał przyjaciół ani krewnych, choć zapraszano go z okazji najprzeróżniejszych uroczystości. Przyjmował zaproszenia bez uśmiechu i stawiał się, surowy i poważny, wprawiając zapraszających w popłoch i zachwyt jednocześnie.

Kroczył wolno i dostojnie, odpowiadał na ukłony, dotykając kapelusza i od czasu do czasu przystawał, jakby lustrował domy i przechodniów.

Gdzieś w połowie drogi natknął się na proboszcza Alfreda Adlera, który również wyruszył na przechadzkę, tyle że w przeciwnym kierunku.

Panowie przywitali się jeden uchylając kapelusza a drugi biretu i wspólnie kontynuowali wędrówkę. Prócz wieloletniej znajomości nic ich nie łączyło. Lekarz nie bywał w kościele, ksiądz zaś leczył swoje liczne dolegliwości u bardziej konserwatywnego lekarza. W miasteczku, w którym wszyscy karnie wypełniali swoje chrześcijańskie obowiązki, postawa pana doktora była solą w oku, nikt jednak nie ośmielił się wygłaszać jakichkolwiek uwag krytycznych. Panowie wymieniali zdawkowe komentarze, chwilami milczeli, by po kilku krokach podjąć przerwany wątek. Proboszcz czerpał wyraźną satysfakcję ze swojej popularności i wpijał się wzrokiem w każdego przechodzącego, kobietę czy mężczyznę, starca czy dziecko, wysysając niemal tradycyjne „niech będzie pochwalony...". Rozmowa się nie kleiła z powodu ustawicznego niepokoju proboszcza, że ktoś mógłby umknąć z pola widzenia, unikając ukłonu.

Obok kościoła skręcili w gruntową drogę pomiędzy apteką a plebanią. Drzewa i krzewy tworzyły tu chłodny, cienisty tunel. Proboszcz wyraźnie się ożywił. Odcinek nasłoneczniony zmęczył go i z trudem przemieszczał swoją baryłkowatą postać, uwięzioną w zdecydowanie za ciasnej sutannie.

– Trzeba przyznać, że masz dobre sąsiedztwo – zauważył lekarz.

– Czego nie załatwi aptekarz, podrzuci tobie.

– Wola boska – westchnął proboszcz. – Ukrywam to, co popsułeś.

Znowu weszli na nasłoneczniony odcinek. Po prawej stronie rozciągały się orne pola a za nimi ładne, dostatnie domy ze śnieżnobiałymi firankami w oknach. Po lewej, tuż za podłużnym, malowanym na zielono, drewnianym barakiem, poprzedzonym dobrze utrzymanym ogródkiem, ciągnął się parkan cmentarza.

– Widzisz, coś nas jednak łączy – lekarz wskazał laską na cmentarz.

– Taa, rzec by można, nasze wspólne dzieło – ksiądz powachlował się biretem z pomponem.

Za cmentarzem domów było coraz mniej, a na końcu drogi, niczym ponura zapora, wznosiła się ciemna ściana lasu. Niedzielni spacerowicze nie zapuszczali się tak daleko, bo to i droga była gruntowa, a panie dbały o nabyte z trudem szpilki, no i nie było komu świecić w oczy kosztownym przyodziewkiem. Samotna para wędrująca od strony lasu wywołała uśmiech na twarzach obu mężczyzn. Młody, szczupły, ciemnowłosy mężczyzna w jasnym ubraniu kroczył u boku jasnowłosej kobiety w błękitnej sukience, z bukietem polnych kwiatów w ręku.

– Grätzowie wciąż tylko we dwoje szukają samotności – zauważył lekarz.

– Założę się, że się ukłonią a Boga nie pochwalą! – ksiądz się zarumienił z gniewu, czy upału.

– Spotykają ciebie, nie Boga!

– Jako proboszczowi, który jego ochrzcił a obojga przygotował do Pierwszej Komunii Świętej, należą mi się jakieś względy – odparł z irytacją.

– Ślubu u ciebie jednak nie chcieli – lekarz uśmiechnął się pod nosem i dalej robił laseczką dziurki w gruntowej drodze.

– Nawet zapowiedzi u mnie nie było – ksiądz trząsł się z oburzenia. – W pewnej chwili nabrałem podejrzeń, że w ogóle nie mają ślubu kościelnego i przeprowadziłem dyskretny sondaż.

– Okazało się, że dali zarobić komu innemu? – Brandt aż zakasłał się ze śmiechu.

– Podobno wszystko odbyło się zgodnie z kościelnymi przepisami. Wyprowadzili się przed ponad pięciu laty, a ona była niepełnoletnia – miała zaledwie siedemnaście lat. Spadli z ambony w Gliwicach i Krakowie. Prawo prawem, ale jestem rozżalony i zawiedziony. Żeby tak zlekceważyć swojego proboszcza! To z całą pewnością jej dzieło. Zawsze była buntownicza.

– Absolwentka UJ! Umysł otwarty i niezależny. Założyłbym się, że zgodziła się na ślub kościelny dla świętego spokoju. Szkoda tylko, że wybrała młodego Grätza. Ktoś starszy, doświadczony byłby lepszy.

– Może ty, co? – proboszcz aż przyśpieszył kroku.

– A dlaczego, nie? Co to jest dwadzieścia pięć lat?, a tyle właśnie jest ode mnie młodsza.

– To znaczy, że o tym myślałeś, stary lubieżniku!

Młodzi zrównali się z lekarzem i księdzem i ukłonili się w milczeniu.

Lekarz uchylił kapelusza, ksiądz biretu.

11

– Mówiłem, że nie powiedzą „niech będzie pochwalony" – tryumfował rozsierdzony ksiądz i gwałtownie zawrócił.

Teraz mężczyźni wolno szli za pogrążoną w rozmowie parą.

– Nazwałeś mnie starym lubieżnikiem, czy się przesłyszałem?

– Nie przesłyszałeś się!

– Nie o lubieżnika mi chodzi, tylko o starego. Jesteś ode mnie starszy o całe pięć lat, no i dorobiłeś się córki.

– Skąd wiesz? – ksiądz przystanął.

– Wróble na dachach o tym ćwierkają. Podobno jesteś hojnym, kochającym tatusiem, a gdy zostałeś dziadkiem, po królewsku obdarowałeś córunię, fundując jej dobra rycerskie, gdzieś koło Torunia.

– Grzech młodości – duchowny sposępniał.

– Dlaczego grzech, skoro za twoją sprawą jakaś urocza osóbka znalazła się w stanie błogosławionym? Zdecyduj się wreszcie: grzech, czy błogosławieństwo.

– Złamałem ślub czystości, a to grzech.

– Z którego wynikło błogosławieństwo – Brandt parsknął śmiechem. – Ty, to nawet gdy grzeszysz, to błogosławisz.

– A oni nic – wskazał głową na młodych idących przodem. – Trzy lata po ślubie i wciąż nie mają dzieci.

– Może ślubowali czystość – zachichotał – albo nie pragną błogosławieństwa.

Doszli aż do plebanii.

– Pozwolisz na lampkę wina? – zaproponował ksiądz.

– Chętnie!

Usiedli w przytulnym saloniku w wygodnych fotelach. Kulawa gospodyni podała chłodne wino.

– Dobre – pochwalił Brandt.

– Francuskie!

– Mów mi o Francji! Pamiętam swoje lata studenckie i odwiedziny ciemnowłosej Ninise w moim pokoiku. Wynajmowałem nędzną izbę w ponurej kamienicy z obłażącym tynkiem. Poręcz miała wyłamaną co drugą tralkę, drewniane stopnie zostały prawie „wyjedzone" stopami pokoleń lokatorów, w wilgotnej sieni śmierdziało gotowanymi porami i kocimi szczynam, i a konsjerżka nie miała pamięci do twarzy i stale pytała: *qui êtes – vous?*[3]

Za to Ninise, sam miód. Talia osy, okrągłości tam gdzie trzeba, atłasowa skóra i burza czarnych włosów, pachnących heliotropem. Odwiedzała mnie kapryśnie, o zupełnie nieoczekiwanych porach, nie traciła czasu na zbędne pogawędki, tylko zaraz przystępowała do rzeczy i znikała równie niespodziewanie, jak przyszła. Nigdy nie miałem słodszej, radośniejszej kochanki. Złudzeń nie pozostawiała żadnych – Dziewicą Orleańską nie była.

Minęło tyle lat! Wciąż czuję zapach jej włosów, a na dłoniach gładkość jej skóry. – Ty, w tych Włoszech ustawicznie się modliłeś, co? Jak ci w ogóle przyszło do głowy zostać księdzem? – upił łyk wina i potrzymał w ustach.

– Nie chciałem być rolnikiem. Nie podobała mi się praca w polu ani wokół zwierząt gospodarskich, od smrodu gnoju ściskało mnie w dołku. Prawdę mówiąc smród był wszechobecny. Śmierdziało w chlewie, w oborze, w kuchni, śmierdziała matka i siostry, śmierdział ojciec i znajomi też zajeżdżali. Nagniotki na dłoniach ojca wzbudzały moją odrazę i kiedy byłem już wyrośniętym chłopcem, z wyobraźnią i męskimi fantazjami, zastanawiałem się, jak też matka może ścierpieć, by dotykały ją takie łapska.

Podziwiałem notariusza, do którego wybrała się matka, a przy jej spódnicy ja, po śmierci dziadków. Pachniał dobrym tytoniem, koniakiem – wtedy nie wiedziałem, że to zapach koniaku, ale odurzał mnie i zachwycał – podobały mi się jego wypielęgnowane ręce i gładko ogolona twarz.

Pokojówka przyniosła mu na tacy filiżankę wonnej kawy. Aż mi się w głowie zakręciło od zapachu i widoku porcelany w drobny kwiatowy wzorek, z cieniutkim złotym brzeżkiem. Przekonany, że nikt nie zwraca na mnie uwagi, pogładziłem lśniące biurko bez zadziorów i chropowatości i wskazującym palcem dotknąłem czarnego kompletu do pisania, za co zaraz oberwałem w ucho. W zachwycie przyglądałem się grubym księgom i wstrzymywałem oddech, gdy notariusz dokonywał wpisu starannym, czytelnym, równiutkim pismem, maczając w czarnym atramencie błyszczące pióro, zatknięte w dopasowaną do kompletu ozdobną, czarną obsadkę. Matka podpisała się kulfonami. Wstała, poprawiła chustę, dygnęła i wyszła, wypychając mnie przed sobą.

Kiedy opuściliśmy miasteczko, matka zdjęła buty, podkasała spódnicę, żeby nie zabrudzić obrąbka i kazała mi się rozzuć i podwinąć nogawki. Wracaliśmy w błocie, które z mlaśnięciem odrywało się od pięt i wciskało między palce, zalepiając je całkowicie. Podpatrzyłem, że notariusz miał wdzięczne, błyszczące kamaszki, zapinane na guziczki i wyobrażałem sobie, że moje utytłane w błocie stopy, spoczywają sobie w miękkiej skórce, jakby nigdy nic.

Wtedy postanowiłem, że stanę na głowie, ale wydostanę się z tego gnoju.

Rodzice wcale nie byli tacy biedni. Przynajmniej w porównaniu z innymi. Mieliśmy trzy krowy, dwa mocne konie, świnie, kozy, króliki i z pięćdziesiąt kur. Ziemniaki mieliśmy własne, buraki też, ojciec siał pszenicę i żyto, łubin i saradelę. Mieliśmy piękne łączki nad potokiem i staw w którym były dorodne szczupaki. Stawiałem się regularnie z tymi szczupakami na plebanii i dostawałem święty obrazek, choć byłbym wolał przynajmniej ogon albo łeb szczupaka, żeby wiedzieć, jak smakuje.

Kiedy skończyłem szkołę podstawową wziąłem się na odwagę i oświadczyłem ojcu, że chcę do gimnazjum. Tata był człowiekiem spokojnym i małomównym. Gdy więc zaczął ściągać pasek od spodni, wypaliłem: bo księdzem chcę zostać! Ot tak, ze strachu.

Ojcu ręka opadła, matka stanęła jak wryta, siostry przestały siorbać zupę. Miałem powołanie! I tak już zostało.

Okres nauki, najpierw w gimnazjum, potem w liceum, wreszcie studia teologiczne wspominam bez wzruszenia, czy tęsknoty.

Mieszkanie na stancji było udręką zarówno dla mnie, jak i dla kolegów z którymi dzieliłem mroczny, ponury, lodowaty strych. Spaliśmy na siennikach, w których uwijały się myszy, nie dając zasnąć, przykryci cieniutkimi, zużytymi pierzynkami, przywiezionymi z domu, a pod głowę podkładaliśmy „szpiloki" – takie poduszki z odpadów po darciu pierza. Rzadko rozbieraliśmy się do snu, bo było za zimno, więc chodziliśmy oblepieni puchem z przepuszczających piernatów. Chłopcy z lepszych rodzin nie chcieli siedzieć z nami w ławce, bo śmierdzieliśmy na odległość. Nigdy się nie myliśmy, bo dostęp do wody był na podwórzu, przy studni. Nie chodziłem głodny, jak moi ubożsi koledzy, bo matka przy każdej okazji podrzucała gospodarzom a to jajka, a to osełkę masła, a to kawałek słoniny. Za to dostawałem na śniadanie kubek zbożowej kawy z kozim mlekiem i kromkę czarnego chleba, na obiad talerz kartoflanki, albo fasolówkę, czasem żur śląski, a na kolację dzień w dzień odsmażane ziemniaki z maślanką, aż gorzką ze starości. Na przerwach przyglądałem się niektórym chłopcom zajadającym bułeczki z wędliną. Kiedy wędlina wysuwała się z bułeczki, obcierałem rękawem usta, bo ślinka mi ciekła. Uczyliśmy się przy karbidówce; elektryczności na strychu nie było.

W soboty, po nauce, musieliśmy sprzątać podwórze, wyrzucać gnój, podrzucać świeżą słomę trzem chudym jak wyżły świniom i szorować sławojkę.

Tak skończyłem gimnazjum a potem liceum.

Na studiach nie było wiele lepiej. Niby mieszkałem wygodniej, za to chodziłem stale głodny i z apetytem wcinałem to, co bogatsi alumni i profesorowie pozostawili na talerzach. Należałem do studentów pracujących. Sprzątałem, prałem, myłem klozety i podłogi, usługiwałem wykładowcom.

Urząd proboszcza kupiłem po śmierci rodziców z części przypadającego mi spadku, który wcale nie był mały, zważywszy nędzę mojej wczesnej młodości.

Zachwyciły mnie Włochy. Pilnowano nas na każdym kroku, dzień i noc, a nasze ciała wariowały. W ciepłym, łagodnym klimacie, cudownej, uderzającej do głowy przyrodzie, mamiącej zapachami i kolorami, pośród olśniewającej architektury, przemykaliśmy umartwieni na ciele i na duszy, niedomyci, pryszczaci, cuchnący potem i zaschniętą spermą, w dziwacznych sukienkach i śmiesznych nakryciach głowy... – Zazdroszczę ci bezpruderyjnej Ninise.

– I zazdrościsz młodym Grätzom – cicho powiedział Brandt, spoglądając w kroplę wina na dnie kieliszka. – Zazdrościsz im młodości i swobody, obojgu, jemu i jej. Tylko że ona wzbudza w tobie uczucia, do których nie chcesz się przyznać. Pożądanie i nienawiść. Lubiłeś ją, gdy była małą, przestraszoną dziewczynką w obcym środowisku, nie umiejącą porozumieć się z otoczeniem. Chętnie jej pomagałeś, chroniłeś ją, brałeś w obronę, bo jej potrzebowała. Rozbudziła w tobie stłumione uczucia ojcowskie. Jej słabość, niewinność

15

wzruszały cię i rozczulały. Wyrosła na odważną, wykształconą, inteligentną i niestety, buntowniczą kobietę. Nie chce się już podporządkować. W pierwszym odruchu buntu zwróciła się przeciwko temu wszystkiemu, co sobą reprezentujesz. Jest dostatecznie bystra, aby wiedzieć, że to religia, a więc ty, jesteś jednocześnie zbroją i orężem i że główny przymus pochodzi od ciebie. Ty sterujesz obyczajami, nakazami i zakazami a także oczekiwaniami wobec niej, jako kobiety. Dzięki za wino, było znakomite – lekarz wstał i wsparł się na lasce. – Zapraszam na rewanż. Trzymam nierozpieczętowaną butelczynę wytwornego koniaku.

Ksiądz odprowadził gościa do furtki, – Piękny wieczór – westchnął – pachnie rozgrzaną ziemią i zmęczonymi ludźmi.

– Tak, piękny.

*

– Niki – teściowa zagadnęła ją, ledwie zdjęła płaszcz – nasz wikary życzyłby sobie prywatnych lekcji francuskiego i pomyślał o tobie.

– To miłe, że wikary o mnie myśli – uśmiechnęła się pod nosem.

– Chłopakowi niczego nie brak i aż żal odrzucić taką propozycję. – Mama wybaczy i może zechce przeprosić wikarego w moim imieniu, bo nie sądzę, żebym miała go spotkać osobiście. Muszę odmówić! Mieszkamy w małej miejscowości, w której wszyscy są albo spokrewnieni, albo spowinowaceni, albo przynajmniej dobrze się znają. Kocham swojego męża, mam dwadzieścia siedem lat, ten wikary, jak mi się wydaje, jest moim rówieśnikiem i nie chciałabym dostarczać pożywki dla plotek. To, co mówią o mnie krewni czy znajomi, jest mi, szczerze mówiąc, obojętne, chodzi mi tylko o spokój mojego męża. Za nic w świecie nie chciałabym mu sprawić przykrości.

– Ależ wizyty na plebanii nie są niczym niewłaściwym! To zaszczyt bywać oczekiwanym w takim miejscu.

– Proszę mamy, plebania jest takim samym domem, jak każdy inny. Jedyną różnicę stanowią mieszkańcy – samotni mężczyźni i kaleka służba, trzymająca się na zapleczu. Nigdy nie odwiedzałam samotnych mężczyzn w ich mieszkaniach i nie zamierzam tego robić. Nie czuję się zaszczycona takim zaproszeniem. Przeciwnie. Jeśli miałabym się zgodzić, oczekiwałabym raczej księdza u siebie. A tak, nawiasem mówiąc, trzymam się daleko od księży i plebanii.

– Ale mojego syna usidliłaś!

– Nie ja bywałam u niego, lecz on u mnie. I pozwoli mama: nie był i nie jest księdzem!

– Jak śmiesz pyskować matce swojego męża!? – rozsierdził się teść.

– Przede wszystkim prosiłabym, by ojciec ważył słowa. Nie „pyskuję", rozmawiam. Zaś o tym, co mam robić lub nie, zadecyduję sama. – Raz jeszcze proszę, żeby mama zechciała przeprosić wikarego w moim imieniu – odwróciła się na pięcie i poszła do swojego pokoju.

– Tu rządzę ja! – zawołał za nią teść.

– Proszę to robić! – odpaliła.

Usiadła w kapeluszu na zniszczonym tapczanie. Twarz jej płonęła, ręce drżały. Bała się powrotu męża, bo wiedziała, jakie zajmie stanowisko. Nie chciała go utracić, kochała go, ale zaczynała żałować, że zdecydowała się na ten związek. Był gotów zrobić wszystko dla świętego spokoju, uniknięcia konfliktu, załagodzenia sporu i zawsze oczekiwał, że to ONA ustąpi. Bo rodzice, bo rodzeństwo, a ona młoda, wykształcona...

Wstała z tapczana, zdjęła kapelusz, starannie go odczyściła, podobnie jak płaszcz, którego nigdy nie zostawiała na wspólnym wieszaku w przedpokoju, lecz zabierała ze sobą, do mieszkania. Wyjęła z torby stos zeszytów do poprawienia i miała zasiąść do pracy, gdy sobie przypomniała, że nie wyjęła masła ze wspólnej lodówki i będzie twarde jak kamień.

Niechętnie powlokła się do kuchni. W dużym, choć dość zagraconym pomieszczeniu siedzieli nabzdyczeni teściowie i Włodek, który właśnie wrócił. Teściowa gorączkowo gestykulując coś wyjaśniała synowi, który, swoim zwyczajem, milczał. Kiedy Nicole weszła, teściowa gwałtownie urwała.

– Cześć Włodku! – ucałowała męża w policzek, podeszła do lodówki, wyjęła masło i wyszła.

Wróciła do siebie, postawiła maselniczkę na stole i zasiadła do poprawiania klasówki. Łzy same napływały do oczu. Na skrawku papieru szybciutko zliczyła słupek dochodów i wydatków. – Jeśli nie zmienię pracy, nigdy nie dorobimy się własnego mieszkania. Muszę się rozstać ze szkołą i zatrudnić w przemyśle – rozmyślała. – Szkolnictwo dysponuje tylko kawalerkami, wynajmowanymi w domach prywatnych, nie wpłaca wkładów do Spółdzielń Mieszkaniowych, nie ma własnych mieszkań służbowych i może udzielić tylko niewielkiej pożyczki.

Włodek wszedł do pokoju i opadł na tapczan.

– Teraz przyszła jeszcze Lidka z Kaziem i synami – westchnął.

– Basia i Danka siedzą i zamieniły się w słuch. – Mógłbyś przynajmniej z nimi nie dyskutować. To w końcu moi rodzice i przygarnęli nas.

– Czy to znaczy, że chcesz, abym udzielała korepetycji księdzu, abym bywała na plebanii?

– Jakich korepetycji, jakiemu księdzu?

– Nie powiedzieli ci, od czego się zaczęło? – roześmiała się ze satysfakcją. – Włącz radio.

Dosiadła się na tapczan i streściła rozmowę z Ludwiką.

– Miałabyś odwiedzać wikarego na plebanii? – zrobił wielkie oczy.

– Co ci powiedzieli, jeśli pominęli istotę sprawy?

– Mamusia płakała, a ojciec odgrażał się, bo jesteś bezczelna, arogancka, butna, pyskata, obrażasz ich na każdym kroku. Z trudem powstrzymali Lidkę i Kazia, którzy chcieli przyjść i ci nawrzucać.

– Włodku, zawsze mi się podobałeś. Wyszłam za ciebie z miłości, nie dla pieniędzy, których nie masz, ani dla iluzorycznego majątku, który jak ulał pasuje do definicji dwóch prostych równoległych. Każde czasopismo, każdy poradnik, pouczają młode żony, aby nie zmuszały mężów do dokonywania wyboru pomiędzy rodzicami a żoną. Twoi rodzice są bardzo religijni. Pojąć nie mogę, dlaczego nigdy nie zainteresowali się tym, w co wierzą: „Dlatego opuści człowiek ojca i matkę i złączy się ze swoją żoną, i będą oboje jednym ciałem. A tak już nie są dwoje, lecz jedno ciało. Co więc Bóg złączył, niech człowiek nie rozdziela".[4] Rodzice mają usta pełne frazesów, lecz za żadne skarby by się nie przyznali, że próbują, na wszelkie sposoby, rozbić nasz związek. Zaś ty, według włoskiego przysłowia *chi tace, accosente".*[5] – Nie wiem, co powinnam zrobić. Może rozstanie byłoby najlepsze. Dzieci nie mamy…

– Właśnie! – wtrącił. – Dzieci też wypłynęły.

– Czy wyobrażasz sobie, że w tych warunkach mieszkaniowych i finansowych, pojawia się dziecko? Kto miałby się nim zająć, skoro nie ma tu ani jednego żłobka? Chciałbyś, żebym porzuciła pracę? Stoczymy się na dno ubóstwa, bo z jednej pensji trzy osoby nie wyżyją. Moja matka dzieckiem się nie zajmie, nie tylko dlatego, że nie chce, ale dlatego, że nie powierzyłabym dziecka psychotyczce. Zbyt dobrze pamiętam własne dzieciństwo. Twoja matka odmówiła nawet własnej córce, gdy ta poprosiła o opiekę nad synem przez dwie godziny, dwa razy w tygodniu, bo chciała się zapisać na kurs. Posłuchaj – ujęła go za rękę – masz stypendium fundowane. Gdybyś się rozejrzał w swoim zakładzie, może rozpytał. Chodziłoby o instytucję, która bądź dysponuje mieszkaniami, bądź posiada fundusze na kredytowanie zakupu mieszkania. Jedno jest pewne i niepodważalne – musimy się wynieść i to jak najszybciej.

Johann grzmi, ale jest niegroźny. Boję się Ludwiki. Na wszelkie sposoby próbuje się zbliżyć do Amalii, a ta jest nieobliczalna.

– Niki! – teściowa, jak zwykle, weszła bez pukania – moglibyście choć raz pójść razem na różaniec. Ksiądz proboszcz zwracał mi uwagę na waszą ustawiczną nieobecność w kościele. Musisz wiedzieć, moja droga, że nauczyciel, dobry zwłaszcza, powinien świecić przykładem, który uczniowie zechcą naśladować. Dyrektor twojej szkoły nachwalić się ciebie nie może, wysoko cię ceni, bo podobno rodzice uczniów bardzo cię lubią – usiadła przy stole.

– Chciałabym sprzątnąć po kolacji, zostało mi jeszcze dwadzieścia zeszytów do sprawdzenia. Jak co wieczór, muszę zrobić przepierkę, musimy się umyć i trochę odpoczynku też nam się należy. Co to za nauczyciel, który nie przeczyta książki, nie spojrzy do gazety? Po kilku latach będę umiała tyle, ile moi uczniowie. Popadnę we wtórny analfabetyzm.

– Nie rozumiem, co to za mania codziennego prania – Ludwika z niesmakiem poprawiła się na krześle.

– Proszę mamy, bieliznę osobistą zmienia się codziennie. Przecież nie wrzucę do kosza z brudną bielizną sześciu par moich majtek, tyle samo slipów Włodka i sześciu par skarpetek, bo padniemy ze smrodu.

– To dlatego, że nosisz figi. Gdybyś nosiła reformy, mogłabyś zmieniać raz na tydzień.

– Miałabym zakładać rano używane majtki, a potem wietrzyć się przez cały dzień? – Nicole znieruchomiała z talerzem w ręku.

– A co ty taka dziwaczna jesteś? Przywiozłaś jakieś głupie nawyki z drugiego końca świata i chcesz przerabiać wielowiekowe, sprawdzone obyczaje.

– Nie lubię smrodu! – mruknęła.

– A gdyby twój mąż, tak jak ojciec, nosił wełniane skarpetki, to by mu stopy nie śmierdziały.

– Włodek, ściągaj skarpetki i daj mamie stopy do powąchania.

– Mojemu mężowi nogi nie zajeżdżają, bo je codziennie myje i codziennie wkłada czyste skarpetki. I ja też nie cuchnę – mówiła coraz głośniej.

– To znaczy, że my cuchniemy, tak? – Ludwika zerwała się z krzesła.

– Tak!

Wypadła z pokoju synowej i głośno lamentując wparowała do swojej kuchni.

– Johann – wrzasnęła od progu, łamiącym się głosem – ona powiedziała, że cuchniemy.

– Cooo? – teść miał lekko w czubie – cooo?

Wyskoczył zza stołu i runął z impetem do mieszkania syna i synowej.

– Śmierdzimy ci? – ryknął.

– Tak, mama kozą a ojciec capem i zleżałym serem. Teraz proszę wyjść, bo chcemy się umyć.

Osłupieli, trzęsący się z furii teściowie, zbici z pantałyku, nieoczekiwanie wyszli.

Włodek śledził uważnie rozmowę i nie powiedział ani słowa. Tkwił na tapczanie w milczeniu i przyglądał się, jak żona zmywa naczynia. Gdy zasiadła do poprawiania zeszytów włączył telewizor. Nie odzywali się do siebie. Czuła głuchy żal, że nie poprosił, aby nie wpadali do mieszkania, jak do młyna i nie wtrącali się do sposobu prowadzenia domu. Mógł przecież pójść do rodziców i powiedzieć im to bez świadków, na osobności.

Zaczynała żałować, że zgodziła się wyprowadzić z maleńkiego mieszkania matki, wcale nie lepszej od teściowej. Kiedy Lidka z mężem otrzymali mieszkanie zakładowe, w ogromnym mieszkaniu teściów, znalazły się dwa wolne pokoje z osobnym wejściem. Uległa namowom, chociaż znajomi przestrzegali przed nadmiernym zaufaniem. Ludwika, kupcówna, uchodziła za osobę zarozumiałą i pewną siebie. Johann nie był lubiany z powodu swojej buty i arogancji. Małżeństwo jedynego syna było Grätzom nie w smak. Nie lubili Niki, bo była obca, wykształcona i niepokorna. Uwierało ich dokładnie to, co pociągało ich syna. Chcieli dla jedynaka cichej, posłusznej, łagodnej, pracowitej i płodnej żony. Nicole była tylko pracowita.

*

Znali się z Włodkiem od szkoły średniej. Chodzili do tej samej klasy, w tej samej szkole i razem przygotowywali się do matury. Już wtedy Grätzowie kręcili nosem. Nie podobała im się ta zażyłość z dziewczyną, która przyjechała zza granicy i bardzo się różniła od miejscowych. Liczyli jednak na łaskawość losu. Oboje, Włodek i Nicole, wybierali się na studia i mieli przed sobą pięć długich lat oddalenia.

Amalia, matka Nicole, patrzyła na młodych z jeszcze większą niechęcią. Traktowała jedynaczkę jak inwestycję i ani myślała oddawać ją miejscowemu chłopakowi. Pragnęła dla córki mężczyzny starszego o jakieś dwadzieścia, trzydzieści lat, zamożnego, dobrze ustawionego, który byłby raczej partnerem dla niej samej. Nicole niech pracuje, zarabia, robi karierę, żeby zapewnić matce dostatnie życie, skoro tak zmarnowała jej los swoim istnieniem.

Dziewczyna nie zastanawiała się nad pragnieniami matki i rodziców Włodka. Zajmowało ją to, co powinno. Chciała zdać maturę i dostać się na studia. Bliską przyjaźń z Włodkiem traktowała z dużym sentymentem, ale erotycznych wzlotów nie doznawała. Chciała mieć swoją sympatię tak, jak wszystkie inne dziewczyny, z których każda z kimś „chodziła". Perspektywa wyjazdu na studia była zbyt kusząca, aby mógł ją przyćmić niewinny romans z klasowym kolegą.

Na początku studiów pisywali do siebie listy, wyprane z wszelkiej namiętności, sprowadzające się do rozwlekłych relacji z kontaktów z rówieśnikami, przygód na zajęciach, walki o zaliczenia i zmagań z niejadalnymi potrawami stołówkowymi. Wówczas miało miejsce banalne zdarzenie, które rozdzieliło młodych na kilka lat.

Nicole rzuciła się na naukę, jak zgłodniały pies. Nie opuszczała żadnych zajęć, wszystko skrzętnie notowała, całymi popołudniami tkwiła w bibliotece, ubłagała kierownika katedry, aby wyraził zgodę na podjęcie studiów na drugim fakultecie. Dbała również o poprawne, przyjazne, ciepłe relacje z matką. Zawsze się starała czymś miłym ją zaskoczyć, jakimś drobiazgiem, prezencikiem, wyszukanymi słodyczami nie do zdobycia na prowincji. Pisała też długie, serdeczne listy. Pewnego razu, podczas sesji zimowej, wybierała się na popołudniowe zajęcia i pozostały jej do zaadresowania dwa listy: do matki i Włodka. Napisała adresy, nakleiła znaczki, zapieczętowała koperty i wybiegła w ciemne, ponure, zimowe popołudnie. Po drodze wrzuciła listy do skrzynki na Podwalu, nie sprawdzając poprawności adresów.

Kiedy po śpiewająco zdanych egzaminach, jak na skrzydłach pomknęła do domu, żądna pochwał i pewna uznania ze strony matki, spotkała się z najautentyczniejszą furią. Amalia płonęła oburzeniem. Ze łzami w oczach, dramatycznym szeptem poinformowała zupełnie zdezorientowaną córkę, że oto została pohańbiona, wystawiona na pośmiewisko i niemożliwe do zmycia piętno wstydu. Monolog był długi, przerywany szlochami i obelgami i całkowicie niezrozumiały.

Była głucha noc, gdy Amalia się zapowietrzyła i Nicole ośmieliła się zadać pytanie: – Ale co się stało?

Tymi na pozór niewinnymi czterema słowami, otworzyła śluzy zbiornika jadu i wściekłości. Do samego rana słuchała o swojej niegodziwości, braku odpowiedzialności, niemoralności, bezwstydzie, podłości, wciąż nie mogąc dociec, o co właściwie chodzi. Powoli ogarniały ją senność i apatia. W zniszczonej, brzydkiej torebce leżał bezcenny indeks ze samymi piątkami oraz zawiadomienie o przyznaniu stypendium premiowego. Jedwab na perłową bluzkę, kupiony za tłumaczenia, robione po nocy w nieczynnej łazience, figi w marcepanie, zdobyte z trudem i po znajomości i para ruskich kapronów, wymieniona za komplet wykładów pisanych przez kalkę, straciły wszelkie znaczenie.

– Nie wiem, o co chodzi – wybąkała zniechęcona.

– A to? – matka rzuciła jej na kolana otwarte listy.

Ze znużeniem rzuciła okiem na dwie rozdarte koperty i zrazu niczego szczególnego nie zauważyła. Zrobiła zdziwioną minę i dopiero po chwili dostrzegła, że oba listy wysłała pod ten sam adres, z tym że na jednym były imię i nazwisko matki, a na drugim imię i nazwisko Włodka. W pośpiechu napisała dwukrotnie tę samą nazwę ulicy.

– Sąsiadka mi powiedziała, że specjalnie odwróciła list adresem do drzwi, bo najpewniej rodzice Włodka nie mogą się dowiedzieć, że ze sobą korespondujecie. Taki wstyd, takie poniżenie. Dziwka, łajdaczka, ladacznica, ostatnia kurwa! Oczywiście musiałam list otworzyć!

– Tak? A po co? Przecież nie był skierowany do ciebie.

– Muszę się dowiedzieć z kim i za ile się puszczasz, nędzna szmato – syczała.

– I dowiedziałaś się?

– Już rodzice Włodka wiedzą, dlaczego mają do ciebie zastrzeżenia!

– Dlatego, że zaliczam wszystkie przedmioty, a mój harmonogram zajęć na dwóch fakultetach wymagałby doby trzydziestogodzinnej? O tym właśnie pisałam w liście. Mogłaś zapoznać z nim sąsiadkę, skoro sama przeczytałaś.

– Zabraniam ci pisywać do tego chłopca. Jeśli nie posłuchasz, będziesz musiała porzucić studia.

– To nie będzie takie łatwe. Jestem pełnoletnia, mieszkam w Domu Akademickim, a więc dach nad głową mam i właśnie podwyższyli mi stypendium, a zatem mam z czego żyć. O siódmej mam pociąg powrotny – wyłożyła na stół prezenty.

– Możesz sobie te śmieci wsadzić w dupę, skoro wystawiłaś mnie na publiczną hańbę.

Zebrała jedwab, pończochy, słodycze, zwinęła w kulkę i wepchnęła do ognia, palącego się pod kafelkową kuchnią. Włożyła płaszcz, omotała głowę chustką i wyszła na wyludnioną, jak to w zimowy, niedzielny poranek, ulicę. Brudna, głodna i niewyspana wracała do Krakowa. Nie miała już chłopaka.

*

Z jeszcze większym zapałem zabrała się do pracy. Nikomu nie opowiedziała o przyjęciu, jakie jej zgotowano w domu. Przyjaciółce, która spytała, jak się podobał jedwab i kaprony, powiedziała że bardzo.

23

Włodek odezwał się kilka razy z Gliwic, gdzie studiował, i tam też odpisała, w wielkiej tajemnicy przed matką. Do domu pisywała grzecznie i regularnie, nudząc niemiłosiernie o wykładach, kolokwiach, kłopotach ze zdobyciem podręczników. Ani słowem nie wróciła do incydentu. Przyjechała raz, czy dwa razy z wizytą, ale rozmowa się nie kleiła.

W maju zaprosiła Włodka na krakowskie Juwenalia. Koleżanki się poprzebierały w zabawne stroje i przy ciepłej, słonecznej pogodzie ruszyły w miasto, aby się zabawić. Włodek nie znał Krakowa, więc pojechała po niego na dworzec. Dziewięć razy jechała autobusem linii sto czternaście spod Wyższej Szkoły Rolniczej, ale nie zjawił się przez cały dzień. Smutna i samotna wróciła do opustoszałego akademika i zabrała się do nauki.

Wieczorem, kiedy koleżanki, rozbawione i radosne, wróciły na kolację zełgała, że Włodek był, ale z powodu niezaliczonego projektu musiał zaraz wracać. Chyba nie uwierzyły. Gdzieś miesiąc później napisał, że miał katar i bolała go głowa. Nie odpisała.

Całkowicie oddała się nauce. Chodziła na odczyty, prelekcje, wystawy, koncerty. Zgłaszała się na ochotnika do prac przy urządzaniu i likwidowaniu wystaw, biegała do teatru. Wykładowcy polubili ją i nawet zaszczycali czymś na kształt poufałości, bo zwracali się do niej po imieniu i mówili per „ty". Mało nie pękła z dumy, gdy pani profesor, uwieszona u jej ramienia wkroczyła do Domu Kolejarza na sztukę „Kowal, pieniądze i gwiazdy" i traktowała niemal jak córkę. Kiedy w kawiarni „Literackiej" do stolika, przy którym usiadła ze swoim wykładowcą, dosiadł się prof. Szablowski, poczuła że unosi się nad krzesłem.

Wkuwała na pamięć „Słownik wyrazów obcych", zapisała się do wszystkich możliwych bibliotek, od koleżanki z Wyższej Szkoły Muzycznej wydębiała wejściówki do filharmonii. Jak we śnie ocierała się o ludzi o znanych nazwiskach. Czytała wszystko, co jej wpadło w ręce i wkrótce stała się przedmiotem żartów w rodzaju: „ona się odżywia wiedzą". Wysiłki nie poszły na marne. Dostała stypendium naukowe. Zupełnie jej odbiło. Poznała miasto od krańca do krańca: kościoły, zbiory muzealne, domy prywatne, skrywające niezmierzone skarby i kolekcje. Słuchała, co też mają do powiedzenia ludzie o których się mówiło: profesorowie, wykładowcy, dyrygenci, artyści, wysocy duchowni. Czuła się, jak gąbka wyjęta z wody, ociekająca bon-motami, żartami, zaczerpniętymi wprost z krynicy wiedzy. Zaliczyła nawet trzystopniowy kurs ratownictwa medycznego. Wakacje spędzała na pracy zarobkowej w charakterze przewodnika i tłumacza. Uczyła się języków i nie rozstawała się z notatnikiem, w którym zapisywała każdy zasłyszany zwrot, używając złożonego systemu zaznaczania intonacji i barwy głosu. Gadała do lustra, próbując naśladować podpatrzone gesty i podsłuchane zdania. Szczęście jakie odczuwała, mogąc się tyle dowiedzieć, upajało ją jak narkotyk.

Najlepsza koleżanka – bo przyjaciółek raczej nie miała tak, jak kazała mama: „twoją najlepszą przyjaciółką była, jest i pozostanie mama" – otóż najlepsza koleżanka powiedziała jej kiedyś: „nawaliłaś się wiedzą" i to była prawda.

*

Po drugim roku studiów wyjechała z koleżankami i kolegami na winobranie do Francji. Żadne zaświadczenia lekarskie nie były potrzebne. Wystarczyła dobra wola, chęć do pracy no i „załącznik" dla urzędników. Z tym sobie poradziła. Spała po trzy, cztery godziny na dobę i przyjmowała każdą pracę: tłumaczenia, sprzątanie, doglą danie staruszków i dzieci.

Trochę zarobiła, część wysłała matce, a resztę przeznaczyła na „załączniki". Amalia nie była zachwycona, bo uważała, że powinna dostać więcej, „przecież siedemnaście lat się tobą zajmowałam. A jaka żarłoczna byłaś! Całą puszkę sardynek potrafiłaś zeżreć!".

To doglądanie staruszków okazało się zajęciem nad wyraz niebezpiecznym.

Pewne małżeństwo prawników, w wielkim sekrecie zatrudniło ją do mycia zniedołężniałej matki. W pięknej, nowoczesnej w latach trzydziestych kamienicy prawnicy zajmowali wygodne mieszkanie, wypełnione cennymi meblami, antykami, obrazami, kosztownymi drobiazgami. Była trochę zdziwiona, gdy sobie zażyczyli dwóch osób, z których jedna przynajmniej musi być dość krzepka – rzucili na nią okiem pełnym wątpliwości. Zabrała ze sobą koleżankę.

W przedpokoju powitała je pani mecenas przy koralach i pan mecenas pod krawatem. Był chłodny, rześki wieczór. Weszły z ulicy i uderzył je w nozdrza trudny do opisania smród. Za podwójnymi drzwiami, w niesprzątanym pokoju, leżała kobieta około sześćdziesięcioletnia, dokładnie, od stóp do głów, utytłana gównem. Uśmiechała się promiennie i gaworzyła jak dziecko.

– Ona musi pozostać związana, bo jest agresywna – pani mecenas przytknęła chustkę do nosa i wybiegła z pokoju.

Stanęły w obłoku smrodu, nie wiedząc, od czego zacząć. Do pokoiku przylegała łazienka. Nalały pełną wannę wody, dodały płynu kąpielowego – chyba przywiezionego zza granicy – przeniosły związaną staruszkę na prześcieradle i zanurzyły w letniej kąpieli. Babcia leżała rozanielona, podczas gdy Anka informowała państwa, że pościel i materac są „tak przeszczane i przesrane, że nadają się tylko do wyrzucenia".

Pani mecenas uroniła łzę i westchnęła: – taki koszt, takie wydatki – i kazała wyrzucić cuchnące leże z daleka od domu.

Dochodziła północ, kiedy wlokły opustoszałymi Alejami cuchnące szmaty, żeby je komuś podrzucić. W okolicach kina „Wolność" zatrzymał je patrol MO, wylegitymował i zażądał wyjaśnień, co tutaj robią, „bo my wiemy".

– Tak? – zdziwiła się blada jak papier Nicole – to może panowie powąchają i podetknęła najgorliwszemu pod nos ręce zajeżdżające chlorem. Czy nie dobrze się bawimy?

– Co to jest? – warknął.

– Rozrywka, dobra zabawa, ubaw po pachy. Centusie, zacni obywatele, la crème de la crème, każą po nocach szorować swoje gnijące matki, żeby nikt nie widział – Nicole zadrżał głos.

Funkcjonariusze się oddalili.

Odtąd, co wieczór chodziła myć staruszkę, która wyglądała miło i niewinnie.

Pewnego wieczora Anka wybrała się na randkę. Państwo mecenasostwo wystrojeni wyszli na przyjęcie i Nicole została z bełkoczącą staruszką sama. Dochodziła dwudziesta trzecia, a babcia nie chciała zasnąć, chociaż podała przepisany środek nasenny, tylko uskarżała się, że więzy na rękach ją piją.

Nicole zlitowała się, poluzowała pęta i nagle poczuła straszliwy ból w udzie. Babcia dźgała ją, raz po raz, nożyczkami. Zanim udało jej się wzmocnić więzy, miała na sobie około sześciu ran kłutych, które obficie krwawiły. Wezwała pogotowie, które udzieliło jej pierwszej pomocy i zabrało szalejącą staruszkę do Kobierzyna.

Państwo mecenasostwo tak się zirytowali niedyskrecją opiekunki, że zażądali, aby natychmiast opuściła ich dom i nigdy nie zapłacili siedmiuset złotych, jakie się należały za sześciotygodniową opiekę nad obłąkaną matką.

Anka nigdy się nie upomniała o należne wynagrodzenie. Niemniej Nicole nie sypiała po nocach, tak bardzo ciążył jej dług wobec koleżanki. Poprosiła o pomoc, obiecała podzielić się wynagrodzeniem i nagle, nic!

Wpływowi mecenasostwo nie tylko że nie zapłacili, ale żeby zmyć z siebie wstyd, rozpowszechniali uwłaczające plotki o zatrudnionych dziewczynach. Nicole niewiele sobie z tego robiła. Mieszkała w akademiku, krewnych nie miała, a pracownicy pogotowia sporządzili odpowiednią notatkę.

Anka była miejscowa. Skłócona z rodzicami od lat, nie utrzymywała z nimi żadnych stosunków, chociaż mieszkała w ich mieszkaniu. Szkodliwe opinie, nawet kłamliwe, były tym, czego sobie życzyła najmniej. Żyła w ustawicznych kłopotach finansowych, bo na pomoc z domu nie mogła liczyć.

Natrudziła się, smrodu się nawąchała za bezdurno. Kiedy pani profesor spytała ją, czy to ona tak zaniedbała, zmaltretowała i brutalnie potraktowała staruszkę, postanowiła zamknąć buzię państwu prawnikom.

Pewnej niedzieli wybrała się do zakładu w Kobierzynie. Na portierni zdecydowanie odmówiono jej prawa wstępu:
– Nie jest pani krewną! Koniec, kropka.
Poprosiła o rozmowę lekarza dyżurnego.
Przyjął ją zwalisty, krótko ostrzyżony blondyn, który od progu ciepło zapytał: – Czego chcesz?
Wyjaśniła, że z koleżanką zajmowały się pacjentką zakładu, nie otrzymały wynagrodzenia za pracę, za to gębę im dorobiono,

i owszem. Chciałaby więc otrzymać poświadczenie, że chora jest hospitalizowana w Zakładzie Psychiatrycznym.

Lekarz znudzony wysłuchał, ziewnął raz i drugi a potem powiedział szczerze i bez ogródek:

– Wiesz co, mała, spierdalaj i nie zawracaj mi dupy!

Wstała, spojrzała mu w oczy i powiedziała: – chuj!

– Zgadza się! – ucieszył się blondyn – ale takiej chudej cipy bym nie chciał.

Wyszła na korytarz i tłumiąc łzy wściekłości pędziła, wykręcając sobie nogi w zbyt luźnych sandałach. W drzwiach wejściowych natknęła się na starszego, lekko łysiejącego faceta w lekarskim kitlu. Omal go nie przewróciła.

– Z drogi – warknęła.

– W porządku! – facet się cofnął – ale po co te nerwy.

– Nie wkurwiaj mnie, chłopie – wycedziła.

– Gdzieżbym śmiał, tylko że to słownictwo tak do ciebie nie pasuje, że czuję się jak w teatrze.

– Szlag mnie za chwilę trafi – wychrypiała.

– Daj spokój, odpuść, wstąp do mnie, walniemy sobie po lufie i może się dowiem, o co chodzi.

– Możesz pić?

– To wariatkowo i tak nikt nie pozna.

Weszli do zagraconego gabinetu.

– Siadaj!

Rozejrzała się, ale wszystkie siedziska były zajęte.

– Zrzuć te szpargały na podłogę – doradził, nalewając do szklanek whisky. – Golnij sobie i powiedz, o co chodzi.

– Już mi się rzygać chce od powtarzania w kółko tego samego.

– A rzygać też możesz, nie krępuj się. Ludzie wykosztowują się na taki szajs – z pogardą mlasnął językiem – ile byłoby za to czystej! – Laskowski jestem, Adam.

– Nicole Cléber! – trochę jej szumiało w głowie.

– Kto ci dał takie imię? To dobre do Moulin Rouge. Nie masz czasem ochoty…

– Nie!, nigdy tego nie robiłam.

– Nie?, serio?, a to ja też nie chcę! Lubię ludzi zadowolonych, a ty po pierwszym razie zadowolona nie będziesz. Coś takiego?, ona jeszcze nigdy... a klnie jak dorożkarz. – Wal, w czym rzecz!

– Otóż – po raz kolejny opowiedziała, co ją spotkało ze strony mecenasostwa.

Adam Laskowski zdawał się drzemać.

– Przecież ty śpisz? – wrzasnęła.

– Nic podobnego, jestem czujny, jak ten ułan na..., k..., gdzie on był?

– Na widecie!

– Masz mocną głowę!

– Ale słaby pęcherz!

– Możesz szczać obok i opowiadać!

– Wszystko opowiedziałam.

– Karty zdrowia staruszki dać ci nie mogę. Tajemnica... ta, no...

– Lekarska – podpowiedziała.

– Masz mocną głowę!

– Już to mówiłeś!

– Przepraszam. Powtarzam się. Mam jednak sporo znajomych i nic nie stoi na przeszkodzie, żebym bąknął o odleżynach – są; o odparzeniach – też są; o niedożywieniu – fakt. Nicole!, jak cię wołają?

– Niki!

– Niki, licz na mnie. Załatwię te papugi i twoje siedem stów. – Czy miałabyś czas zerknąć do tego. To w obcym języku. Niki!, chce mi się spać i muszę coś napisać. Tu masz moje namiary. Skontaktuj się ze mną. Proszę. Załatwię twoją sprawę. – Och!, jeszcze coś!, ależ mi się chce spać! – powiedz mi, jak to się stało, że kobieta, którą trzeba było krępować, miała dostęp do nożyczek? Nie rozumiem tego.

– Chce ci się spać, nie dosłuchasz do końca.

– Wstanę. Na stojąco dosłucham. Nawijaj!

– Mecenasostwo urządzili przyjęcie imieninowe. Nic wiem czyje, jego czy jej, bo nie orientuję się w imieninach. Na Śląsku obchodzi się urodziny. Pani domu kazała mi robić zakupy, dźwigać siaty, myć okna, sprzątać mieszkanie, pastować podłogi, układać kwiaty. Pomachałam jej przed nosem umową, podpisaną ze Spółdzielnią Pracy Studentów, gdzie pisało jak byk, że pragnie zatrudnić studentkę do „osoby obłożnie chorej". Ani słowem nie wspomniała o tym, że ta osoba nie jest „obłożnie chora", tylko unieruchomiona, bo jest nad-pobudliwa, wręcz agresywna.

Gdybym wiedziała, nie przyjęłabym tej pracy, bo wiem, że nie poradzę sobie z kimś, kto ciska się i miota. Mierzę metr sześćdziesiąt siedem i ważę czterdzieści pięć kilo. Pani prawnik mi na to, że zale-żało jej na dyskrecji i, że za prace niezwiązane z doglądaniem chorej zapłaci osobno.

Moja mama powiedziałaby, że jestem skończonym chamem, ale wyrwałam kartkę z zeszytu i w dwóch zdaniach napisałam zobowią-zanie swojej chlebodawczyni, poprosiłam o podpis i pieczątkę.

– I masz ten świstek?

– Mam!

– Odechciało mi się spać – usiadł.

– W dniu przyjęcia, prosto z wykładów poleciałam do mecenaso-stwa. Dostałam rękawiczki lekarskie i kazano mi nakrywać do stołu, układać ciasta, wędliny, galantyny i inne smakołyki. Oczywiście niczego nie skosztowałam. Potem pani mecenas kazała mi starannie umyć ręce w rękawiczkach, uważnie skarb wysuszyć, zdjąć i zasypać talkiem i już, bez rękawiczek, umyć matkę, która była wyjątkowo niespokojna. Rzucała się, pluła, sikała, wrzeszczała, robiła kupy jed-ną za drugą. Przypuszczam, że albo usłyszała ożywiony ruch w do-mu, albo wyczuła niezwykłą, gorączkową atmosferę i to ją bardzo podnieciło.

Pani mecenas przyniosła mi ampułkę i kazała podać chorej za-strzyk domięśniowy. Ampułka była nieopisana, bez opakowania, więc odmówiłam. Na to zagroziła, że nie zapłaci, bo podpisałam umowę, że będę się opiekowała chorą. Zwróciłam jej uwagę, że podawanie zastrzyków to zabieg medyczny, a o tym w umowie nie wspomniano. Rozjuszona sama podała lek, po którym chora jeszcze bardziej rozrabiała.

– Co to był za lek?

– Nie wiem. Mówiłam, że ampułka była nieoznakowana.

Goście mieli przyjść na siódmą. Była za dwadzieścia siódma, a pacjentka ryczała, jak obdzierana ze skóry. Fryzura gospodyni wyglądała jak snopek po orkanie, z nosa ściekały jej krople potu, pod pachami porobiły się nieestetyczne, wilgotne koła. Z furią wbiła wrzeszczącej drugi zastrzyk, co poskutkowało zwierzęcym rykiem.

– Przynieś przylepiec i nożyczki! – rozkazała.

Przyniosłam przylepiec, taki na kółku i nożyczki.

– Spieprzaj! – rzuciła pod moim adresem.

Wycofywałam się wolno i widziałam, jak odrywała spory kawał przylepca, odcinała nożyczkami, przykładała na usta chorej i dociskała, a potem, położyła na łóżku krążek i nożyczki i poprawiała swoje dzieło.

W tej chwili rozległ się dzwonek do drzwi i przyszli pierwsi goście. Schroniłam się w łazience, skąd się potem niepostrzeżenie wymknęłam i w tym dniu chorej już nie widziałam.

Następnego dnia była niedziela i na życzenie pani mecenas stawiłam się już rano, na dziewiątą. Najpierw musiałam sprzątnąć po przyjęciu, a dopiero potem zająć się chorą. Niepokoiłam się, bo wiedziałam, że po tylu godzinach będzie brudna po korzonki włosów, ale nie protestowałam, bo w końcu zostałam zatrudniona.

Uporałam się ze sprzątaniem około czwartej i dopiero wtedy poszłam do starszej pani, która tak cuchnęła, że aż mnie w dołku ścisnęło. Na nocnym stoliku leżał przylepiec, więc go odniosłam do apteczki. Nożyczek nie widziałam. Chciałam zmienić całkowicie zasikaną pościel i nocną koszulę chorej, ale pani mecenas wstała z potężnym bólem głowy i w fatalnym humorze i spytała, czy wyobrażam sobie, że proszek do prania spada z nieba, jak śnieg. Kazała podłożyć basen, a pościel i nocną bieliznę zmienić na drugi dzień, czyli w poniedziałek.

Usiadłam na krzesełku w korytarzyku miedzy pokojem starszej pani a drugimi drzwiami, do holu, bo odór amoniaku wiercił w nosie. Chora drzemała. Mecenasostwo wyszli na szóstą na przyjęcie. O siódmej nakarmiłam pacjentkę. Zaczęła płakać i uskarżać się, że więzy ją boleśnie uwierają.

Zrobiło mi się jej żal i najpierw poluzowałam pasy na lewej ręce, a potem na prawej i wtedy wbiła mi nożyczki w udo. Zgłupiałam i zaczęłam zaciskać więzy, ale ona była nad podziw szybka

31

i niespodziewanie silna. Zdążyła mnie dziabnąć sześć razy w uda i ramię i próbowała mnie ugryźć.

W pokoju wyglądało jak w rzeźni. Pani mecenas chyba położyła nożyczki na kołdrze, a gdy zadzwonił dzwonek u drzwi, na śmierć o nich zapomniała.

Przerażona wezwałam pogotowie. Zabrali mnie na ostry dyżur, gdzie założyli mi szwy i opatrunek, podali coś na uspokojenie, bo trzęsłam się, jak osika, a miotającą się babcię zawieźli do Kobierzyna, czyli tutaj.

Mecenasostwo uznali, że ich skompromitowałam i złamałam warunek umowy. Prosili wyraźnie o dyskrecję. Wzywając pogotowie, które musiało interweniować w dwie karetki, wzbudziłam zainteresowanie osób postronnych i naraziłam na szwank ich reputację. W zaistniałych okolicznościach nie są zobowiązani do płacenia i grożą mi sprawą sądową o naruszenie dobrego imienia. – Czy to znaczy, że miałam się dać zadźgać?

– Nie! Oczywiście, że nie. Zaraz cię skontaktuję ze swoim przyjacielem, prawnikiem.

– Prawnikowi trzeba zapłacić, a oni mi wiszą siedem stów za opiekę nad chorą i forsę z drugiej umowy, za prace porządkowe i organizację przyjęcia. Potrzebuję tych pieniędzy, bo muszę spłacić koleżankę, Ankę, której obiecałam trzysta pięćdziesiąt złotych na żarcie w stołówce. Ona nie ma stypendium. Poza tym wybieram się na winobranie i potrzebuję na „załącznik". Mama też coś chce.

– Ty, na winobranie? Zwariowałaś? Padniesz jak mucha!

– Żebym chociaż tę Ankę mogła spłacić! Chciałabym mieć wgląd w dokumentację medyczną, żeby udowodnić, że wasza pacjentka chorowała od dawna i to nie ja doprowadziłam ją do takiego stanu. Ponadto potrzebuję protokołu z udzielenia mi pierwszej pomocy – aż się spociła i wytarła twarz chusteczką.

– Słuchaj, Nicole, nie mogę ci udostępnić dokumentacji medycznej i na pogotowiu też sama nic nie wskórasz. Tym zajmie się mój przyjaciel, Staszek. Skontaktuje się z tobą za dzień lub dwa dni. To równy gość. A tu masz – odliczył – trzysta pięćdziesiąt złotych dla Anki.

– Nie mogę przyjąć, bo nie wiem, czy mi zapłacą!

– Bierz, dziewczyno, i zmykaj, bo muszę się zdrzemnąć.

– Daj mi jeszcze ten tekst. Przywiozę w ciągu dwóch dni.

– Przedtem do mnie zadzwoń. Ach!, jeszcze coś, spróbuj coś wrąbać, bo jesteś taka chuda, że ciarki mi chodzą po plecach.

Oparł głowę o fotel i zasnął.

Wymknęła się na czubkach palców i pognała do akademika.

*

Opowiedziała Ance o swojej przygodzie w Kobierzynie, wręczyła pieniądze i usłyszała:

– Niki, znalazłaś się we właściwym miejscu. W wariatkowie. I to jest jedność czasu, miejsca i akcji, o której trąbią na wykładach.

Dwa dni później w akademiku pojawił się mecenas Wesołowski, czyli Staszek, który okazał się dobrym znajomym pani profesor. Staszek wraz z żoną Ludmiłą tworzyli udaną, przesympatyczną parę, pełną ciepła i życzliwości. Doskonale zakotwiczeni w życiu zawodowym i towarzyskim, potrafili znaleźć w sobie umiejętność nawiązywania kontaktu i wzniesienia się ponad bariery zawodowe i społeczne. Mieszkali w niezbyt wygodnym i ciasnym mieszkaniu, w którym Ludmiła pełniła honory z wdziękiem i urokiem kasztelanki. Staszek ani przez moment nie wahał się z wtajemniczeniem wpływowej pani profesor w starannie skrywany sekret mecenasostwa.

Nicole odżyła. Wszystko do czego się wzięła, co robiła, w co się zaangażowała musiało być zawsze uczciwe, prawe, bez niedomówień. Zaistniała sytuacja doprowadzała ją do rozpaczy. Za żadne skarby nie chciała krzywdy chorej kobiety, ale nie chciała też być sędzią w cudzej sprawie. Jeśli mecenasostwo uznali za stosowne postępować tak, a nie inaczej, starała się dostosować do ich życzeń. W przygnębiającej samotności wypracowała system akceptowania ludzi takimi, jakimi są, bez wartościowania ni wyrokowania. Pomagała zawsze, gdy ją o to poproszono, powstrzymując się od zadawania pytań. Nie chciała słuchać wyjaśnień, usprawiedliwień i kłamstw, bo to rodziło pokusę oceniania i osądzania. Żywiła szacunek dla cudzej prywatności i respektowała decyzje, nawet te najmniej zrozumiałe. Niestety, oczekiwała tego samego i o tym „niestety" jeszcze nie wiedziała.

Wyjeżdżali na winobranie w pogodnej atmosferze, w dziesiątkę. Sami filolodzy, prawnicy, marzący o specjalizacji w dziedzinie prawa międzynarodowego i dwóch przyszłych lekarzy, nie kryjących, że w głowie im CNRS.[6]

– Niki – zagadnął Łukasz – chcesz pracować przy winobraniu? Jestem dobry w metodzie usta – usta, tylko czy ty się kiedyś oglądałaś w lustrze?

– Luc – wyprężyła się jak struna – nie muszę ci się podobać. Nie startuję w konkursie piękności – głos jej drżał ze zdenerwowania – gdybyś jednak potrzebował konsultacji językowych, możesz na mnie liczyć.

– Niki, nie o to chodzi. Jesteś fajną babką. Tyle że winobranie cię położy. Jeśli chodzi o konsultacje językowe, trzymam za słowo. Złożyłaś bardzo nieroztropną propozycję, z której nie omieszkam skorzystać. Jestem po czwartym roku medycyny. Padniesz jak kawka, przy pierwszym podejściu. Wycofaj się, to nie jest praca dla ciebie, dziewczyno.

– Że też zawsze muszę trafić na kogoś, kto wie do czego jestem stworzona! – odcięła się i próbowała wrzucić swoją tekturową walizeczkę na bagażnik. – Łukasz złapał ją w locie.

– A nie mówiłem?

Jechali całą wieczność. Bez waluty wymienialnej, z własną wałówką. Pili wodę w toaletach dworcowych i nocowali na dworcowych ławkach. Gdy wreszcie dojechali na miejsce, zostali zakwaterowani w czymś, co przypominało stodołę, choć zajeżdżało kozą, bez pościeli, pod cienkimi kocami.

Patron przyjrzał się wszystkim uważnie i zatrzymał się przed Niki.

– *Qu'est-ce qu't'as?*[7]

– *J'suis crevée!*[8]

Znajomość języka zrobiła na nim wrażenie, bo się odczepił.

Pierwszy dzień pracy tak ich zmęczył, że nie mieli ochoty na rozmowę. Żarcie było marne, zresztą nie czuli głodu ze zmęczenia i urżnęli się nędznym sikaczem. Zasnęli kamiennym snem brudni i przepoceni.

Wstali połamani, niezdolni do najmniejszego ruchu i po lichym śniadaniu ruszyli do roboty. Podczas południowej przerwy, usiedli w cieniu kępy drzew, w milczeniu. Zwłaszcza dziewczęta wyglądały kiepsko.

– Niki – Łukasz się dosiadł.

– Czego znowu chcesz? Mam ci teraz wyjaśniać zgodności imiesłowów? – była niemal przeźroczysta i obficie się pociła.

– Proszę cię, posłuchaj przynajmniej Bohdana, on jest po piątym roku – Łukasz nie ustępował. – Masz objawy przegrzania i odwodnienia.

– *Allez, ouste!*[9]

– *Toi* – zwrócił się do Nicole – *tu t'appelles, comment?*[10]

– Nicole.

– *Eh bien. Tu vas à la cuisine. J'veux pas d'macchabées.*[11]

– *Oui, m'sieur.*[12]

Poszła do kuchni i zajęła się tym, co kazała gospodyni. Nosiła wodę, podsycała ogień, siekała cebulę, czyściła warzywa. Krótko: dziewka kuchenna.

W niedzielę nie pracowali. Niektórzy poszli do kościoła, inni odsypiali całotygodniową harówę.

Nicole włożyła sukienkę z kory, biało-niebiesko-różową w łódeczki i poszła na spacer. Wędrowała wzdłuż parkanu luksusowej posesji i przyśpieszyła kroku, bo psy pilnujące za płotem wpadły w szał, gdy nagle usłyszała swoje imię, wypowiedziane tonem zdziwienia:

– Niki?!

Zatrzymała się i obejrzała. Ścieżką od domu biegł ku niej, lekko zawiany i rozanielony profesor Laskowski.

– Czy cię widzę, czy mi się śnisz? – zagadnął. – I co tu robisz?

– Przyjechałam na winobranie, ale mnie sekują i odesłali mnie do kuchni.

– Dobrze, że nie prosto na cmentarz, pardon Niki, wyglądasz jak Piotrowin.

– Bóg zapłać za dobre słowo. Lubię szczere, męskie komplementy.

– Nie obrażaj się, proszę, wejdź. Jean, eh! Jean.

Profesor zaczął wyjaśniać gospodarzowi w łamanym francuskim, kim jest ta blada istota. Szło mu kiepsko i nieco bełkotliwie, więc wtrąciła: – *vous permettez?*[13] Przedstawiła się i wytłumaczyła, co tutaj robi. Profesor Laskowski miał tak zadowoloną minę, jakby przemawiała w jego zastępstwie i spointował prezentację radosnym: – *et voilá!*[14]

Gospodarz, znakomity psychiatra, Jean-Marie Rieux, poprowadził oboje do domu, przedstawił Nicole swojej żonie, Aurélie i zaprosił na podwieczorek.

Gospodyni, specjalizująca się w psychiatrii dziecięcej, wyraziła uznanie dla znajomości języka gościa i niezwykle ostrożnie i taktownie sformułowała wątpliwość, czy aby młoda dama wybrała odpowiednie dla siebie zajęcie.

Nicole oględnie i zawile wyjaśniła, że to był jedyny sposób na wyjazd do Francji w celu doskonalenia języka i, że jest świadoma, że wybrane zajęcie nie jest najwłaściwsze, ale innego nie było.

Państwo Rieux spojrzeli po sobie, uśmiechnęli się i stwierdzili, że właśnie odpowiedniejszą pracę znaleźli. W okresie letnim brak pracowników, bo wszyscy chcieliby wykorzystać urlop właśnie w sezonie. Jeśli więc *mademoiselle* się zgodzi, chętnie zabiorą ją ze sobą do Paryża, gdzie będzie mogła pracować w gabinecie jako recepcjonistka, zaś od zaraz zatrudnią ją przy porządkowaniu i opracowywaniu zebranych materiałów.

Nicole z wrażenia pozieleniała, jeśli to w ogóle było możliwe.

– Co ci jest do k… nędzy? – spytał profesor życzliwie.

– Zrobili na mnie wrażenie, a co, nie mogę się nawet wzruszyć?

Jeszcze tego samego popołudnia państwo Rieux z Laskowskim i Nicole podjechali do winnicy i rozmówili się z właścicielem, który nie krył zadowolenia, że Nicole odchodzi, co ujął skrótowo:

– *Emmenez – moi c'té Marie – Antoinette!*[15]

– Niki – Łukasz uśmiechał się zadowolony – kamień spadł mi z serca. Zajmij się lepiej haftowaniem na kanwie lub przygrywaniem na viola d'amore.

– Seksista – wysyczała nieco już ożywiona.

– Złotko – Bohdan, dotąd milczący, nagle się odezwał – nie nadajesz się do tej pracy. Laskowski to tuz. Nie wiedzieliśmy, że go znasz. Jest trochę szajbnięty, ale w znaczeniu pozytywnym. Tęgi łeb.

Przez cały lipiec porządkowała notatki i nagrania państwa Rieux. Waliła w maszynę do pisania z takim zapałem, że gospodarz zjawiał się osobiście około dziewiętnastej, aby powiedzieć,

– *Mademoiselle, c'est assez pour aujourd'hui!*[16]

Kiedy pod koniec sierpnia zjechali do Paryża „winobrańcy", powitała ich zaróżowiona i odprężona.

– Masz chłopaka? – spytał Łukasz.

– Nie mam i nie jestem zainteresowana nikim – odpowiedziała.

– Łeb mi pęka od zwrotów, idiomów, etymologii i staję na głowie, żeby przedłużyć pobyt, a może nawet załatwić sobie zajęcie na okres wakacji na przyszły rok. Nagle odkryłam nieznane mi dotąd obszary i zainteresowałam się zupełnie nową dziedziną.

– Uważaj!, wchodzisz na grząski teren. Laskowski ma wspaniałe dokonania, jest doskonałym diagnostą i terapeutą, rozumie więcej niż powinien, co samo w sobie jest niebezpieczne. Jesteś pewna, że zachowasz umiar i dystans? – Bohdan obrywał kiść winogron.

– Wiele mnie w profesorze fascynuje, ale i wiele zniechęca. Nie umiem się zmusić do WIARY.

– Miałem na myśli inne cechy profesora.

– Zrozumiałam. Nie wierzę, aby się na mnie rzucił, jak kaczor na chrabąszcza. Jest na to zbyt słaby fizycznie i zbyt leniwy. Schlebia mi jego uprzejmość i zainteresowanie, ale z wdzięcznością u mnie kiepsko. Mogę mu zrobić tłumaczonko, w ramach rewanżu. Żałuję, że oceniłeś mnie tak nisko. Niemcy powiadają: – *jedem das seine*.[17] Widocznie na nic innego nie zasłużyłam – odrzuciła gałązkę rozmarynu, wstała i otrzepała spódnicę.

– W paryskich parkach rośnie rozmaryn? – zdziwił się Łukasz.

– Nie wiem, znalazłam na ławce.

– Zależy mi na kontrakcie na następne ferie, jednak nie za wszelką cenę. Sądzę, że spotkam profesora w Krakowie, bo mamy wspólnych znajomych. Na ile nas ci znajomi połączą, a na ile podzielą, nie potrafię z góry ocenić.

– Jesteś dość pewna siebie – zauważył Bohdan ze złośliwym uśmiechem.

– Istotnie! Wiem, czego chcę i czego nie będę tolerowała. Moje życie prywatne właściwie nie istnieje. Jedyną prywatność skrywam w toalecie.

W kwestii światopoglądowej bardziej utożsamiam się z Francją, niż z Polską. Obawiam się, że profesor, raczej prędzej niż później, nie zechce znosić takiej postawy i odeśle mnie do narożnika.

– Nie przyszło mi do głowy, że dzie..., to znaczy, że mogłabyś sprowadzać „taką" znajomość do światopoglądu.

– Nie krępuj się, śmiało wal, że nie podejrzewałeś dziewczyny, w dodatku w moim wieku, o posiadanie światopoglądu. To nadzwyczaj ciekawe zjawisko, a właściwie zjawiska. Przede wszystkim, jeśli ktoś ma światopogląd to MĘŻCZYŹNI, w żadnym razie nie KOBIETY/DZIEWCZYNY. Zastanawiam się, skąd się bierze takie przekonanie. Panowie macie się za aż tak mądrych, oczytanych, a może o tej inteligencji decyduje „la petite différence"?[18]

Jakież rozległe zastosowanie, któż by pomyślał?! To religia wyrobiła w mężczyznach przekonanie o tym, że ponieważ są stworzeni do wyższych celów, muszą być rozpryskowymi granatami intelektu.

Może kobiety są powściągliwsze i nie próbują epatować swoją inteligencją. Czekają cierpliwie, zachowują umiar i szacunek dla cudzych zapatrywań, bez narzucania jedynego słusznego wzorca, albo pokora nauczyła je przetrzymywać burze aż głupota sama wypłynie na wierzch. Gdy przegląda się roczniki statystyczne, wyraźnie rzuca się w oczy, że ilość przestępstw popełnianych przez mężczyzn wielokrotnie przekracza ilość czynów karalnych, jakich dopuszczają się kobiety. Statystycznie również, kobiety są lepiej wykształcone. Ponadto dużo łatwiej panujemy nad swoją seksualnością niż mężczyźni, u których okresy aktywności nie podlegają wahaniom cyklicznym. Krótko mówiąc, panowie stale są gotowi.

A więc z grubsza wyjaśniliśmy sobie, że mężczyźni: nie są w większości w społeczeństwie, chociaż z upodobaniem pchają się na stanowiska, częściej są przestępcami no i myślą niekoniecznie głową. Pozostaje więc siła fizyczna, przydatna do ciężkich prac, niewymagających myślenia i do zupełnie bezsensownej wojaczki.

Jesteś ode mnie starszy o trzy, cztery lata. Wiek jest również argumentem – wytrychem. Jeśli ktoś młodszy wygłosi jakiś pogląd, natychmiast zostanie wyśmiany jako gołowąs, co to zamierza „uczyć ojca dzieci robić". Człowiek stary też powinien milczeć, bo to stetryczały zgred, któremu plącze się okno z drzwiami. A zatem prawdziwie światły, mądry jest człowiek w wieku średnim, co to się już nie uczy, a jeszcze nie rozmyśla, zaś w głowie mu tylko zarobki i kariera. Doceniam twoją troskę, zwłaszcza że zawsze interpretuję cudze opinie, jako przejaw życzliwości i nie staram się doszukiwać złośliwości, nawet gdy to zrobić powinnam. Przypisywanie złośliwcom szlachetnych intencji jest formą wytrącania im oręża z ręki. Adwersarz traci pewność, czy jego rozmówca jest aż tak naiwny, czy też argumentacja była nietrafiona.

I o to chodziło.

– Wyjeżdżamy pojutrze w nocy – Łukasz nie wtrącał się do rozmowy i wydał się poirytowany dyskusją pomiędzy Nicole i Bohdanem. – Jedziesz z nami, czy zostajesz?

– Zostaję. Pan Rieux zatrudnił mnie tymczasem do końca września. Gdyby zechciał mnie zatrzymać na dłużej, chętnie się zgodzę.

– Co ty właściwie u niego robisz?

– Porządkuję zgromadzone materiały. Ma mnóstwo nagrań rozmów z pacjentami, które chciałby wykorzystać w swoich pracach, ale w tym celu musi dysponować materiałem pisanym. Wskazał bardzo dokładnie, o jaką formę zapisu mu chodzi i staram się dostosować do jego życzeń.

Musisz wiedzieć, że o ile profesor, bo on jest profesorem, wypowiada się jasno i precyzyjnie, choć rzadko, o tyle pacjenci mówią chaotycznie, wtrącają słowa gwarowe, bełkoczą. Nierzadko górę biorą emocje i wtedy wystrzeliwują swoje kwestie z szybkością karabinu maszynowego. Bezustannie muszę zatrzymywać taśmę, cofać i znowu przesuwać do przodu. Boję się, że popsuję ustrojstwo i profesor uzna, że dał małpie zegarek.

Z drugiej strony poznaję całą masę nowych zwrotów i słów – wyjęła z torebki nieduży zeszycik w czarnej, ceratowej okładce – i, oczywiście bez wiedzy profesora, zapisuję różne językowe nowości i dziwolągi. – Nie zdradź mnie, proszę, bo może robię coś niewłaściwego. Nie wiem. Łukasz z Bohdanem kartkowali sfatygowany zeszycik, zapisanym drobnym, starannym pismem.

– Myślałem, że studia filologiczne, to bardziej relaksowe zajęcie. Mocno wierzyłem, że medycyna daje w dupę, ale za to bym się nie wziął za chińskiego boga – Łukasz oddał zeszyt.

– Nie masz czasem czegoś dla nas?

– Mam, ale nie przyjmiecie.

– Skąd wiesz?

– Bo to praca w preparatorni. Śmierdząca, obrzydliwa i źle płatna. Jeśli profesor mnie wyrzuci, tam właśnie się zaczepię.

– Zwariowałaś?, nie wiesz, o czym mówisz!

– Wiem i życzę wam szczęśliwej podróży.

– Odezwij się, jak wrócisz.

– Miałabym szukać facetów? Sami mnie znajdźcie. Imię zapamiętać łatwo.

Spotkała Laskowskiego w Jardin des Plantes. Siedziała z oszczędności na skraju zapchanej ławki[19] i studiowała swoje notatki.

– Nicole – zawołał z ożywieniem – pojutrze wyjeżdżam.

Wstała grzecznie i natychmiast straciła miejsce. Ruszyli spacerkiem przed siebie.

– Jak ci się układa z Rieux?

– Dobrze! Pracuję po szesnaście godzin na dobę i staram się dostarczać materiały, zgodnie z życzeniem profesora.

– Już się odwdzięczyłaś? – spytał z ironicznym błyskiem w oczach.

– Nie rozumiem. Mam mu coś podarować?

– Myślałaś, że pracujesz na piękne oczy?

– Nadal nie wiem, o co chodzi.

– Naiwny kwiatuszku, płacisz najstarszą walutą świata.

Aż przystanęła z wrażenia.

– Czy to znaczy, że mam się przespać z profesorem Rieux?

– A jeszcze tego nie robisz? – Laskowski głośno się roześmiał. – No nie, Niki, chyba nie jesteś aż taka głupia.

– Posłuchaj, jesteś znakomitością, lokalną wprawdzie, ale znakomitością. To ci jednak nie daje prawa do obrzucania mnie obelgami. Możesz sobie myśleć o mnie, co ci się żywnie podoba, ale nie chadzam do łóżka z facetami, nawet utytułowanymi. Dziękuję ci, że poznałeś mnie z profesorem, bo miałam okazję doskonalić znajomość języka. Jeśli będę miała sposobność zrewanżować się, na przykład tłumaczeniem, możesz na mnie liczyć. Czy mogę powiedzieć coś bardzo osobistego?

– Wal, maleńka.

– Jako naukowiec, jesteś wielki. Jako człowiek – zwykła świnia.

– Wiesz, lubię tę twoją germańską zarozumiałość i pewność siebie.

– Przemawia przez ciebie polska buta i bezczelność. Dobrej drogi – wyprostowana jak świeca ruszyła przed siebie.

Doskonale pamiętała gest profesora Rieux, gdy stojąc na drabince w bibliotece sięgała po słownik i nagle poczuła jego dłonie na swoich udach, pod spódnicą. Wierzgnęła i trafiła profesora w pierś. Natychmiast zeszła z drabinki, przeprosiła i wyjaśniła, że boi się pająków.

– No tak, no tak – profesor zerknął do notatek, rzucił okiem na stos uporządkowanych maszynopisów i nie mogąc niczego skrytykować, wyszedł trzasnąwszy drzwiami.

Jeszcze tego samego dnia wsiadła do trzeszczącej i skrzypiącej windy, którą zjeżdżał niewysoki mężczyzna o falistych włosach. Szedł od niego przykry zapach i Nicole dyskretnie przesunęła się w drugi koniec windy.

– Przykro mi, *mademoiselle*, fiołkami parmeńskimi nie pachnę, to fakt. Litman jestem, szef prosektorium. Miło mi panią poznać. Widzi pani, studiowałem przed wojną na UJ-cie w Krakowie. Wojenne losy ciskały mną po całym świecie i wreszcie zakotwiczyłem się tutaj. Anatomia nic sobie nie robi z granic, ani ideologii.

– Nicole Cléber, pracuję dla profesora Rieux.

– Wiem, wszyscy wiedzą. Wkrótce wróci Françoise, stała sekretarka profesora – wyszli z windy na ponury, dość brudnawy korytarz.

– Mówię o tym, bo spotkanie może nie być zbyt miłe. Lepiej być przygotowanym.

– Dziękuję. Ta dama ma trudny charakter – ni to spytała, ni stwierdziła.

– Nie wiem, czy w ogóle ma charakter – lekko się uśmiechnął. – Wiem za to, że nie cierpi płodozmianu, który szef serwuje jej co roku, gdy tylko wsiądzie do wakacyjnego pociągu, który uwozi ją do rodzinnej Bretanii.

– A co na to pani Rieux?

– Ogranicza się do oceny gustu małżonka. Lubi wysportowanych studentów.

Nicole opuściła głowę i spojrzała na swoje dłonie.

– Łudziłam się, że na przyszły rok mogłabym się znowu zatrudnić, a teraz odkrywam, że to raczej mało prawdopodobne.

– Jeśli się pani nie wysiliła, a nie o intelektualny wysiłek tu chodzi, nie ma pani szans. Ale nic straconego. W pełni sezonu zawsze znajdzie się zajęcie.

– To nie takie proste. Żeby móc wyjechać z kraju, muszę mieć zaproszenie i ktoś musi mi zapewnić lokum oraz pokryć koszty podróży, które albo odpracuję, albo zwrócę gotówkę.

– Proszę mi zostawić swoje namiary. Załatwię to i bez profesora i znajdę coś dla pani. Wtajemniczeni szanują panią. Oto moja wizytówka. Proszę nas odwiedzić, powiedzmy dziś o szóstej. Moja żona urodziła się w Będzinie i wyjechała z Polski, gdy miała pięć lat. Wciąż wierzy, że zna polski. Niewiele pani ma rozrywek, proszę przyjść do nas i posłuchać mojej żony, a ubawi się pani do łez, bo usłyszy autentyczny „franpolski".

Na szóstą stawiła się z wiktoriańskim bukietem u państwa Litmanów. Powitali ją ciepło i serdecznie, jak dawno niewidzianą krewną. Drobna, siwowłosa, szczuplutka pani Lea chciała koniecznie mówić po polsku. Nie rozbawiła, lecz głęboko wzruszyła. Słuchała rzadko używanych słów i niezwykłej składni i wyobrażała sobie, że gdyby wróciła do siebie, pewnie również zdumiewałaby niemodnym językiem, pełnym przestarzałych wyrazów. Język ewoluuje, przyswaja nowe zwroty i określenia, będące często obcojęzycznymi kalkami i zapomina stare słowa, powiedzonka, żartobliwe określenia.

Pani Litman, z zawodu neurolog, nie przepadała za profesorem Ricux, zaś o jego sekretarce Françoise mówiła per „przypadek". Znała Françoise bardzo dobrze, bo kiedyś była jej studentką. Dała się poznać jako bezpruderyjna, dość przebojowa osóbka, która uwikłała się w nieprzyjemny incydent.

Na oddział neurologiczny przywieziono pięćdziesięcioletnią wdowę po wysokim urzędniku państwowym, która uległa nieszczęśliwemu wypadkowi na stacji metra. Dlaczego owa dama podróżowała metrem, nie dało się ustalić. Była osobą doskonale sytuowaną, mieszkającą w zamożnej dzielnicy i mającą do dyspozycji samochód z kierowcą. Wtajemniczeni szeptali, że dama, o prawie ćwierć wieku młodsza od zmarłego małżonka, składała wizyty pewnemu playboyowi, który sporo ją kosztował. Gdy na miejsce wypadku przybyła karetka pogotowia i policja, ofiara miała na sobie kosztowną biżuterię, a w torebce znaczną sumę pieniędzy. Wszystko to zostało pieczołowicie odnotowane i sfotografowane zaś poszkodowana trafiła, w stanie ciężkim, do kliniki, pod opiekę doktor Litman. Nieprzytomną przebrano w szpitalną odzież, zaś wszystko, co miała na sobie, spakowano do kartonu, który został opieczętowany.

Po sześciotygodniowym pobycie w klinice, nieszczęśliwa ofiara wypadku umarła, nie odzyskawszy przytomności. Wówczas okazało się, że denatka nie miała na sobie nic, prócz zniszczonej odzieży, znajdującej się w kartonie. Doktor Lea Litman wszczęła alarm, przypominając o protokole i zdjęciach. Bez powodzenia. Biżuteria i gotówka zmarłej wyparowały. Wszyscy pogodzili się z tym faktem. Wszyscy, oprócz doktor Litman, która nigdy nie zapomniała o milionach swoich obrabowanych i unicestwionych rodaków i była wyczulona na grabież.

W pół roku po śmierci ofiary wypadku, dziekan Wydziału Neurologii otrzymał wysokie wyróżnienie i z tej okazji wydał przyjęcie na które zaprosił państwa Litmanów oraz kilka młodych dam, mających dodać przyjęciu świeżości i swobody. Gospodarz przyjęcia uprzejmie zamieniał kilka słów z gośćmi, wędrując po obszernym salonie z urodziwą osóbką, uwieszoną u swego ramienia. Zatrzymał się na parę minut przy państwu Litman i wówczas pani Lea dostrzegła na dekolcie młodej kobiety piękną, kosztowną kameę, która wydała jej się znajoma. Swoim spostrzeżeniem podzieliła się z mężem i znajomymi. Sprawa nabrała rozgłosu, gdy okazało się, że nowa właścicielka kamei, córka owdowiałej dozorczyni, nigdzie niepracująca studentka medycyny, właśnie kupiła na własność szykowne mieszkanie.

Rozpoczęło się najpierw dyskretne dochodzenie, a potem śledztwo i w jego rezultacie ustalono, kto przebierał ofiarę wypadku, kto spakował jej rzeczy, zapieczętował karton i odniósł do przechowalni a także, kto zadecydował o umieszczeniu rannej na oddziale. Wszystkie ślady prowadziły do dwóch osób: lekarza dyżurnego pani

Aurélie Lalande-Rieux, odbywającej staż na neurologii oraz studentki medycyny, panny Françoise Benoît.

Pani profesorowa wykręciła się sianem, chociaż wścibski reporter zdołał ją sfotografować w kawiarni, gdy na lewym nadgarstku nosiła dość ciężką bransoletkę ze złotych kwadratów, zdobnych w niellowane znaki zodiaku, a na palcu pierścionek z głową Meduzy.

Françoise została relegowana ze studiów, gdy w rezultacie przeszukania jej szafki na uczelni oraz nie w pełni umeblowanego mieszkania, znaleziono kameę, zegarek marki Rolex, złotą papierośnicę z inicjałami oraz znaczną gotówkę z której pochodzenia dziewczę nie potrafiło się wytłumaczyć.

Była studentka medycyny wkrótce pocieszyła się względami profesora Rieux, małżonka pani Aurélie, i była nie do ruszenia, chociaż czas „bezlitośnie rzeźbił ostrym dłutem jej klasyczne rysy", jak poetycko zauważyła pani Lea.

– *Mademoiselle* – szepnął pan doktor – proszę być przygotowaną na niemiłe spotkanie. Françoise nie jest osobą *comme il faut*.

Istotnie nie była. Pojawiła się pewnego ranka w przyciasnym kostiumie, spojrzała na Nicole z wysokości dwunastocentymetrowych szpilek i fuknęła:

– *Qu'est – ce que c'est que ce foutoir?*[20]

– *Je ne vous attendais que pour débarrasser!*[21] – Nicole zabrała torebkę i wyszła.

Została jeszcze dwa tygodnie u doktorostwa Litmanów, aby się zapoznać z ewentualnymi obowiązkami, jakich powinna się spodziewać następnego lata i pod koniec października zjechała do Krakowa.

Pracownicy przyjęli ją *„mi figue, mi raisin"*[22], bo przecież udało jej się pobyć dłużej we Francji, zawrzeć cenne znajomości i wyszlifować język. Natychmiast zabrała się do intensywnej pracy wyczuwając, że jeśli miała sympatyków, to straciła ich raz na zawsze, radząc sobie lepiej od innych.

„Winobrańcy" dawno już podleczyli pęcherze na dłoniach i nauczyli rówieśników piosenek w rodzaju *„De terre en vigne / la voilá la jolie vigne"*[23]. Zaś co się tyczy umiejętności językowych, to wydoskonalili się we wtrącaniu k… do każdego zdania. Po polsku, ma się rozumieć.

*

Jedynym życzliwym był profesor Młynarski, który z zainteresowaniem przejrzał ceratowy zeszycik i nawet poprosił o wypożyczenie, żeby odpisać zwroty z fachowego słownictwa. Wysłuchał również uwag, dotyczących wyrażeń żargonowych, nierzadko wulgaryzmów, które również starannie wynotowała. Pani Podolska bez żenady dyktowała całe fragmenty podręcznika Bérangera. Nicole i Anka udawały, że skrzętnie notują, grając w tym czasie w „topienie okrętów", bo Nicole dostała w prezencie od państwa Litman cenny tytuł i z przyjemnością podzieliła się z przyjaciółką unikalnym nabytkiem.

Nicole, swoim zwyczajem, jeśli nie przesiadywała w Jagiellonce, to zatrudniała się, gdzie popadło. Dzięki pomocy Staszka i jego żony udawało jej się dorwać do tłumaczeń tekstów oraz tłumaczeń na żywo i nie musiała wykonywać prostych prac porządkowych, zlecanych przez Spółdzielnię Pracy Studentów. Machnęła ręką na dług mecenasostwa i poprosiła Staszka, aby nie wracał do sprawy, bo czuła się tym zażenowana.

Wielką pomocą okazało się stypendium naukowe. Mogła sobie pozwolić na zakup książek, czasem wstępowała do baru na Sławkowskiej i wcinała cały talerz pierogów, albo pałaszowała flaczki w barku na Jagiellońskiej, rujnowała się na dwa duże plastry rolady z czosnkiem w nowo otwartej garmażerii przy Grodzkiej a nawet, mrużąc oczy z zadowolenia, fundowała sobie barszcz z dwoma pasztecikami na rogu Basztowej, obok banku. Ankę zapraszała na kawę z bitą śmietaną do kawiarenki Río, obok kina „Sztuka".

Na początku grudnia stała z koleżankami na korytarzu i czekała na profesora, gdy nadeszła dość naburmuszona Anka. Powitała ją radośnie i nieoczekiwanie usłyszała:

– I z czego się cieszysz, idiotko!

Zamarła. Anka była jedyną koleżanką, z którą czasem wymieniały poglądy „na tematy różne".

– Przepraszam – odsunęła się w stronę zaciemnionej części korytarza i przełknęła ślinę.

Po zajęciach wróciła do akademika sama. Poszła do pokoju, zdjęła płaszcz, umyła ręce i zeszła na kolację. Kiedy wracała, zastała Ankę, podpierającą ścianę na korytarzu. Spojrzały na siebie.

– Wejdź, proszę – puściła ją przodem do pokoju.

– Potrzebuję dwóch stów – Anka opadła na krzesło.

– Mam jedną, poczekaj tutaj, zaraz pożyczę – wybiegła z pokoju. Po kwadransie wróciła z pieniędzmi i wręczyła Ance.

– Dzięki, stara – wybąkała Anka. – No to idę.

– Chcesz żebym poszła z tobą? – spytała.

Anka skinęła głową.

Ubrała się szybko i wyszły w ciemny, grudniowy wieczór. Padał drobny śnieg z deszczem. Dotarły do eleganckiej kamienicy.

– Poczekasz na mnie? – w tonie głosu Anki wyczuła strach. – To może potrwać.

– Nie szkodzi. Włożyłam dwie pary gaci. Nie zmarznę.

Czekała półtorej godziny, spacerując i przytupując. Wreszcie Anka wyszła.

Jej z natury blada twarz, odcinała się na tle ciemnego płaszcza i tonącej w mroku ulicy, jak maska karnawałowa. Złapała ją za wilgotną od potu rękę.

– Za dwie stówy, na żywca – bąknęła Anka.

Zatrzymała taksówkę i wepchnęła koleżankę, a potem wsiadła sama.

– A pieniądze mają? – spytał taksówkarz z nieprzyjemnym uśmiechem.

– Mają, mają – Nicole pomachała mu banknotami. – Jeździć umie? No to niech zapierdala.

– Ja tu paniusiu, pod tą kamienicą, świątek – piątek, od szóstej do północy krążę. I wiesz paniusia, co?, stale mam klientki.

– Toś pan fachura – ucięła Nicole.

Przyjechały do akademika, zapłaciły i z udawanym śmiechem przeszły pod czujnym okiem portiera. Anka zwaliła się w płaszczu i butach na łóżko.

– Co się stało? – spytała głupawo Ewa, wywalając gały, jak kulki do losowania Totolotka.

– Kominiarzowi dupę urwało! – bąknęła Anka.

– Że cooo? – drążyła Ewa.

– Anka struła się czymś nieświeżym. Zamiast zadawać niepotrzebne pytania, zaparzyłabyś lepiej herbatę.

– Wygląda, jakby się wyskrobała – komentowała Ewa. – Mój narzeczony jest ginekologiem, poprosił mamusię o moją rękę.

– Po co mu ręka? – mruknęła Anka.

– Ale bardzo mnie szanuje. Ciężką pracą dorobił się doskonale wyposażonej praktyki, ma samochód i buduje chatę w Zakopanem – Ewa wciąż paplała wysokim, dziecięcym głosem.

– Pewnie rowy kopał, skoro ta praca taka ciężka. Masz tę herbatę, czy nie? – Nicole z trudem hamowała gniew.

– Musisz wiedzieć, że mój narzeczony wykonuje bardzo odpowiedzialny zawód. Jest w ogóle człowiekiem z zasadami. Obrączki narzeczeńskie wymieniliśmy w kaplicy Cudownego Obrazu i pocałował mnie w policzek.

– Minimalista! – Nicole podawała Ance łyżeczką herbatę. Zmaltretowana koleżanka zamknęła oczy.

– Idę sobie przygotować napar z fiołka trójbarwnego. Mój narzeczony powiada, że dobrze robi na cerę – zaszczebiotała.

– Na cipę, nie ma jak facet – mamrotała Anka. – Wiesz, co mi powiedział? – uniosła się na łokciu – że jego żona by tego nie przeżyła, bo jest członkinią Rodzin Katolickich. Myślałam, że skurwielowi jaja zmiażdżę. Nawet nic wiedziałam, że jest żonaty.

*

Tuż przed świętami zadzwonił profesor Laskowski, a ponieważ musiałby czekać na przywołanie prawie kwadrans, przedstawił się jako profesor kliniki psychiatrycznej i poprosił, aby panna Cléber zechciała pilnie zadzwonić.

Portier nawykły do profesorskich grymasów wszystko skrzętnie odnotował, a potem wywołał ją przez radiowęzeł.

Natychmiast oddzwoniła i przyjęła do wiadomości, że pan profesor przywiózł ze sobą z Francji i Niemiec materiały, które chciałby ocenić zanim zleci tłumaczenie. Obiecała stawić się o wyznaczonej godzinie, w domu profesora. Spytała, czy może przyjść z koleżanką.

– Ładną? – spytał Laskowski.

47

– Bardzo.

– Taką „leliją" jak ty?

– Nie! Za to z facetowstrętem.

– No cóż, mówi się trudno. Chciałbym cię komuś przedstawić.

– Mnie, komuś przedstawić? Wiesz, mam jedną sukienkę i jedną parę butów, ale wolałabym, abyś to mnie kogoś przedstawiał, a nie odwrotnie.

– Nicole, to ktoś wyjątkowy.

– Nie wątpię. Pewnie facet. Nie zmienię zdania. Można żyć, nie będąc przedstawianą znakomitościom.

Anka jakoś się pozbierała. Przeleżały we dwie na wąziutkim, metalowym łóżku ze zerwaną siatką pośrodku i naprawioną kawałeczkiem kradzionego drutu. Nicole miała krwiak na udzie, bo starała się zrobić więcej miejsca trawionej gorączką koleżance i leżała częściowo na ramie łóżka. Nie miały pościeli na zmianę, bo o terminie wymiany decydowała administracja.

– Przepraszam, Niki, wiem, że jedzie ode mnie dorszami, serem i zepsutym mięsem – oczy Anki błyszczały od gorączki, halka lepiła się do ciała, kręcone z natury, ciemne włosy, zlepiły się w strąki.

– Pij, Anka – wlewała w nią wiadra herbaty, karmiła połówką śniadania, częścią obiadu i improwizowaną kolacją. Dwie pozostałe koleżanki dyskretnie milczały, tylko dużo starsza Lilka, przynosiła w garnku zupę ze stołówki i pomagała dokarmiać chorą, która nie miała apetytu. Źle znosiła kurację Detreomecyną. Asia, druga koleżanka, też nie narzekała, za to zachodziła w głowę: – co też się stało Ance i czy nie powinna pójść do lekarza?

– Była – warknęła Lilka.

– No, ale co jej jest? – drążyła Asia pełna dobrych chęci.

Lilka wyprowadziła Asię na korytarz.

– Posłuchaj, sieroto po ruskich sołdatach – wzięła się pod boki, jak handlarka ryb – dała się wyskrobać. Kapujesz?

– Ależ to zabójstwo! – wybąkała, przecierając grube okulary. – Zbrodnia.

– Zbrodnią jest urodzenie dziecka, kiedy nie ma się środków na utrzymanie ani siebie, ani dziecka, nie ma się dachu nad głową i jest

48

się samym, jak palec w dupie. Spróbuj się odezwać jeszcze raz na wiadomy temat, a wsadzę ci parasol w cipę i z premedytacją otworzę.

– Pójdę z tobą do tego konowała od świrów – westchnęła Anka – chociaż przyłożyłam ucho tu i tam i dowiedziałam się, że po pierwsze primo, facet jest lekko porąbany, a po wtóre, secundo – usiądź, bo jesteś anemiczna – jest bardzo religijny.

– Wiem o jednym i drugim. Mam zobowiązania i nie wypada odmówić.

– To od niego te trzy stówy i pięć dych?

– Mhm!

– A to co innego. Lubię ludzi, którzy wiedzą, co zrobić z cudzą forsą. W ogóle lubię przepływ gotówki, tylko że rzadko bywam świadkiem tego podniecającego widowiska. Ilekroć rzucę okiem na jakiś gotówkowy ciek, okazuje się, że właśnie zamarzł, albo wysechł. Jak się nazywał ten dupek, który stwierdził, że „wszystko płynie?".

– Heraklit z Efezu.

– Widzisz, Niki, zawsze wszystko wiesz. W sam raz, żeby zostać nędzarką. Ale do rzeczy. Istotnie, przed moimi oczami wszystko płynie, oprócz forsy, niestety! Facet inkasuje od zrozpaczonej, przestraszonej, zawstydzonej rodziny i przekazuje dalej. To rozumiem. Podobno chciał cię dmuchnąć, czy przeznaczył do dymania... Wiesz, złotko, to nie dla ciebie. Wywiniesz orła, zanim się obejrzysz. – No to co mam włożyć czystego gacie, czy bluzkę?

– Powiedział mi, że chce mnie komuś przedstawić i strasznie mnie tym wkurzył.

– Może jakiemuś sukienkowemu?

– Na to mi wygląda.

Stawiły się punktualnie. W dość zagraconym, choć starannie umeblowanym pokoju siedział profesor i jego gość.

Nie wstał na powitanie, choć na jego okrągłej, chłopskiej twarzy zakwitł uśmiech pobłażania.

– Panna Nicole Cléber i...?

– A z kim mamy przyjemność? – Nicole uśmiechnęła się promiennie.

– Sam Bazyli Mostowski, we własnej osobie – profesor rzucił im tryumfujące spojrzenie.

Nicole miała zdziwioną minę. Anka wyraźnie się przedstawiła
– Anna Z.

– Siadajcie słoneczka – profesor miał w czubie. – Może likierku, może winka? – zaproponował.

– Dziękuję, nie piję – Nicole usiadła sztywno na skraju niewygodnego fotela i położyła na kolanach sfatygowaną aktówkę, a na niej dłonie.

– Czystej – zażyczyła sobie Anka.

– To rozumiem – profesor zatarł ręce.

– Co niby? – Anka jednym haustem opróżniła kieliszek. – Nie wykupiłam posiłków w stołówce. Na chwilę zapomnę, że mnie ssie.

Gość uśmiechnął się ironicznie i kiwał głową, jakby rozumiał. Potakiwał przy tym z łaskawością właściciela psa, obserwującego harce swojego pupila.

– Panny studiują, jak sądzę – rzucił wymodulowanym głosem ze staranną, niemal teatralną intonacją.

– Tak – spokojnie odpowiedziała Nicole i zwróciła się do profesora.

– Miałeś jakieś materiały obcojęzyczne, czy wolno spytać, o co w nich chodzi?

– To właśnie notatki, których nie zdążyłem uporządkować – podał jej stos niedbale zebranych kartek, zapisanych częściowo nieczytelnymi gryzmołami.

– Czy pozwolisz, że uporządkuję? – wskazała na okrągły stół, stojący na uboczu, w pobliżu szafki bibliotecznej.

– Ależ proszę!

Układała kartki według klucza językowego. Udało jej się utworzyć dwa niewielkie stosiki, które ułożyła w równe prostokąty, z którymi wróciła na fotel.

– Nie wspominałeś, że to rękopisy.

– A to ma jakieś znaczenie? „Złej tanecznicy przeszkadza rąbek u spódnicy" – wybuchnął śmiechem profesor. – Nie rozumiesz i szukasz wymówek?

– Potrzebuję okularów i nie stać mnie na nie – odpowiedziała spokojnie. – Czy masz ogórki kiszone, albo barszcz, albo żurek? To zakąś, albo popij.

Zapadła krępująca cisza.

– Dość śmiałe te twoje znajome – zauważył Mostowski.

– Ksiądz spodziewał się truś, co to rączki w małdrzyk, buzia w ciup?

– Panna zorientowała się, że jestem księdzem – zdziwił się, bardzo z siebie zadowolony.

– Młodzież lgnie do niego, jak muchy do miodu. Ojciec i kolega, przewodnik duchowy i kapłan, szczery przyjaciel i autorytet – Laskowski dolał sobie alkoholu.

– Nie mam ojca i źle sobie radzę w dużych rodzinach – Nicole wertowała papiery. – Boję się, że otrzymałeś dokumentację z drugiej ręki. Znam te materiały. Opracowywałam je dla profesora Rieux.

– Nie był z ciebie zadowolony – Laskowski założył nogę na nogę.

– Domyślam się, doznał przykrego zawodu – odburknęła, nie odrywając wzroku od rękopisu. – O chociażby tu: schizofrenia u kobiet częściej przybiera postać erotyczną, a u mężczyzn heroiczną. Czy też o wypadkach nagłej śmierci z lęku u ludzi i zwierząt, tłumaczonej całkowitą utratą nadziei. Zwierzętom przypisuje zdolność do odczuwania nadziei? – Znam to z zapisków dla Rieux.

Zastanawia mnie, dlaczego tak mało uwagi poświęcasz roli wychowania. Pięknie i trafnie uwzględniłeś znaczenie matki, ale całkowicie pominąłeś milczeniem tak ważny proces, jakim jest wychowanie. Kiedy czytam twoje notatki, z niemałym zainteresowaniem wczytuję się w twoje szczegółowe analizy części twarzy: oczy, usta, ruch dłoni, sposób układania nóg, trzymania notatek. Nigdzie jednak nie znalazłam choćby wzmianki o tym, że zwłaszcza u kobiet, wiele z tych zachowań zostało narzuconych.

Mylisz się sądząc, że oczy nie kłamią. Łżą jak najęte. Znam kobiety, które potrafią się wzruszyć, gdy facet opowiada, że „poszła mu" miska olejowa. Sama byłam wstrząśnięta, gdy pewien Adonis zwierzał mi się, że sprzęgło mu zgrzyta. Miałam autentyczne łzy w oczach.

Poznałam pewnego Mirka, który wierzył święcie, że jest atomowym lodołamaczem damskich serc. Opowiadał mi na odpuście w małym miasteczku, jak to robił wrażenie na dojrzałych paniach w Wiśle. Wciągnęłam w nozdrza zapach tataraku, dochodzący z kramów, który zawsze mnie przyprawiał o łzawienie i „głęboko poruszona" wysłuchałam, z wilgotnymi oczami, opowieści o jego podbojach.

51

Moja mama uważała przez całe życie, a ma pięćdziesiąt siedem wiosenek, że była kobietą powalającej urody, wobec której żaden mężczyzna nie przeszedł obojętnie. Zawsze stroiła się w kolory: perłowy, écru, szałwiowy, stonowane i dyskretne, chociaż marzyła o tym, by faceci za nią szaleli. Ode mnie zaś żądała, abym nigdy, przenigdy, nie ośmieliła się wyeksponować swojej kobiecości, bo ją to obraża i ujmuje jej wdzięku. Widzisz mnie zatem taką, jaką jawię się twoim oczom, uformowana przez inną kobietę. Chuda dziewoja, z zaplatanym kokiem, w popielatej spódnicy do połowy łydki, w swetrze zgniłozielonym i białej bluzce. Płaskie buty, chustka na głowie, płaszczyk ze śpiwora, brak makijażu. I cóż ty o mnie powiesz, ozdobo psychiatrii? Mógłbyś napisać o mnie jeśli nie książkę, to przynajmniej esej lub felietonik. Jesteś ofiarą MANIPULACJI.

Dlaczego nigdy o tym nie napisałeś? Ani słowem nie wspomniałeś o pozorach, o wystudiowanych, nierzadko narzuconych pozach. Twoi uczniowie i czytelnicy wierzą, że czytasz w nich, jak w otwartej księdze. Nic podobnego. Dajesz się wodzić za nos.

Skąd wiesz, kto kogo kontroluje – ty pacjenta, czy pacjent ciebie. Może jesteś aktorem w grze pozorów? Czy możesz to wykluczyć, z całkowitą pewnością? Czy bawię się z tobą, czy odkrywasz moją rzeczywistą osobowość? A może chcę, żebyś mnie odkrył i sięgnął do głęboko skrywanych lęków, strachów, obaw. Może wystawiam cię na próbę i usiłuję wysondować, co cię trapi lub co skrywasz i do czego nigdy byś się nie przyznał?

– Odkrywasz się, mówiąc mi o tym. Ujawniasz swoje prawdziwe oblicze i o nic nie muszę cię już pytać. Nieproszona obnażyłaś się, wystawiając na widok mój i nie tylko mój, swoje najskrytsze pragnienia i marzenia, swoje zranione ego, swoje zahamowania i obsesje.

– I jesteś tego pewien? – Nicole uniosła wzrok znad papierów i uśmiechnęła się rozbrajająco.

Zawsze podziwiałam i podziwiam imponującą pewność siebie przedstawicieli różnych zawodów, bo o politykach nawet nie wspominam. Arogancja i samozadowolenie należą do obowiązkowego repertuaru każdego polityka i polityczyny, jak wzmianka o niewzruszonej przyjaźni z ZSRR, na najbanalniejszej akademii.

Nauczyciel poucza rodziców swoich uczniów i nawet się nie zająknie. Prawnik plecie jak nawalony, by w przerwie, na korytarzu, upewniać się, czy występuje w sprawie o pobicie, czy podział majątku. Lekarz z mądrą miną stawia diagnozę i zadowolony z siebie inkasuje „dowód wdzięczności", chociaż jego pacjent dawno opuścił ten padół płaczu. Najlepsi są jednak księża – „jedzą, piją, lulki palą", słuchając pikantnych szczegółów, wyszeptywanych w gustownych kibelkach, udzielając pouczeń nieświeżym oddechem, by pointować wątpliwości, co bardziej upierdliwych wiernych: „tego rozum ludzki nie ogarnie". I mają rację – to się w pale nie mieści! – Niki wróciła do papierzysk.

„Kapuściana głowa" kiwał pobłażliwie warzywem, nadymał się, wzdychał i powiedział z uśmiechem:

– Dziewczęta, które wąchnęły nauki, bywają urocze w bezmyślnie wygłaszanych sądach.

– Lubi pan dziewczęta w ogóle?, te które wąchają, czy też te, które wygłaszają. – Anka po ostatniej przygodzie miała do mężczyzn stosunek, powiedzmy, niechętny.

– Cha, cha, cha – wybuchnęli śmiechem panowie.

Nicole uniosła głowę znad notatek.

– Opowiedziałaś kawał?

– Jak to dziewczyna – odpowiedziała znudzona Anka. – Damski głos w męskim towarzystwie stanowi nową formę fonoterapii. Przeczytałam ostatnio, że śmiech, pierwotnie nie był niczym innym, jak szczerzeniem zębów. Dopiero z czasem, połączony z towarzyszącym mu dźwiękiem, stał się formą rozładowania agresji.

– Czytałam o tym we Francji. U chłopców pozwala skrywać zakłopotanie zaskakującą sytuacją, niespodziewaną reakcją ciała, albo jest formą zwracania na siebie uwagi.

– Mówicie panie o chłopcach? – Laskowski wyglądał na zagubionego.

– Pan mówił o dziewczętach, no to dziewczęta o chłopcach – Anka umoczyła usta w wódce.

– Wygląda pan dość młodo, jak na starca – Nicole szybko notowała na żółtych kartkach kopiału ołówkowego. – Dawałam panu trzydzieści dziewięć, góra czterdzieści lat.

– Masz dobre oko, moje dziecko – uśmiech nie schodził z twarzy „kapuścianej głowy".

– Zostałam adoptowana?

– Nicole, wolne żarty – Laskowski wyglądał na obrażonego.

– Otóż to, wolne żarty. Nie jestem dzieckiem tego pana i nie pozwoliłam, aby mnie tykano.

– Udawało mi się obłaskawiać groźniejszych przeciwników, mój drogi. Lubię, gdy wyrastają przede mną przeszkody, które muszę sforsować. Przeciwności wewnętrznie mnie wzbogacają. Skupiłem wokół siebie grono młodych ludzi i chętnie widziałbym wśród nich, dwie nowe twarze. Spotykamy się, rozmawiamy, nierzadko żartujemy i łączy nas wspólna idea, wspólna wartość, jaką jest Bóg i wspólna myśl. Myśl o Ojczyźnie.

Nicole strząsnęła notatki w dwie równe kupki i na wierzchu każdej z nich umieściła kartkę z zapisem zawartości. Sięgnęła do porcelanowej miseczki i wyjęła z niej dwa duże spinacze, którymi spięła kartki, żeby się nie rozleciały.

– Proszę – podała Laskowskiemu. – To krótki zapis treści.

– Dziękuję, Niki. Usiądź z nami na chwilę. Twoja koleżanka zdążyła się zaprezentować od właściwej strony – parsknął lekko – może ty coś uratujesz?

– Nie sądzę. Moja przyjaciółka nie powiedziała niczego, czego nie powiedziałabym sama. Twój gość użył określenia „obłaskawiać". Czy nie „obłaskawia" się dzikich zwierząt? Czego się zatem spodziewałeś? Nie czuję się przeszkodą, którą trzeba sforsować. Nie wiem, co o zaproszeniu pana...

– Ojca, Niki, ojca!

– Jak to było? „Nikogo też na ziemi nie nazywajcie waszym ojcem; jeden bowiem jest Ojciec wasz, Ten w niebie".²⁴ A zatem, jak mówiłam, nie wiem, co o zaproszeniu pana sądzi moja przyjaciółka. Jestem zaszczycona taką uprzejmością, ale z żalem wyznam, że nie porusza mnie myśl ani o Bogu, ani o Ojczyźnie.

– Czy zdajesz sobie sprawę z ceny, jaką zapłaciliśmy za odzyskanie Ojczyzny. Nawet tej kalekiej, zranionej obcym jarzmem. Czy jesteś aż tak bezduszna, aby tego nie dostrzegać?

– Nie, Adamie, nie zdaję sobie sprawy, chociaż potrafię sobie wyobrazić, ile dla ciebie znaczy twoja Ojczyzna. Dla mnie to kraj, jak każdy inny. Nie odczuwam szczególnej więzi z tym właśnie, a nie innym skrawkiem Europy. Nie trzeba być bezdusznym, żeby nie identyfikować się z Krzeszowicami czy Okocimiem, Mickiewiczem czy Słowackim. Nie tęskniłabym nawet z Antarktydy „Do tych pól malowanych zbożem rozmaitem / Wyzłacanych pszenicą, posrebrzanych żytem (...).[25]

– Ale jednak pani zna strofy wieszcza! – „kapuściana głowa" uśmiechnął się z politowaniem.

– Chodziłam do szkoły. Kazali się nauczyć na pamięć, to się nauczyłam, no i się przydało. W domu mi wpajano: „*du sollst nicht aus der Reihe tanzen"*.[26] *Und das habe ich auch getan*.[27] Też źle?

– Dziękuję za zaproszenie. Gdybyś sobie życzył tłumaczenia, zawsze możesz na mnie liczyć. Wystarczy zadzwonić. Niestety, aparat jest tylko jeden, na portierni. Lepiej więc poproś portiera, aby mi powiedział, że czekasz na telefon. Natychmiast oddzwonię. Im szumniejszym tytułem się przedstawisz, tym szybciej załatwisz swoją sprawę – lekko uniosła się z fotela.

– Jeszcze coś, Niki, czy załatwiłaś sobie z Rieux zatrudnienie na przyszłe wakacje?

– Nie – uśmiechnęła się lekko. – Forma „załatwiania" mi nie odpowiadała. Nawiązałam kontakt z innym pracownikiem naukowym, który obiecał wziąć na siebie wszystkie formalności. Jeśli pojadę do Francji, to na dwa miesiące. Jeden miesiąc spędzę u krewnych ojca w Rzymie. Nie będę gościem, ma się rozumieć, lecz pracownikiem. Aż tak bardzo mnie nie kochają.

– Z kim się umówiłaś w Paryżu?

– Z Litmanami.

– Do widzenia, panie...?

– Mostowski, Bazyli Mostowski, panno...?

– Nicole Cléber.

Nawet nie drgnął na pożegnanie.

Laskowski odprowadził je do drzwi

– Może przywołam taksówkę? – zaproponował w ostatniej chwili.

– Na to już chyba za późno. Pojedziemy tramwajem. Jeśli chciałbyś w przyszłości gościć mnie u siebie, bądź łaskaw wybrać wcześniejszą porę. Nie jestem miłośniczką nocnych eskapad – ujęła Ankę pod rękę i zniknęły w ciemnościach.

Szły dość długo w milczeniu.

*

– Przepraszam, Anka, że cię wciągnęłam w tę wizytę. Nie znam tego bufona o głowie jak kapusta – Nicole czuła się winna.

– Mówisz serio? Nie wiesz, kto to jest?

– Oczywiście, że nie wiem. Nie mam znajomości wśród duchownych, zwłaszcza tak antypatycznych.

– Niki, kwiecie lotosu, ten kapuściany głąb, to bardzo dobrze zapowiadająca się osobistość. Z najwyższej półki!

– Na tę półkę pewnie się dostał za brak dobrych manier.

– Śliczności ty moja, po cholerę mu dobre maniery, skoro ma wpływy.

Dziewczęta brnęły w ciemnościach do przystanku, oglądając się trwożnie po pustej ulicy. – Wypłynął dość nieoczekiwanie, bo umiał nadawać długo i bełkotliwie o niczym, a w tym fachu liczy się kwiecista, niezrozumiała mowa. Gdy ludzie za cholerę nie kumają, o co chodzi, umacniają się w wierze. To prawidłowość tak prosta, że niewymagająca dowodzenia. Spróbuj poleżeć w szpitalu. Zjawi się gromada biało odzianych tępaków i nuże się mądrzyć, najchętniej po łacinie. Pieprzą o dupie Maryni myląc deklinacje, robią błędy w koniugacjach, za nic sobie mając *consecutio temporum*, a ty sobie leżysz i liczysz te byki na palcach rąk i nóg, a gdy zabraknie dorzucasz pręty z łóżek. Musisz jednak uważać, żeby nie okazać nadmiernej wesołości, bo zaraz zostaniesz zagadnięta przez szczyla ze sfatygowanym rozporkiem: co pani tak wesoło?

Odpowiadasz pytaniem na pytanie, jak Żyd.

– Sądzi pan, że powinnam się rozpłakać nad zmaltretowanymi szczątkami łaciny? Wypadałoby. – Łacinę Mostowski ma ostukaną, ale utrzymuje, że zna biegle kilka języków nowożytnych. I to może być dla ciebie chwila ciężkiej próby. Jesteś wątła, blada, chuda, i twoje zdrowie może ucierpieć, bo albo zemdlejesz z wrażenia, albo pękniesz

56

ze śmiechu. Przygotuj się, kwiatuszku, miny potrenuj i spodziewaj się najgorszego. – Coś ci jeszcze powiem! Nie znam niemieckiego, ale zdarzyło mi się towarzyszyć pewnemu znanemu medykowi – Mostowski lubi otaczać się lekarzami – na niezobowiązującym przyjątku, na którym pojawił się nasz gwiazdor. Towarzystwo było mieszane i nagle nasz znajomy zajarzył po niemiecku. I wiesz, co? K... wszystko rozumiałam! Doznałam zesłania Ducha Świętego.

Dojechały czwórką do Teatru Młodego Widza i dalej poszły pieszo Krupniczą i Czystą do Alei. Pożegnały się na rogu. Anka skręciła w lewo, Nicole potuptała prosto, do akademika.

W holu i na korytarzu zajeżdżało pieczonymi kartoflami z cebulką, twardym jajkiem i surówką z kapusty i marchwi. Wparowała do stołówki w płaszczu i z aktówką, z brudnymi rękami i zażyczyła sobie przy okienku porcji „wzmocnionej". Wrąbała pełny talerz kartofli rozciapcianych w soku ze surówki. Nie ruszyła herbaty, która pozostawiła na wewnętrznej ściance kubka, cieniutką, brudnoszarą błonkę.

Wkroczyła do pokoju, wyraźnie przeżarta. Lilka była sama i coś tam wkuwała, odziana w pomarańczowy szlafrok w czarne wzory. Lubiła ją, chociaż wiedziała o niej mało. Była dużo starsza, ale nie wiadomo, o ile. Chętnie by ją uściskała i zwierzyła się ze spotkania, które pozostawiło niemiły osad, ale nie wypadało.

Odwiesiła płaszcz, zdjęła buty i poszła zagrzać wodę, żeby się umyć. W kranach nigdy nie było ciepłej wody, łazienki były nieczynne i pełniły rolę lektoriów, a ledwie letnie kaloryfery były zajęte, bo Asia miała okres.

Umówiły się, że pierwszeństwo do suszenia bielizny na kaloryferze ma ta z nich, która ma okres. Pozostałe chodziły brudne aż jej przeszło. Gorzej, gdy terminy się nałożyły. Wtedy rozpoczynał się wyścig do cennych żeberek. Jeśli były zajęte, chodziło się w sztywnych od zakrzepłej krwi gaciach, które kaleczyły wewnętrzną stronę ud, pozostawiając szpecące blizny.

Pończochy prane rzadko, schły na poręczy łóżka i zakładało się je wilgotne. Tam gdzie na skórę przychodził wilgotny ściągacz, wszystkie miały żywoczerwone spierzchnięcia, swędzące i piekące na mrozie.

– Chcesz herbaty, Lilka?

– A masz coś do tego?

– Chleb z musztardą majonezową.

Lilka była dość tęga i miała wilczy apetyt.

Maczały suchy chleb w słoiku z musztardą i popijały herbatą.

Asia wróciła ostatnia i zaczęła nawijać włosy na wałki. Nosiła grube okulary i żeby założyć wałki na grzywkę musiała je zdjąć. Ślepa jak kura, wpijała się wzrokiem w kubek, biorąc go za lusterko. Wreszcie założyła okulary i rozejrzała się tryumfująco. Wyglądała w tych wałkach, jak przybysz z obcej planety.

– Słuchajcie, coś mi się rusza pod kołdrą – jęknęła.

Zapaliły górne światło i wszystkie trzy odsunęły kołdrę wieszakiem. Spod kołdry stanął słupka wyrośnięty szczur, który błyskawicznie zbiegł, zniknął pod łóżkiem Nicole i przez dziurę w ścianie wymknął się do kuchenki.

Asia położyła się w łóżku, wygrzanym przez szczura.

– Podobno szczury roznoszą różne choroby – stęknęła.

– Zgłupieć od szczura nie zgłupiejesz, a to najważniejsze.

Zasnęły około północy, ciasno otulone kocami, bo w pokojach panowało przenikliwe zimno.

W akademiku szalała grypa. Wszędzie było słychać kaszel, kichanie, prychanie. Któraś z dziewcząt miała dziwne objawy. Bóle głowy, sztywność karku, wymioty. Trafiła do szpitala w Nowej Hucie na Oddział Zakaźny, z podejrzeniem zapalenia opon mózgowo-rdzeniowych. Druga z podobnymi objawami, kazała się wieźć na Botaniczną. Koleżanki czekały przez cztery godziny w podziemiach obskurnego szpitala, żeby się dowiedzieć, że „niczego nie potrafimy wykluczyć ani potwierdzić. Jak jej się pogorszy, to wezwijcie pogotowie". Wróciły około północy głodne, spragnione, brudne, senne. Stołówka była nieczynna. Portier spojrzał podejrzliwie: – pewnie się szlajały, dziwki.

Na zajęciach pojawiały się trzy, cztery osoby. Niki robiła notatki, które potem wypożyczała wszystkim chorującym i zdrowym, którym się wszystkiego już odechciało. Miały w dupie magisterium. Przynajmniej dziś. Bo jutro włożą śmierdzące gacie, przepocone pończochy, podszyte wiatrem płaszczyki, okręcą głowy chusteczkami i będą zasuwały na zajęcia, bo są ambitne, chcą coś osiągnąć, kimś zostać.

Ich głupsze, leniwsze koleżanki zostały w domu i poszły do pracy. Ponieważ są po maturze, wkrótce dochrapią się kierowniczego stanowiska. Zarabiają, mieszkają z rodzicami, oszczędzają na wyprawę, meble, mieszkanie, ciuchy. Kiedy za kilka lat te z tytułami magisterskimi zdołają się zatrudnić, niedożywione, źle ubrane i bez oszczędności, zostaną podwładnymi swoich głupszych koleżanek, ledwie po maturze, ale za to z „doświadczeniem" i będą zarabiały połowę pensji swoich szefowych. Niektóre z tych jajogłowych odbiją się od dna, większość, nigdy.

*

Kryśka doszła jako czwarta w ramach akcji: „zagęszczanie". Była ładną blondynką, repatriantką z Belgii. Miała narzeczonego, niejakiego Jarka, prymitywnego brutala, studiującego nie wiadomo co w AGH. Wizyty mężczyzn w pokojach były, na początku przynajmniej, dozwolone w niedziele i święta oraz w środy, od szesnastej do osiemnastej. Niki nie miała chłopaka, więc ulatniała się do kuchenki, gdzie coś próbowała zgłębić. Lektoria były zajęte do ostatniego miejsca, łazienki, korytarze i nisze na korytarzach też.

Sesja zimowa, jak zwykle, wypadła blado. Nieliczni studenci podchodzili do egzaminów i nikogo to za bardzo nie dziwiło. Studiujące kobiety wysłuchiwały od profesorów w dół kąśliwych uwag i aluzji na temat sylwestrowych ubawów i karnawału. Wszystko było okazją do złośliwości. Wygląd kwitnący, bo „przyszła na studia szukać męża" i marna figura, bo „zaraz zagzi się na śmierć". Nikt nie wiedział, a może nie chciał wiedzieć, że w wieloosobowym pokoju nie można się skupić, bo jedna je, druga trzaska drzwiami, trzecia napchała waty do uszu i mamrocze pod nosem, a czwarta, na skrzypiącym wyrku, przerzuca gorączkowo papiery. Bywało też, że jedna, dwie lub wszystkie jednocześnie zachorowały na grypę i nie były w stanie nawet zejść do stołówki, jeśli miały szczęście, stołówka była na miejscu i nie trzeba było biegać na drugi koniec miasta. Wszystkie lekko ubrane, w przewiewnych płaszczykach, w płaskich nieocieplonych butach, łapały infekcje jedna po drugiej.

Mężczyźni pozakładali spodnie, pod spodnie slipy i kalesony, podkoszulki, barchanowe koszule, marynary. Dziewczęta noszące spodnie nie były dobrze widziane przez starszych pracowników naukowych i panie. (Wciąż aktualny był przebój: „Zdejm (!) te spodnie moja mała, przodownika strój, / zdejm te spodnie mała, bo nie ubiór twój / zdejm te spodnie moja mała, byś po spodniach nie dostała / zdejm te spodnie mała i spódnicę włóż, A JUŻ!").
– I po jaką cholerę tak się męczymy? – czasem któraś nie wytrzymywała. – O szóstej byłam przed Jagiellonką i zabrakło miejsc, a czytelnia dla pracowników nauki – pusta.

Brakowało wszystkiego: miejsc w czytelniach, podręczników, skryptów, ciepłej bielizny, odzieży, obuwia, kalorycznego żarcia. Wprawdzie był powszechny dostęp do studiów, ale nikogo nie obchodziły warunki studiowania, ani poziom tych studiów.

Kiedy wreszcie słońce zaczęło trochę przygrzewać, zrobiło się raźniej. Zachorowań było mniej, w pomieszczeniach zamkniętych nadal jak w lodowni, ale za to można się było ogrzać na dworze.

Nicole zaliczyła wszystko, co było do zaliczenia, zdała egzaminy w terminie, irytując pracowników naukowych. Nie mieli się czego uczepić. Tyle że upierdliwa, bo załatwiła sobie pracę za granicą, podczas gdy pracownicy naukowi musieli liczyć na, rzadkie bardzo, stypendia. Za starzy do pracy fizycznej i zbyt utytułowani, żeby się załapać na stypendium dla studentów.

Tak się wysforowała w swojej żądzy zdobycia wiedzy, pragnieniu bycia w kilku miejscach jednocześnie, że wygospodarowała wolny czas, w którym robiła odpłatne tłumaczenia. Czerpała z tego podwójną korzyść: wprawiała się w zawodzie i trochę zarabiała.

W kwietniu pojawił się w akademiku mężczyzna w wyglansowanych butach, czarnych spodniach i czarnej marynarce, z koloratką. Portierowi odebrało mowę i drżącym głosem, za to tonem nieznoszącym sprzeciwu poprosił, aby Nicole „bezzwłocznie" zgłosiła się na portiernię. Facet, powołując się na profesora Laskowskiego i ojca Mostowskiego (Nicole miała ochotę zapytać, czy jest synem Mostowskiego), podał białą, wypielęgnowaną dłonią niedużą broszurkę do tłumaczenia i wręczył, niby drogocenną pamiątkę, karteluszek z numerem telefonu.

– Proszę zadzwonić, kiedy pani wykona pracę.

– Ile mam czasu?

– Ojciec Mostowski nie wyznaczył terminu.

– Aha! – pomyślała – czyli dupa w troki i do roboty. – Przepraszam pana, ale będę musiała dostarczyć wykonaną pracę w rękopisie. Nie mam maszyny do pisania.

– Wielebny Ojciec o tym wie – chłodno odpowiedział elegancik. – Niech będzie pochwalony... – pożegnał się, rzucając pobożne hasło w powietrze, licząc na to, że schwyci go Niki lub portier. Ten ostatni zgiął się w pół i odpowiedział: „na wieki wieków". Niki mruknęła: cześć!

Nicole okupowała łazienkę. Nieczynną zresztą. Wepchnęła do wanny dwa szare, zwinięte koce, na parapecie zamalowanego na biało okna – po co?, skoro i tak nie można się było kąpać – postawiła słoik smalcu, na zakrętce ułożyła nóż, a obok, na kartce wyrwanej z zeszytu, ćwiartkę chleba. Ołówek automatyczny miała zawsze przy sobie. Miała też popielaty długopis, który podarował jej lektor – Włoch, ale nosiła go w torebce i niedbale kładła na stole, kiedy przyjeżdżała do domu. Dla szpanu. Na co dzień gryzmoliła ołówkiem lub lejącym wiecznym piórem marki „Żaczek". Dostała od Laskowskiego ćwierćlitrową flachę do kroplówek z gumowym korkiem i nosiła w niej atrament. Obeszła z tą flachą już całe miasto i nawet była z nią w filharmonii i w Teatrze im. Słowackiego. Po prostu porwała torebkę i wybiegła z domu, a w torebce, flacha.

Od wczesnego wieczora do późnej nocy siedziała w wannie na kocach, owinięta pledem. Właśnie administracja kupiła partię kraciastych pledów i rozdzieliła je pomiędzy studentki wyższych lat. Te z pierwszego i drugiego roku dostały szare, wojskowe koce. I słusznie! W butach słoma, jeszcze gotowe nasrać do tych kraciastych cudów.

Godziny mijały, ziąb szedł od okna i wanny, a Nicole mozoliła się nad dziejami słowa „liturgia". Około drugiej, w pół do trzeciej, gdy nawet chuligani śpią, chłód zapędził ją na wyleżałe wyrko. Chociaż na dwie, trzy godzinki. Jutro niedziela i będzie pracowała przez cały boży dzień. Spodziewała się za pracę jakichś trzech stów. Odda mamie, jak panisko jakie. Mordęga trwała cały tydzień. Po tygodniu przepisała brudnopis na czysto, lejącym piórem. Po wykonaniu pracy zadzwoniła pod numer z kartki, którą wręczył jej efeb w koloratce.

– Dzień dobry, moje nazwisko Nicole Cléber. Chciałam uprzejmie powiadomić, że wykonałam zlecone tłumaczenie i proszę o wskazanie sposobu doręczenia rękopisu i oryginału.

– Niech będzie pochwalony... Ojciec Anzelm przy telefonie – szczyl miał ze dwadzieścia dwa lata. – Natychmiast powiadomię Wielebnego Mostowskiego i jeśli pani pozwoli, niezwłocznie się z panią skontaktuję.

– Bardzo proszę – wybąkała, chociaż najchętniej odpowiedziałaby, że Szanowna Panna Cléber czeka, co też postanowi Wielebny.

W kwadrans później, do pokoju wparował zziajany portier – biegł na trzecie piętro – żeby powiedzieć, że „Wielebny Bazyli Mostowski uprzejmie zaprasza do siebie nazajutrz, na godzinę dziesiątą. Gdyby Szanowna Panna Cléber nie mogła lub nie chciała zaakceptować podanego terminu, Jego Wielebność prosi o inną propozycję". – Portier wygłosił swoją kwestię z półprzymkniętymi powiekami, a skończywszy szeroko się uśmiechnął.

– Bardzo dziękuję, że był pan uprzejmy osobiście mnie powiadomić. Oczywiście stawię się we wskazanym czasie i miejscu – bardzo grzecznie wyrecytowała Nicole, też na stojąco. Wersal!

Portier na moment ze wzburzenia stracił głowę i wszedł do wbudowanej szafy. Gramoląc się z niej spytał całkiem przytomnie:

– Cebuli panie nie potrzebują? Miałem fantastyczny urodzaj.

– Miałabym na Wielebnego Mostowskiego chuchać cebulą? – Nicole uniosła brwi.

Portier zarumienił się i wyszedł.

Drugi maja. Pogoda wymarzona. Ciepło i słonecznie. Niki wstała o świcie i wściekle prasowała czerwoną sukienkę w falbany, którą dzień wcześniej uprała i wykrochmaliła. To była jej jedyna letnia sukienka, po „kreacji" z kory, w łódeczki. Materiał na sukienkę dostała od koleżanki mamy, która nabyła towar po znajomości, a potem uznała, że w wieku czterdziestu ośmiu lat, czerwona sukienka w biało-

-czarny rzucik, nie jest najstosowniejszym strojem. Zatem poleciła sprzątnąć po malarzach czteroizbowe mieszkanie z łazienką i zamiast wynagrodzenia, wręczyła kupon zbędnego kretonu. Znajoma krawcowa skroiła sukienkę z łódkowym dekoltem i rękawkami, w trzy sute falbany, bo Niki była chuda i gdyby postawić ją za kij od szczotki to tylko uszy byłoby widać.

Piętnaście po dziewiątej, ze świeżo uplecionym kokiem, ujętym w czarną aksamitkę, w świeżej, pachnącej sukience, z torebką, z której przezornie wyjęła flachę z atramentem i z materiałami pod pachą, ruszyła do Mostowskiego. Na bosych nogach miała sandałki, z których lekko obłaziła czerwona Wilbra. Kiedyś były białe, ale oblazły. No to potem były zielone, ale też oblazły, teraz były czerwone, a potem będą czarne i ciemna mogiła.

Przeszła przez skomplikowany system kontroli i dyskretnych zabezpieczeń. Przyglądali jej się zdrowi, dobrze odżywieni, muskularni, młodzi mężczyźni w sukienkach. Wreszcie dostąpiła zaszczytu. W podziemnej kancelarii, urządzonej ze staroświeckim smakiem, na oczach czujnych, choć zdystansowanych mężczyzn, Mostowski wyciągnął do niej upierścienioną dłoń. Doskonale wiedziała na co czekał.

Dygnęła uprzejmie, ze spuszczonym wzrokiem i pochyliła głowę, dotykając brodą mostka.

– Pozwolisz, że pójdę przodem – poszli długim korytarzem.

Mówił do niej „ty", choć nigdy z nim nie spała.

Weszli do przestronnego pokoju, którego okna wychodziły na kościół OO. Franciszkanów. Wskazał wygodny fotel. Poczekała aż mężczyzna usiądzie. Jakiś młodzieniec przyniósł dwa kryształowe kieliszki, napełnione czerwonym winem. – Proszę – upił łyk wina.

Umoczyła usta w aromatycznym płynie i odstawiła kieliszek. Z urodzenia miała tylko jedną nerkę i nie tolerowała alkoholu, przede wszystkim zaś czerwonego wina.

– Pozwoli pan – podała rękopis.

Duchowny zagłębił się w lekturze, podczas gdy dziewczyna siedziała nieruchomo w fotelu „z uszami" i spoglądała na kościół. Z jakiegoś nieznanego powodu odczuwała głęboki smutek.

– Doskonale, Nicole – potaknął – doskonale.

– Cieszę się – starała się być miła, ale jej nie wychodziło.

– Nie podoba ci się, że mówię do ciebie po imieniu?

– Istotnie!

– Taki mam zwyczaj.

– No cóż, kto płaci dyktuje warunki – odparła mało uprzejmie.

– Komunistka z ciebie! – uśmiechnął się z pobłażaniem. – Nawet strój wybrałaś odpowiedni.

– Nie mam innego. To wynagrodzenie za pracę przy sprzątaniu po malowaniu. Wyprałam, odprasowałam i włożyłam, bo z rękawami. Chciałam okazać szacunek.

Mostowski wpił się w nią swoimi bladoniebieskimi oczami i niespodziewanie bąknął:

– Przepraszam, panno Cléber. Tłumaczenie jest znakomite. Chciałbym, żeby pani zerknęła do tego oto tekstu. Jest trochę zniszczony.

– Na podstawie ortografii, składni i leksyki, usytuowałabym go w rejonie południowej Francji, w wieku osiemnastym.

– To takie oczywiste? – uśmiechnął się dość życzliwie. – Myślałem, że to będzie trudniejsze.

– Nie powiedziałam, że to łatwe, ani też nie twierdzę, że moja opinia nie podlega dyskusji. To zaledwie powierzchowna ocena. Nie chcę zbyt energicznie kartkować delikatnego tomiku, który pewnie nie był właściwie przechowywany. Praca nad takim materiałem wymagałaby odpowiednich warunków.

– I to właśnie chciałem zaproponować – unikał zarówno „ty" jak i „pani". – Pracę na miejscu. Mamy doskonale wyposażoną bibliotekę. Słowniki, komentarze, dzieła współczesne oryginałowi.

– Propozycja jest niezwykle kusząca, jestem jednak studentką, muszę uczestniczyć w zajęciach i tłumaczenia robię po nocach. Czy istnieje możliwość pracy w godzinach nocnych?

– To nie jest łatwe, ale do załatwienia. Proszę tylko wskazać porę przyjścia i wyjścia, żebym mógł wydać odpowiednie dyspozycje.

– Czy mogę się stawić na dziewiętnastą? Wyjdę o świcie, gdy zacznie się przejaśniać.

– Bardzo proszę – przyglądał jej się badawczo, a z jego ironicznej, sprytnej, chłopskiej twarzy nie schodził uśmiech pobłażania. – Kiedy możemy się spodziewać?

– Są Juwenalia. Mogę wykorzystać wolny czas i chwilową swobodę. Czy dziś wieczorem nie będę przeszkadzała?

– A co z zabawą? – spytał zdziwiony.

– Właśnie zamierzam się bawić.

– Uregulujmy najpierw dług – wręczył Nicole dwieście pięćdziesiąt złotych i dorzucił święty obrazek, przedstawiający Matkę Boską Bolesną.

Nicole pobladła. Odebrała o pięćdziesiąt złotych mniej niż się spodziewała. Za cały tydzień mozolnej pracy w lodowatej łazience. Przyjęła pieniądze ze spuszczonym wzrokiem, mówiąc ochryple:

– dziękuję. Dygnęła i wyszła. Obok drzwi stał gerydon z bukietem białych bzów. Dyskretnie położyła święty obrazek obok wazonu.

*

Na nasłonecznionej ulicy wzięła głęboki oddech i wolnym krokiem doszła do rogu Bernardyńskiej. Trochę jej się kręciło w głowie, więc wstąpiła do niewielkiej cukierni i zamówiła małą kawę.

– Cześć – usłyszała obok siebie.

– Cześć – odpowiedziała zgaszonym głosem.

– Można?

– Siadaj, Jacek, proszę.

– Czy coś się stało?, nie wyglądasz najlepiej.

– Właściwie nic takiego. Zostałam orżnięta na pięć dych. Chciałam zrobić wrażenie na mamie i gówno! Zamów sobie kawę i świeże ciacho. Właśnie przywieźli. Stawiam. Dwieście pięćdziesiąt, czy dwieście, co za różnica? Katabas mnie wyrolował.

– Mam jeść, kiedy siorbiesz czarną kawę?

– Słuchaj, bierz, kiedy dają, bo drugi raz nie zaproszę cię wcale. Pobożny jesteś, więc nie każ mi wygłaszać opinii o duchownych, jako chlebodawcach.

– Owszem, jestem, chociaż jakby mniej – delikatnie naruszył widelczykiem kruchą strukturę kremówki. – Próbowałem wystartować do seminarium duchownego. Przyjęli papiery, wezwali na rozmowę. Nawet zrobiłem wrażenie swoją znajomością Pascala. Wiesz, że żyję Pascalem. Potem przyjrzeli mi się uważnie i oznajmili, że wprawdzie wiedzę mam imponującą, ale nieodpowiednią aparycję, więc powinienem spróbować w jakimś klasztorze. – Potrzebują przystojniaków, masz pojęcie?, a ja mogę zostać co najwyżej mnichojebcą. Dobre, co? – włożył do ust gigantyczny kawał kremówki i cukier puder wycisnął mu łzy z oczu.

– Słyszałeś o Mostowskim?

– A kto nie słyszał?

– Ja!

– Naprawdę? Niki, to największy „Rattenfänger".[28] – Też mam u ciebie dług. Uczysz mnie niemieckiego za bezdurno. Nigdy ci tego nie zapłacę, bo z czego. Nie wiem, jak ci się zrewanżować.

– Wrąbuj kremówkę i o nic się nie martw. Od dziś zaczynam pracę w skryptorium.

– Niki, mam cytaty, których nie mogę rozgryźć. Będziesz miała dostęp do najlepszych komentarzy...

– Daj. Wynotuję wszystko, co mi wpadnie w ręce.

– Chodzi mi przede wszystkim o te trzy fragmenty. Do kogo lub do czego je odniósł?

– Dobrze. Masz to u mnie, jak w banku. Tylko zważ, że będę się zajmowała tekstem osiemnastowiecznym i nie wiem, czy umożliwią mi dostęp do całej biblioteki, czy też jakiś cenzor, dokona wyboru materiałów dopuszczalnych i prawomyślnych, a inne wykluczy.

Kiedy przyszła na dziewiętnastą, powitało ją dwóch zabójczo przystojnych i głupich jak but młodych kleryków. Przedstawiła się z imienia i nazwiska, położyła przed tumanami pusty kopiał ołówkowy, automatyczny ołówek, tutkę ze zapasowymi wkładami do ołówka i skrawek ściernego papieru do ostrzenia wkładów.

– Pan Mostowski wie, że przyjdę – młodzieńcy omal nie zemdleli.

– Wielebny – poprawili ją unisono.

– Którędy? – spytała, nie zważając ani na miny, ani na gesty.

Pracowała od dziewiętnastej do czwartej rano. Przez dwa dni, najweselsze, najzabawniejsze, najbardziej kolorowe dni Juwenaliów tkwiła zamknięta w zalatującym grzybami pomieszczeniu i zmagała się z takimi nonsensami, że chwilami miała wrażenie, że śni. Wypisywała dyrdymały o wizjach, domniemaniach i przeczuciach i czuła się jakby była pijana. Kiedy wychodziła o świcie na opustoszałe ulice miasta, czuła jak poranne powietrze obmywa ją, jak świeża, ożywcza woda. Przechodząc obok kościoła św. Wojciecha, pieszczotliwie dotknęła ochronnych łańcuchów, aby przypomnieć sobie, że wciąż żyje w realnym świecie, że nie jest obłąkana. Na Plantach minął ją milicyjny patrol dwuosobowy – jeden umie czytać, drugi pisać – który zmierzył ją badawczym spojrzeniem, ale że nie była ani nawalona, ani brudna, dali sobie spokój i poszli dalej.

Po krótkiej drzemce, przepisała starannie tłumaczenie i na drugi dzień odniosła Mostowskiemu. Wręczył dwieście złotych.

– Z całym szacunkiem – zauważyła – należy się trzysta złotych.

– Cenisz się, moja panno – powiedział z krzywym uśmiechem.

– Cenię pracę. Staram się dać z siebie wszystko i wywiązać się ze zobowiązań tak, jak tego wymaga moje sumienie – rzetelnie, odpowiedzialnie, w terminie. Nie oszukuję, nie stosuję forteli, nie robię uników, ani się nie obijam. Oczekuję tego samego – głos jej drżał a cienka strużka potu wolno spływała wzdłuż kręgosłupa.

– No dobrze już, dobrze – machnął ręką Mostowski.

– Nie potrzebuję łaski, ani pocieszenia!

– Wszyscy tego potrzebujemy, moje dziecko.

– Współczuję panu – odwróciła się i poszła ku drzwiom.

– Panno Cléber, należność!

– Proszę ją sobie zatrzymać – była tak roztrzęsiona, że drżały jej usta. – Miałam dostać wynagrodzenie za pracę, nie jałmużnę.

– Proszę, bardzo proszę, żeby pani usiadła – Mostowski spoważniał i wstał.

Usiadła na brzeżku krzesła blada, chuda, zdenerwowana.

– Nie lubi mnie pani i to bardzo. Jest we mnie coś, co panią odrzuca, co budzi pani, prawdopodobnie uzasadniony, gniew. To coś więcej niż tylko niechęć do ludzi mojego stanu. Irytuję panią, drażnię. Wiem o tym, czuję to. Patrzy mi pani w oczy i chętnie by mnie pani spoliczkowała. Znam to spojrzenie. Widziałem je wiele razy, przed laty. Czy dobrze, łatwo wygodnie żyje się tą niechęcią, a może nienawiścią w sercu? Czy nie spróbowałaby pani, wśród rówieśników, odreagować?

– Przede wszystkim nie chowam uczuć w sercu, lecz w głowie i nie chcę towarzystwa swoich rówieśników. Domyślam się, że chciałby mi pan zaproponować udział w zajęciach ze swoimi podopiecznymi, którzy nawet jakoś pieszczotliwie pana nazywają.

Z panem oddają się pozornie niewinnej zabawie, w której nie ma miejsca dla nienawiści ani pogardy, chyba że do komunistów, ateistów lub Żydów. Wszyscy są przyjaźni, weseli, radośni, życzliwi, patriotyczni. Tylko że to wszystko gra, pozory, udawanie. Przyjaźń się opłaca, bo będzie procentowała w przyszłości. Gdy za kilka lat będzie do obsadzenia interesujące stanowisko, nobliwe panie i wytworni panowie przypomną sobie o tych przyjaźniach pod bokiem i czujnym okiem mentora i choćby spod ziemi wytrzasną, niechby najmniej wygodny, ale jednak wyścielany stołek dla swojaka. Radość i wesele łączą ludzi, których i tak jednoczy wspólna idea, głęboka wiara i odpowiednie pochodzenie. Wiedzą, że nie należy się drapać widelcem po głowie, nie wolno wręczać kwiatów łodygami do góry, od czasu do czasu myją nogi, reszty nie ruszają i całują w rękę. Ślub, małżonka, dziateczki. Żadnych rozwodów, ani skandali. Co najwyżej robotnica w pakamerze. No i patriotyzm. Tu zginął ten, ówdzie ktoś inny. Rosjanie, pardon!, Moskale nas nękali, a my się Moskalom nie damy, ani podstępnym Niemcom w pikielhaubach. My powstańcy, od stycznia do grudnia, przegrani, ale zwycięzcy, będziemy wysoko dźwigali sztandar biało-czerwony, zwieńczony orłem w koronie i poczłapiemy przez błoto i gnój, miniemy ciemne chatki słomą kryte, by wreszcie, pod lśniącym żyrandolem, zatańczyć mazura z płowo-włosymi pannami w bieli. Żałosne!

– Czy pani kiedyś spojrzała w lustro, panno Cléber? Proszę zauważyć, że nie oczekuję, żeby pani się przyglądała świętym obrazkom, skoro ich pani nie lubi – roześmiał się krótko. – Pani jest właśnie tą panną w bieli, spod lśniącego żyrandola, tańczącą mazura z zabójczo przystojnym oficerkiem. Nie lubi pani siebie ani nas, ludzi z pani otoczenia. Chciałaby się pani wyrwać ze swojej skorupy, ale to niemożliwe. Każdy, kto na panią spojrzy ma gotową ocenę: panienka ze dworka.

Niki zupełnie się uspokoiła i odprężyła. Na jej dziecinnej, jasnej twarzy pojawił się uśmiech.

– Panie Mostowski, przykro mi, że naraziłam pana na stratę czasu. Nie powiedział pan niczego, czego bym już nie wiedziała. To, co mnie w panu irytuje, to protekcjonalizm i paternalizm. Ten ostatni tym dziwaczniejszy, że nie jest pan ojcem i nigdy, przynajmniej teoretycznie, nim nie będzie. Widzi pan, doskonale zdaję sobie sprawę ze sygnałów, jakie wysyłam. Wierzyłam jednak, że człowiek pańskiego pokroju nie da się wprowadzić w błąd pozorami. Jaszczurka się nadyma, żeby się wydawać większą, roślina cuchnie padliną, żeby zostać zapyloną. Jednak ani jaszczurka nie jest większa, ani roślina nie jest padliną.

Ani razu nie wspomniał pan o tym, czego poszukuję i czego pragnę. Chciałabym, aby kraj w którym przyszło mi żyć, wbrew swojej woli, o którą nikt nie pytał, nie wlókł się w ogonie krajów cywilizowanych. Chciałabym pełnych półek w sklepach, obsługiwanych przez czystych, życzliwych i przyjaznych sprzedawców. Kompetentnych nauczycieli, dobrze przygotowanych, odpowiedzialnych, nie ciskających przekleństw na głowy swoich uczniów, nie pojmujących pseudonaukowego bełkotu, wynikającego z niedouczenia. Czystych klozetów z papierem i dostępem do umywalki. Urzędników, pochylających się nad problemami obywateli, a nie urywających się z pracy, żeby kupić żeberka, boczek lub zaszczepić dziecko.

Zamiast tego co wymieniłam, otrzymuję bogoojczyźniane zadęcie i niechęć do regulowania należności za rzetelną pracę. Pan zaś temu błogosławi, *monsieur* Mostowski.

– Jestem całym sercem za tym samym, co pani. Też pragnę być otoczony ludźmi pracowitymi, uprzejmymi, życzliwymi, czystymi. My, duchowni, wkładamy całą swoją wiedzę, serce, rozum, duszę, a nawet nasze życie osobiste w dzieło kształtowania człowieka uczciwego, prawego, cnotliwego, dobrego obywatela, patrioty, katolika.

– Przykro mi, że znowu nie mogę się z panem zgodzić. To że Kościół katolicki kształtuje katolików nie ulega wątpliwości. Nic poza tym. Wszystko cokolwiek czynią urzędnicy kościelni zmierza ku odwiedzeniu ludzi od pracy, uprzejmości, życzliwości, cielesnej czystości. „Czy nie lepiej się uciec do Pana, niż pokładać ufność w człowieku".[29] Człowiek wierzący ma miłować Boga i nikogo innego „ponieważ Ja Pan, twój Bóg, jestem Bogiem zazdrosnym".[30] Czy troska o ciało nie jest nic niewartym zachodem, bo liczy się tylko dusza?

Czy nie jest tak, że katolik który zbłądzi może pobiec do konfesjonału i wyszeptać do ucha urzędnikowi swoje przewiny i uzyska przebaczenie? Teoretycznie powinien zadośćuczynić, ale w tym celu musiałaby istnieć instancja kontrolna, która dopilnowałaby zadośćuczynienia i je wyegzekwowała. Taka egzekucja kłóci się jednak z tajemnicą spowiedzi. I jesteśmy w punkcie wyjścia. Wykonałam dla pana trudną i niewdzięczną pracę. Wyobrażałam sobie, pewnie naiwnie, że za rzetelną pracę należy się rzetelne wynagrodzenie „bo zasługuje robotnik na swoją zapłatę".[31] Okazał się pan człowiekiem niesprawiedliwym. Nie podpisałam z panem żadnej umowy i muszę zaakceptować pańskie warunki. Czy mam zawołać „Oddaj mi, Panie, sprawiedliwość, bom nienagannie postępował i nie byłem chwiejny"?[32]

– Chcesz mi dać do zrozumienia, że jestem ostatnim draniem, tak?

Zabrała marne dwieście złotych. Starannie złożyła i ukryła pod podartą podszewką torebki. Schowała ołówek, papier ścierny. Spokojnie, metodycznie, w milczeniu.

– Gniew jest grzechem, panno Cléber.

– „Będę pilnował dróg moich, abym nie zgrzeszył językiem; nałożę na usta wędzidło, dopóki naprzeciw mnie jest występny".[33]

– Znam pani drzewo genealogiczne, panno Cléber. Wiem, czyją pani jest krewną. Skąd ta znajomość psalmów u katoliczki? Tysiąc lat katolicyzmu to długo.

– Dobra poezja, panie Mostowski. Nie lubię wierszokletów.

– *Touché!*

Wyszła na ulicę pełną przebierańców wesołych i roześmianych. Świętowali ostatni dzień Juwenaliów. Czuła się biedna i nędzna w swojej czerwonej sukienczynie z kretonu. Z naruszonych pięćdziesięciu złotych jeszcze trochę zostało. Zafundowała sobie pierogi z kapustą i grzybami w barze na Grodzkiej, naprzeciwko sądu. Dla Jacka nie zdobyła upragnionych komentarzy do Pascala. W bibliotece posadzono sędziwego duchownego, który miał pilnować, aby korzystała tylko ze wskazanych zbiorów. Niedomyty starzec wkrótce zasnął na niewygodnym stołku i chrapał tak donośnie, że nie mogła się skupić. Teoretycznie mogła buszować po całej bibliotece, ale zrobiło jej się żal nieboraka. Z czego zrezygnował, co lubił, czego pragnął, gdy był młody i jaką cenę zapłacił za to, by na starość, pośrodku nocy, pilnować dwudziestoletniej siksy, żeby broń Boże nie odkryła, że król jest nagi? Wyjęła z torebki dropsa i jeszcze raz przeczytała tekst, uważnie pilnując interpunkcji. Starzec się ocknął lekko przestraszony i spojrzał zakłopotany. Uśmiechnęła się. Odpowiedział nieśmiałym uśmiechem.

W gaju Nemi nie należałoby sadzać tego osobnika – pomyślała. Zerknęła na zużyte sandały, zniszczony brzeg habitu i brudne, bose stopy. Miał kiedyś białe, czyste nogi chyżo mknące bez obuwia po wilgotnej, porannej trawie. Mostowski pewnie nadal ma wypielęgnowane stopy, wygodnie tkwiące w bucikach szytych na miarę.

– Już świta, ojcze Ambroży, wychodzę. Niech się ojciec prześpi.

W recepcji zadowolony grubasek rzucił okiem na zniszczoną torebkę.

Trochę się pokręciła pod Sukiennicami, zerknęła do kawiarni „Río” i wpadła na Ankę.

– Mam jeszcze dwie dychy – pochwaliła się koleżance – w sam raz na kawę z bitą śmietanką. – Miałam niemiłą rozmowę z Mostowskim. Orżnął mnie na stówę.

– A to ciul – stwierdziła Anka, unosząc ładną buzię ozdobioną śladem śmietanki pod nosem.

*

Sesję letnią pokonała bezproblemowo i w terminie. Przez cały rok pracowała jak mrówa, czytała w oryginale i w tłumaczeniach wszystko, co było dostępne. Spędziła długie godziny na nieogrzewanym poddaszu, cuchnącym gołębimi kupami i doskonale wiedziała, do czego zaglądają pracownicy katedry, a czego nie ruszyli od lat. Grube woluminy porosły kurzem, pajęczynami i pleśnią i leżały sobie przez nikogo nie tknięte, chyba od wojny. – Za bardzo się nie przemęczają i zostali w dołkach – przemknęło jej przez myśl. Najchętniej pojechaliby za granicę na stypendium. Atrakcyjny pobyt, dach nad głową zapewniony, wikt też, a nabytej wiedzy i tak nikt nie będzie sprawdzał. Tylko że ze stypendium krucho, zwłaszcza dla pracowników naukowych. Zaś kibli i podłóg pani adiunkt i pani docent nie ruszą. Aż tak bardzo im nie zależy na doskonaleniu języka. Byle do emerytury, a ta jest tuż – tuż, bo poniżej czterdziestki są tylko trzy osoby.

Litmanowie dotrzymali słowa i Nicole trzymała w dłoni zaproszenie „na winobranie" i zobowiązanie do pokrycia kosztów podróży i pobytu. Ponieważ Litman kierował prosektorium, była przygotowana na to, że będzie wykonywała pracę niewiele mającą wspólnego z haftem artystycznym. Chciała się trochę oswoić i poprosiła Laskowskiego o poparcie w otrzymaniu pracy salowej, choć na jeden miesiąc.

Profesor wybuchnął śmiechem, chwycił za telefon i kazał jej się zgłosić do Kliniki Chorób Kobiecych.

Zatrudniła się jako salowa. Myła podłogi, kible, baseny, wynosiła pogięte, ocynkowane wiadra pełne odpadów poporodowych. Odnosiła martwe płody, owinięte w zakrwawioną ligninę. Myła niemowlęta, urodzone martwe, lub zmarłe tuż po urodzeniu. Świętości życia ludzkiego doświadczała na co dzień, gdy wręczała przerażonym ojcom pudełka po herbatnikach, w których złożono te „dary boże". – Ksiądz na nie nawet nie spojrzał.

– Samemu trzeba zanieść na cmentarz i przedłożyć akt zgonu!

Personel miał doskonały humor. Lekarze się śmiali i żartowali, pielęgniarki po szkole średniej mówiły per „ty", położne salowej nie zauważały, tylko się przechwalały prezentami od pacjentek i raz po raz stwierdzały, że jedna się „znalazła", a inna nie i nakazywały „zamknąć mordę", skowyczącym jak zwierzęta. Na pytanie o gumowe rękawiczki, zrobiły wielkie oczy, wybuchnęły śmiechem i doradziły podcierać się w rękawiczkach. Brudne, brutalne, ordynarne, wulgarne, nie mogły się nasycić kilkogodzinną władzą nad udręczonym ciałem. Pacjentki po zabiegach, ze łzami w oczach błagały o basen. Do Cyganki żadna nie podeszła. Kazały Nicole umyć spanikowaną, przerażoną, młodą kobietę utytłaną we krwi i w gównie od szyi po pięty. Olbrzymi, napięty brzuch przypominał balon, który lada chwila pęknie z trzaskiem i wyrzuci krwawą, cuchnącą zawartość.

Pan profesor dokonywał obchodu w towarzystwie tryskających humorem studentów. Zażenowane kobiety zadzierały nieświeże nocne koszule i ze spuszczonym wzrokiem znosiły upokarzające, nierzadko bolesne manipulacje. Zmaltretowana publicznym badaniem pacjentka pobrudziła pościel. Profesor odwrócił się z niesmakiem, jakby sam wyskoczył z głowy Zeusa i wskazującym palcem przywołał Nicole, stojącą w progu sali.

– Sprzątnąć – warknął i poszedł dalej.

Nicole kawałkiem ligniny ocierała zalaną łzami i potem twarz pacjentki.

– A cóż to – oburzył się Profesor – pocieszycielka utrapionych? Proszę jej kazać sprzątnąć – rzucił do studenta.

Pyzaty blondyn zwrócił się do Nicole:

– Gówno masz zmyć, cipo rzewna!

Nie było podziału na chirurgię ginekologiczną i ginekologię septyczną.

Trzydziestego czerwca wyjeżdżała do Paryża więc poszła do Laskowskiego, żeby podziękować za pośrednictwo w znalezieniu zatrudnienia i spytać, czy mogłaby coś załatwić, przekazać.

– Pan profesor jest zajęty, a pani umówiona?

– Nie!

– No to się trzeba umówić – powiedziała pielęgniarka, nie podnosząc głowy znad „Przyjaciółki".

– Nie będzie czasu. Chciałam spytać, czy pan profesor potrzebuje czegoś z Paryża.

Na słowo „Paryż" bogini w czepku rozjaśniła się jak jarzeniówka.

– Pani jedzie do Paryża?

– Tak! – Nicole wykonała gest jakby zamierzała wyjść.

– Proszę zaczekać, zaraz powiem profesorowi.

Laskowski stanął w progu i zawołał radośnie:

– Nicole!, chodź, mam dla ciebie niespodziankę. W gabinecie oprócz Laskowskiego siedział niewielki człowieczek z wyglądu podobny do Berii i pan profesor z kliniki, w której pracowała jako salowa.

– Profesora Dubowskiego znasz, a to znakomity neurolog, profesor Jasiński. – I jak się podobało w pracy? – spytał Laskowski z ironicznym uśmiechem.

– A wiesz, że bardzo! – umyślnie go tykała. – Bardzo dużo się nauczyłam. Chciałam ci podziękować, bo bez twojego pośrednictwa mogłabym się kiedyś zdecydować zostać matką, nie daj Boże! Wyjeżdżam na zaproszenie Litmana. Może będę miała możliwość dokonania porównań. Zawsze interesowała mnie komparatystyka. Czy życzyłbyś sobie, abym coś dla ciebie załatwiła w Paryżu? Wrócę w ostatnich dniach września lub na początku października. Wrzesień spędzę w Rzymie, u rodziny.

– Może spotkasz w Rzymie Mostowskiego? – Panna Cléber jest szczególną „wielbicielką" Mostowskiego – zwrócił się do gości. – A może się coś zmieniło? Musisz wiedzieć, moja złociutka, że tu wszyscy znamy i cenimy Mostowskiego – roześmiał się porozumiewawczo.

– Nie wątpię. Mamy odmienne gusta.

– Proszę wybaczyć – wtrącił się Dubowski. – Mam wrażenie, że panią znam.

– Jestem zaszczycona – odpowiedziała oschle. – Przez miesiąc pracowałam w pańskiej klinice, jako salowa.

– Ach! no wie pani, to klinika...

– Właśnie! – Nie możemy się rozczulać nad pacjentami – wtrącił Jasiński.

– Mostowski rozgrzeszy – Nicole wstała. – Było mi bardzo miło. Przepraszam, że przerwałam spotkanie.

– Pozdrów ode mnie Rieux. Widzisz... może jeszcze pogadamy – wyglądał na zakłopotanego.

– Przekażę pozdrowienia i powiem, że pracujesz nad kolejnym, wzniosłym dziełem, które cię unieśmiertelni.

– Niki...

– Do widzenia panom – wyszła chudziutka i lekka, w sukiencynie z kory, w łódeczki.

*

Znowu telepała się całą wieczność aż do granicy Polski, w przepełnionych, lepkich od brudu pociągach. Starała się nie korzystać z toalet, których nie potrafiłaby opisać, choć miała za sobą doświadczenia salowej. Współpasażerowie nieżyczliwi, niedomyci, cuchnący potem, ale za to bardzo z siebie zadowoleni, starali się zająć jak najwięcej miejsca i czerpali niezrozumiałą satysfakcję z widoku innych pasażerów, stojących na korytarzu.

Zagadnęła bladą brunetkę z turystycznym workiem i zaproponowała, żeby siedziały na zmianę – godzinkę jedna, godzinkę druga. Przy drugiej zmianie otyły mężczyzna, siedzący obok, ułożył się w pozycji półleżącej i nie chciał pozwolić usiąść Nicole.

– Postój sobie cipo chuda – rzucił, ku uciesze współpasażerów. Teraz stały obie, Nicole i nieznajoma dziewczyna.

Minuty mijały, a Nicole rozmyślała, jak tu dokopać grubasowi.

– Popilnuje mi pani walizki? – wskazała na tekturowe byle co z poobijanymi rogami – zaraz wrócę.

– Oczywiście – zgodziła się dziewczyna – postawię na niej worek i podeprę kolanami. Proszę szybko wracać, bo mam kanapki z topionym masłem. Leciutko posolone – aż zmrużyła oczy.

– Ze „skwarzonym masłym"? – upewniła się.

– No dyć – potwierdziła dziewczyna.

Ślązaczka.

Nicole pilnie się rozglądała i znalazła to, czego szukała. Pobladłą kobietę w zaawansowanej ciąży z małym chłopczykiem, kopiącym w drzwi ubikacji oraz bezradnego konduktora, który rozkładał ręce, wzdychając: co ja pani poradzę!

– Jest miejsce dla pani i chłopca – zachęciła Nicole i pociągnęła za sobą konduktora i mongolfierkę. – O tu, proszę! – wskazała na grubasa, posapującego przez sen.

Konduktor szarpnął śpiącego:

– Ile pan wykupił biletów?

– No jeden! – odpowiedział ogłupiały grubas.

– Proszę więc usiąść na jednym miejscu i umożliwić pani – wskazał brzemienną – odpowiednie warunki podróżowania.

To była przełomowa chwila dla Nicole i przygodnie poznanej panny. Odtąd podróż mijała im w mgnieniu oka. Chłopczyk prężył się, naciągał, wstawał, siadał, kucał, skakał, próbował biegać, jadł tłuste plasterki kiełbasy, a potem powalanymi rączkami dotykał spodni i spódnic, chciał siku, chciał pić, żądał otwarcia silnie wstrząśniętej lemoniady, która niemal wybuchła. Nikogo to już raczej nie bawiło, oprócz dwóch dziewcząt, które skręcały się ze śmiechu, co „swawolnego Dyzia" zachęcało do wciąż nowych wyczynów.

W miarę zbliżania się do granicy pasażerów ubywało i dziewczęta znalazły miejsca siedzące.

– Kaj jedziecie – spytała nieznajoma.

– Do Francyje, do Paryża, a wy?

– Do Nimiec, kajby tyż. Dorka – przedstawiła się.

– Nicole!

– Mocie sztuczne miano. Niy gorszcie się.

– No, taki mom.

Pogranicznicy i celnicy, świadomi powagi sytuacji i swojej roli przystąpili do kontroli dokumentów i bagaży. Nicole i przygodnie poznana Dorka wypadły nadzwyczaj blado. Nic nie miały, niczego nie wwoziły, bagaże prawie puste, bo zżarły kanapki ze „szkwarzonym masłym" na sucho, bez popicia, a Nicole został chleb ze smalcem. Za to widoki były niezapomniane. Makatki, kryształy, szydełkowane serwetki, tony kremu „Nivea", gorzały bez mała cysterna. Odprawa trwała całą wieczność. Potem jeszcze skok do Berlina i dziewczęta się rozstały.

– Toż miyjcie się – powiedziała wzruszona Dorka. – Możno sie eszcze kedy trefiymy, bo wiycie jo nazod niy jada. Chobych miała nachtopy pucować.[34] Jada do Essen.

– Miyjcie się – pożegnała się Nicole – coby wom się darzyło.

– Z Panym Bogym.

– Z Panym Bogym, Dorko.

W pociągu do Paryża, inny świat. Oświetlenie działało, klop czysty, konduktor uprzejmy, obnośna sprzedaż napojów i słodyczy, wagon restauracyjny, steward roznoszący na tacy kawę i herbatę. Nicole przełknęła ślinę i stwierdziła, że w gardle ma papier ścierny. Pragnienie dławiło ja i zatykało. Miała dziesięć przydziałowych dolarów na podróż w obie strony. Zamknęła oczy i udawała, że śpi. Tuż przed francuską granicą, starszy mężczyzna podał jej literatkę z wodą mineralną.

– *Rien qu'une gorgée, mademoiselle*[35] zaproponował – bo zrobi się pani niedobrze. Znam to. Maurice Kantor, do usług, czyli Maurycy Śpiewak – uśmiechnął się zakłopotany.

Na dworcu czekali Litmanowie. Nie spodziewała się nikogo i popłakała się z radości. Pani Litman, osoba z natury sztywna i dość kostyczna, odprężyła się i zaprosiła – chodźmy dziecko, jest pani zapewne głodna i marzy o odpoczynku.

– Widzę przed sobą rzeki, jeziora, morza pełne wody – wyszeptała.

– Chodźmy, złotko – pan Litman zaprosił do stolika pod parasolem. – Proszę pić po łyczku, bo zemdli panią – podał szklankę wody Evian. – Zamieszka pani u nas. Mamy niewielki, niekrępujący pokoik z ubikacją i prysznicem. Proszę nie zwracać uwagi na moją żonę, Leę. To długa historia. Ma złote serce, ale złamaną duszę.

*

Od następnego dnia rozpoczęła pracę i udział w letnim kursie dla obcokrajowców. Startowała o piątej rano.

Praca u profesora Litmana nie różniła się zasadniczo od pracy u profesora Rieux. Lekarz przeprowadzający sekcję głośno informował o swoich ustaleniach, co nagrywało się na dyktafon, a Nicole sporządzała szczegółowy protokół na podstawie nagrania. Rano biegła na kurs dla obcokrajowców, potem pędziła na złamanie karku do prosektorium, żeby popołudniami wysłuchiwać pouczeń lingwistycznych, wracać do Litmana i pracować do dwudziestej trzeciej. Nocami, dzięki życzliwości gospodarzy, którzy umożliwili jej dostęp do bogatej biblioteki, w samotności zgłębiała tajniki anatomii.

– Doskonale się pani trzyma – nie wytrzymał Litman. – Czyżby tak subtelna istota, była aż tak niewrażliwa? Żadnych omdleń, wymiotów…

– Przygotowałam się, panie profesorze – wyznała – zatrudniłam się jako salowa w Klinice Chorób Kobiecych dla nabrania wprawy.

Wędrowali pogodną, letnią nocą przez roziskrzony światłami Paryż.

– Panno Cléber – profesor przerwał milczenie – perfekcjonizm jest w istocie poważną wadą. Dla innych perfekcjonistów stanowi pani wyzwanie, któremu trzeba stawić czoła, aby utwierdzić się we własnej doskonałości. Dla nie perfekcjonistów jest pani zawadą, która nie pozostawia ani milimetra miejsca swobody dla tego, co nieprzewidywalne. Jest pani, paradoksalnie, na równi pochyłej, moja droga. Po niespełna dwóch tygodniach odważyła się poprosić o pozwolenie uczestniczenia w sekcji. Wybrała wieczór, gdy nie było studentów. To było poważne i niezapomniane doświadczenie. Litman i pani Le Maistre byli nadzwyczaj wyrozumiali. Przeprowadzali autopsję kloszarda, który utonął w Sekwanie, będąc pod wpływem alkoholu. Chodziło o potwierdzenie lub wykluczenie udziału osób trzecich w tej boleśnie banalnej śmierci. Uważnie słuchała szczegółowych wyjaśnień, dotyczących mechanizmu śmierci przez utonięcie i zapoznawała się z różnicami, na jakie należy zwrócić uwagę w celu ustalenia, czy ofiara utonęła w wodzie słodkiej, czy słonej i czy w chwili śmierci była przytomna, czy też nie.

Odtąd częściej bywała w prosektorium, by pewnego dnia wziąć się na odwagę i wkroczyć do preparatorni. Mnogość i niezwykłość wrażeń znieczuliły ją na proste doznania. Nie zwracała uwagi na przechodniów, sklepy, reklamy. Aż nagle okres urlopów się skończył i musiała wyjeżdżać do Rzymu.

Przez te dwa upalne miesiące zbliżyła się do nieznanych sobie dotąd obszarów, doświadczeń i ludzi, którzy poprowadzili ją po krętych ścieżkach, oddzielających życie od śmierci.

Mądre, głębokie refleksje, będące owocem przeżyć osobistych i zawodowych gospodarzy odmieniły jej wizję świata. Ze smutkiem i goryczą wysłuchiwała głupich dowcipów studentów medycyny, którzy zdawali się nie pojmować doniosłości sekretu do którego zostali dopuszczeni. Pletli o randkach, popijawach, seksie. Nie rozumiała ich. Oni zdawali się nią pogardzać. Uważali, że jest zabawna, prowincjonalna, zacofana. Dorobiła się ksywki „*la sainte Nitouche*".[36]

*

Z żalem pożegnała się z Litmanami i umówiła się na następne lato. Wyjeżdżała do Rzymu pełna niepokoju i złych przeczuć.

Ciotka Giovanna została wydana za mąż bardzo młodo, za mężczyznę starszego od siebie o lat dwadzieścia. Nigdy nie kryła żalu i rozgoryczenia. Urodziła swojemu mężowi dwóch synów, Michele i Carlo i uznała, że spełniła oczekiwania zarówno męża, jak i rodziny. Odtąd prowadziła niezależne życie, oddając się całkowicie praktykom religijnym i oczekiwała „dziewczyny do pomocy", bo właśnie zakończono remont jej *palazzo*. Zatem jeśli bratanica chciałaby szlifować włoski, to ona, Giovanna, nie widziała przeszkód, aby to robiła podczas prac porządkowych.

Nikt nie wyszedł po nią na dworzec. Uszczupliła swoje paryskie oszczędności na taksówkę i pod wieczór zajechała przed nieciekawe, klockowate domiszcze, w zacisznej ulicy. Dość długo się dobijała zanim jej otwarto.

Służąca, bez słowa wskazała schody, prowadzące na poddasze. Znalazła się w ponurej izdebce, wyposażonej w żelazne łóżko, dwudrzwiową szafę z lustrem, krzesełko i stolik, na którym ułożono pościel.

Na czubkach palców wyruszyła na poszukiwanie łazienki, żeby umyć się po podróży. Dotarła do zaniedbanego pomieszczenia z toaletą, prysznicem i brudną umywalką. Na wieszaku wisiały dwa sprane, przeświecające od starości ręczniki frotté, na półeczce leżała kostka mydła do prania i stał wyszczerbiony kubek z napoczętą pastą do zębów. Lustro było rozbite. Skorzystała z toalety. Papier toaletowy był olbrzymią rolką, jakie spotyka się w wagonach trzeciej klasy pociągów na prowincji.

Weszła do salonu, gdzie przy zwiniętych dywanach i przychylonych okiennicach, na osłoniętych pokrowcami fotelach i kanapie rozsiadła się Giovanna z synami.

– *Buona sera, zia.*[37]

– *Signora*[38] – poprawiła ją.

– *Tu sei quella comunista, da Russia*[39] – spytał pryszczaty nastolatek.

– *Sono arrivata da Parigi*[40].

– Z Paryża? – Giovanna oderwała ładną choć nieco zbyt tęgą twarz od ekranu telewizora – A co ty tam robiłaś?

– Uczestniczyłam w letnim kursie dla obcokrajowców i pracowałam w klinice.

– A cóż mogłaś robić w klinice, biedne dziecko? – Giovanna wpiła się wzrokiem w telewizor.

– Zatrudniłam się w prosektorium.

– Krajałaś trupy? – zainteresował się młodszy z chłopców, wydłubując krostę z policzka.

– Niezupełnie. Nie ruszałabym tego pryszcza na twarzy – zauważyła z przekąsem.

– Czego chcesz? – Giovanna wciąż śledziła akcję na ekranie.

– Nic nie jadłam od wczoraj.

– No to idź do trattorii na rogu i coś zjedz, a potem połóż się spać, bo od jutra zabierasz się do pracy – wszyscy troje wybuchnęli śmiechem na widok Flipa i Flapa, układających puzzle.

Powlokła się ciemną ulicą do maleńkiej restauracji na rogu, gdzie za połowę ceny, ze względu na późną porę, kupiła porcję gumiastego, odgrzewanego makaronu, pochlapanego różową breją. Wróciła i znowu zaczęła się dobijać ku wyraźnej irytacji służącej. Powlokła się do swojego pokoju, wzięła zimny prysznic w zdezelowanej łazience, położyła się na niewygodnym, skrzypiącym łóżku i natychmiast się zerwała, żeby zaprzeć drzwi krzesłem i dodatkowo stołem.

Już zasypiała, gdy usłyszała, że ktoś próbuje wejść. Drzwi nie puszczały, a za drzwiami rozlegały się śmiechy i chichoty. Szybko wyskoczyła z łóżka i ubrała się w to, co właśnie z siebie zdjęła. Usiadła na łóżku i czekała aż dobijający się ustąpią. Zasnęła na siedząco.

Na drugi dzień zerwała się o świcie, umyła się i zeszła do kuchni, gdzie pachniało świeżo zaparzoną kawą i rogalikami z masłem. Służąca, która tak zrzędziła dzień wcześniej, położyła palec na ustach. Potem nalała do kubka kawy z mlekiem i podała suchy rogalik. Położyła na tacy filiżanki i spodki, koszyczek z rogalikami, maselnicę, kieliszki do jajek i stojaczek z jajkami i zniosła do stołowego.

Około ósmej trzydzieści Giovanna wezwała ją do siebie.

– Idę na nabożeństwo, potem na adorację a po obiedzie będziemy się modlili z ojcem Ennio Vignello. Ty zabieraj się do czyszczenia żyrandola. Części mosiężne czyść specjalnym płynem, a kryształowe spirytusem. Pamiętaj, ma lśnić. Bierz się do roboty, a już! Drabinę sobie znajdź.

– Signora Giovanna, przed południem powinnam wziąć udział w kursie, opłaconym przez *monsignore* Matteo, wujka.

– Moja droga, za mieszkanie się płaci. Ty nie płacisz, więc odpracuj. Zresztą w sprawie mieszkania mam z tobą do pomówienia, ale teraz jestem w nastroju do modlitwy.

Nicole poszła do służącej, żeby się dowiedzieć, gdzie ten żyrandol.
– Ty masz czyścić żyrandol? – zdziwiła się. – Wszyscy mężczyźni odmówili.
Doszły do ogromnej pustej sali, gdzie na wysokości trzech metrów wisiał potężny pająk.
– Jak mam to oczyścić? – Nicole zadarła głowę.
– I o to chodzi – wyjaśniła wyraźnie udobruchana służąca. – Pani kazała najpierw zawiesić, a potem oczyścić i nikt nie chce tego robić. Mąż przyniesie ci drabinę.
Nicole wgramoliła się na ogromną drabinę malarską, chociaż miała lęk wysokości. Obwieszona szmatami i butelkami, zabrała się do roboty. Po dwóch godzinach ręce jej omdlewały, a dłonie piekły jak ogień, bo Giovanna nie dała rękawic.
W południe służąca zawołała ją skinieniem ręki. Zeszła z drabiny jak pijana. Pracowała od trzech i pół godziny i od suchego rogalika nie miała nic w ustach. Usiadła na wskazanym miejscu przy kuchennym stole, nakrytym lepką od brudu ceratą, przed gigantyczną porcją makaronu wrzuconego do fajansowej, nadtłuczonej miski. Pochłonęła psie żarcie brudnymi rękami, cuchnącymi chemikaliami i wróciła do pracy. O czwartej żyrandol był odczyszczony. Po siedmiu i pół godzinie.
Właśnie schodziła z drabiny, gdy do salonu wpadli Michele i Carlo i zaczęli potrząsać drabiną. Robili to tak skutecznie, że drabina się przewróciła z ogłuszającym hukiem. Nicole już niemal zdążyła zejść, ale i tak upadła ku nieopisanej radości synów Giovanny. Ból trudny do opisania poraził jej prawy bok. Oczy wyszły z orbit i nie mogła złapać tchu. Chłopcy skakali i tańczyli koło niej i próbowali jej zadrzeć sukienkę. Służąca z mężem stali nieruchomo i wpatrywali się bezmyślnie w leżącą na podłodze dziewczynę.
– Drabina zarysowała podłogę. Pani ci potrąci z pensji – zauważyła służąca.
– Z jakiej pensji, przecież pracuję za darmo!
Obolała i umęczona poszła do kibelka na poddaszu i wzięła zimny prysznic, bo ciepła woda na poddasze nie dochodziła. Nie mogła domyć rąk, które były jedną ogromną raną.

Założyła sukienkę w łódeczki i zeszła do miniaturowego ogródka wewnętrznego, w którym wznosiło się coś, co przypominało po trosze kaplicę a po trosze altankę. Przez zamknięte, oszklone drzwi usłyszała: *Virgo veneranda – Ora pro nobis, Virgo praedicanda – Ora pro nobis, Virgo potens – Ora pro nobis, Virgo clemens – Ora pro nobis.*[41] Nie chcąc przeszkadzać w modlitwie spacerowała wokół budyneczku i nagle dostrzegła uchylone, witrażowe okienko przed którym stali, jak zamurowani, Michele i Carlo. Zajrzała nie wierząc oczom. Giovanna w biustonoszu i majtkach z różańcem na szyi, w towarzystwie mężczyzny w slipach, skarpetkach i koloratce, też z różańcem na szyi, nieprzerwanie odmawiali litanię, obnażając się nawzajem. Wezwania do Matki Boskiej przeplatały się ze śmiałymi, wyuzdanymi pieszczotami. Dłonie ojca Vignello głaskały brzuch i podbrzusze Giovanny, ukryte w koronkowych majtkach i dostarczały rozkoszy, która wyrywała jej z ust namiętne i gorące, powtarzane w ekstazie: *ora, ora, ora, ooora pro nobis.*

Biustonosz wylądował pod krzyżem, na niewielkim ołtarzyku, nakrytym obrusem, haftowanym w kiście winogron. Obfite piersi Giovanny o sutkach twardych i nabrzmiałych, wylewały się z wypielęgnowanych, smagłych dłoni duchownego. Odwrócona tyłem do swego kochanka Giovanna sięgnęła dłońmi za siebie, opuściła jego slipy i ujęła członek w erekcji. Wciąż trzymając w dłoni nabrzmiałą męskość, osunęła się na kolana i pozwoliła, by mężczyzna zdarł z niej bieliznę i przywarł ustami do rozłożonych pośladków.

Chłopcy zaczęli się masturbować.

Pobiegła do swojego pokoju i oparła się o zamknięte drzwi. Ból w boku nie dawał usiąść. Mdliło ją z głodu, bólu i na wspomnienie sceny, którą podpatrzyła. Nie była religijna, lecz wyrosła w szacunku dla aktów wiary, i miała nieodparte wrażenie, że była świadkiem autentycznego bluźnierstwa. Brak doświadczeń seksualnych pogłębiał uczucie wstrętu i odrazy. Zbierało jej się na wymioty.

Około osiemnastej Giovanna wezwała ją do siebie.

– Żyrandol odczyściłaś – powiedziała, chociaż nie powiem, abyś sobie zadała wiele trudu. Na szczęście niczego nie stłukłaś, ale podłogę uszkodziłaś i zapłacisz za naprawę.

– Signora Giovanna, przepraszam, nie ośmieliłabym się podważać pani zarzutów, niemniej drabinę przewrócili pani synowie.

– Jak śmiesz, wyciruchu jeden, oskarżać moich synów! – Giovanna spąsowiała. – A tak à propos synów, kto ci pozwolił blokować drzwi do swojego pokoju? Przyjęłam cię pod swój dach, bo przekonywano mnie, że jesteś czysta. Moi synowie nie mają jeszcze doświadczenia w sprawach intymnych i ktoś musi ich wtajemniczyć. Co ty sobie wyobrażałaś, dziwko! Że będę cię tutaj tuczyła? Nie wiesz, co do ciebie należy, komunistyczna kurwo!

Nicole odwróciła się na pięcie, poszła na piętro, spakowała swoją tekturową walizkę i zeszła po schodach.

Na polecenie Giovanny postawiła walizkę na podłodze i otworzyła ją, a służąca i jej mąż wybebeszali troskliwie poskładaną, biedną garderobę, aby sprawdzić, czy czegoś nie ukradła.

Odeszła gnana wyzwiskami Giovanny i jej synów.

Było ciemno, dochodziła dwudziesta. W znajomej trattorii znowu zjadła makaron i do rana włóczyła się po ulicach Rzymu, bo nie miała odwagi niepokoić wuja po nocy. Nigdy jeszcze tak się nie bała. Do świtu po mieście krążyli miejscowi i turyści, głównie mężczyźni, i stale zaczepiali. Bok bolał do utraty tchu, aż ją mdliło. Walizkę trzymała przez chusteczkę, bo paliły pokaleczone i pokryte pęcherzami dłonie.

*

Przed szóstą stanęła pod kościołem, w którym wuj odprawiał msze. Gdy tylko dozorca otworzył kościelną bramę, wtarabaniła się z walizką i usiadła w najdalszym kąciku, wcisnąwszy bagaż pod ławkę. Uczestniczyła w jednej mszy, drugiej, trzeciej a wuj się nie pojawiał. Wreszcie wkroczył na mszę o godzinie ósmej. Nicole od głodu kręciło się w głowie.

Zaraz po nabożeństwie pobiegła do zakrystii, ale zakonnica nie wpuszczała za próg. Głośno zawołała: *monsignore, monsignore!*

Wołanie rozjuszyło świętą dziewicę, która chwyciła za miotłę na długim kiju.

W rozpaczy krzyknęła: – *zio Matteo!*[42]

83

Duchowny spojrzał zakonnicy przez ramię: Nicole!? – wymówił jej imię z niedowierzaniem i wykonał w stronę zakonnicy gest, jakby odpędzał muchę.

– Co tu robisz?

– *Monsignore*, proszę o chwilę rozmowy.

– No chodź, chodź, jeszcze nie jadłem śniadania – był wyraźnie niezadowolony. – Dzisiejsi młodzi nie potrafią ani chwili poczekać, tylko: *presto, presto!*[43]

Nicole przemilczała całonocną wędrówkę po mieście, głód i niepokój o walizkę pozostawioną pod kościelną ławką. Gospodyni zmierzyła ją niechętnym spojrzeniem. Duchowny kazał dodać jedno nakrycie, ale nie zaproponował nawet umycia rąk.

Do stołu zasiadły cztery osoby: *monsignore* Matteo, dwóch wikarych i ona. Mężczyźni dobrze odżywieni, gładko ogoleni, pachnący dobrą wodą kolońską. Żaden z nich nie nosił sutanny. Rozsiedli się zadowoleni, odczekawszy aż proboszcz zajmie miejsce, i robili żartobliwe uwagi na temat bladości gościa.

– Nicole – surowo odezwał się gospodarz – czy nikt cię nie nauczył myć ręce przed jedzeniem?

Wikarzy parsknęli śmiechem i zażartowali, że do krajów socjalistycznych jeszcze nie dotarło mydło.

Dziewczyna ukryła ręce pod obrusem i wybełkotała: – przepraszam, *monsignore*, nie miałam gdzie umyć rąk.

– No to wstań od stołu i idź do łazienki.

Wyszła pod kpiącym spojrzeniem wikarych. Młodszy zawołał za nią:

– Ta pachnąca kostka jest mydłem i służy do mycia. Proszę jej nie jeść!

Mężczyźni wybuchnęli gromkim śmiechem.

Mydło wyciskało łzy z oczu, bo popękały pęcherze na dłoniach i skóra odstawała nieapetycznie, odsłaniając żywoczerwoną tkankę. Wokół paznokci pojawiła się krew. Wytarła umyte, obolałe ręce w papier toaletowy, by nie zabrudzić ręcznika.

Kiedy wróciła wszyscy już wstali od stołu. Została zimna kawa, jedno jajko na miękko, pieczywo i dwa plasterki wędliny. Zjadła wszystkie resztki, nie zwracając uwagi na zgorszoną gospodynię, która już chciała sprzątnąć ze stołu.

Monsignore, z odrobiną złego humoru, wezwał ją do swojego gabinetu i zażądał wyjaśnień, przypominając, że zapłacił za „bardzo drogi kurs".

– Doceniam, *monsignore*, i jestem nieskończenie wdzięczna. Problem polega na tym, że nie byłam na żadnych zajęciach, bo signora Giovanna uznała, że najpierw powinnam odpracować należność za dach nad głową – mówiła spokojnie, uprzejmie, powstrzymując się od gestykulacji, nie żaliła się, ani nie uskarżała. Wreszcie zauważyła, że niechybnie zaszło nieporozumienie, ponieważ odniosła wrażenie, że signora Giovanna nie została poinformowana, czego powinna się spodziewać. Ta godna ubolewania pomyłka sprawiła, że będzie musiała opuścić Rzym, nie skorzystawszy ze wspaniałomyślności *monsignore*, ponieważ nie ma się gdzie zatrzymać.

– Moje dziecko, nie pozostaje nic innego, jak kupić kwiaty i wybrać się do Giovanny z wyjaśnieniami i przeprosinami.

– Obawiam się, *monsignore*, że nie będę w stanie dostosować się do tak światłej rady.

– Jesteś krnąbrna, moje dziecko, zupełnie jak Antoine.

– Jestem jego córką, a pańską bratanicą, *monsignore* oraz bratanicą Giovanny.

– Hm, rhm – duchowny chrząknął – Giovanna, hm, rhm – jest jakby to powiedzieć, naszą przyrodnią siostrą. – Zadzwonię do zaprzyjaźnionych zakonnic. Może cię przyjmą.

Nicole czekała zgnębiona, oglądała swoje zmaltretowane dłonie i martwiła się o walizkę. Po chwili ksiądz wrócił i wręczył jej kartkę.

– Idź pod ten adres. Siostry cię przyjmą. Nie masz bagażu?

– Zostawiłam pod ławką w kościele. Dziękuję, *monsignore* – dygnęła i ucałowała wypielęgnowaną dłoń.

– Ach!, zadzwoniłem do Carla, męża Giovanny. Obiecał, że się z tobą skontaktuje. Zna twój adres.

Szła ze swoją walizeczką przez miasto omdlewające we wrześniowym upale.

Wreszcie dotarła do klasztoru i wręczyła furtiance kartkę. Czekała bardzo długo zanim drzwi się uchyliły i wpuszczono ją do lodowatej, sklepionej sieni. Zakonnica o nieprzeniknionej twarzy poprowadziła ją przez sień, długi korytarz, do gabinetu przeoryszy. Za masywnym, rzeźbionym stołem, zdobnym w potężny krzyż, siedziała surowa, bardzo blada kobieta, o zimnych, szarych oczach i zaciśniętych, wąskich ustach.

Nicole dygnęła i czekała na zaproszenie, żeby usiąść. Po nieprzespanej nocy i długiej wędrówce w upale, drżały jej kolana i piekły uda. Przełożona nie zaprosiła, za to sucho poinformowała, że siostra Prudencjana wskaże jej pokój, zaś miejsce przy stole zostanie jej wyznaczone podczas posiłków. Na zajęcia ma, oczywiście, uczęszczać, ale musi być na miejscu, w klasztorze, o godzinie osiemnastej. Spóźni się choćby minutę i nocuje na dworze – gestem wyprosiła ją z pokoju.

Przed drzwiami czekała na nią ta sama zakonnica, która ją wpuściła. Rzuciła okiem na walizkę i poprowadziła do niewielkiej izdebki z zakratowanym oknem. W izdebce było żelazne łóżko, nocny stolik, wieszak a pod oknem stolik i krzesło. Wszystko odbywało się w całkowitym milczeniu. Zakonnica wyszła, a Nicole opadła na krzesło. Po chwili siostra wróciła i gestem nakazała iść za sobą. Znowu plątanina schodów i korytarzy i wreszcie dotarły do czegoś w rodzaju pralnio-łaźni.

Zakonnica, zapewne owa Prudencjana, poleciła: *lavare!*[44]

– Mówię po włosku – wyjaśniła Nicole.

– Ale ja mówić źle!

Dziewczyna umyła się starannie w ogromnej balii, napełnionej letnią wodą, pod czujnym okiem zakonnicy. Klasztor nie grzał wody do mycia, bo to wydatek, no i zbędny luksus. Woda w balii była od dnia poprzedniego i nagrzała się w słońcu.

Wykąpana, z umytymi włosami, ubrana w nieśmiertelną sukienkę w łódeczki, nie wiedziała, co zrobić z brudnymi majtkami. Nie mogła ich wyprać pokaleczonymi rękami, a zmiany czystej nie miała. Schowała brudne majtki za plecy. Zakonnica bez słowa wzięła majtki, wyprała je w balii, w której przed chwilą Nicole się kąpała, wypłukała w zimnej wodzie i rozwiesiła na sznurku.

Dłonie Nicole wyglądały fatalnie. Ból i pieczenie nie dawały w nocy zasnąć.

Następnego ranka pobiegła na kurs, z pięciodniowym opóźnieniem i tłumaczyła się nieoczekiwaną alergią. Istotnie, ręce były nie do pokazania i wywołały odruch odrazy u kierownika kursu, który był bardzo zadbany i czyściutki. Pewnie miał w domu kogoś kto polerował żyrandole.

Wieczorem, dla uczestników kursu, zorganizowano pokaz włoskich filmów, żeby się dodatkowo osłuchali z językiem. Nicole przeprosiła, że nie będzie mogła obejrzeć filmu, bo zakonnice u których mieszkała żądały, aby wróciła do domu przed osiemnastą, inaczej nie wpuszczą.

Kiedy zjawiła się w porze obiadu u sióstr, przełożona wezwała ją do siebie i wręczyła rozpieczętowany list. Czerwona jak piwonia dziewczyna przyjęła bilecik, w którym: „pan Carlo Mancini, dyrektor, prezes, doktor i coś tam jeszcze życzył sobie, aby stawiła się w dniu dzisiejszym, o godzinie osiemnastej pod wskazanym adresem".

– Wuj Mancini życzy sobie widzieć mnie u siebie…

– Wiem, moje dziecko – przerwała jej przełożona – Jego Eminencja kontaktował się z nami za pośrednictwem naszego opiekuna duchowego i możesz pójść na spotkanie, a także wrócić o godzinie, którą pan Mancini uzna za wskazaną.

– Dziękuję, matko przełożona – dygnęła i przytknęła usta do szczupłej, wypielęgnowanej dłoni, którą zakonnica podsunęła jej pod nos ponad stołem.

– Oczekujemy w refektarzu – dorzuciła usatysfakcjonowana władczyni.

I znowu milcząca Prudencjana prowadziła po długich, lodowatych, mrocznych, niekończących się korytarzach do pięknej sali o urzekającej architekturze i z odrażającym umeblowaniem. W ogromnym, sklepionym pomieszczeniu, wychodzącym na wewnętrzny ogród, stał ohydny stół ze zwykłego drewna, na krzyżakach i dwa rzędy paskudnych stołków, chyba wyrzuconych ze zdemolowanej oberży.

Siostry stały, więc i Nicole stała i czekały na przybycie przełożonej. Najpierw bardzo długa modlitwa i potem siad na krzesła i siorbanie na wyścigi przy akompaniamencie monotonnej lektury żywotów świętych. Nicole wskazano ostatnie miejsce przy stole i w tej kolejności była częstowana. Na dnie poobijanej wazy kołysała się reszta zupy warzywnej z makaronikami, przypominającymi człony tasiemca. Podobno w zupie było mięso, ale nie pozostał po nim nawet ślad. W koszyczku poniewierała się piętka suchego chleba. Wyjadła wodę z chlebem i słuchała o świętej Afrze, o której istnieniu nie miała pojęcia.

Odtąd siadała trzy razy dziennie na ostatnim miejscu. Zabrakło dla niej pieczywa, masła i marmolady na śniadanie, dostała pół filiżanki zimnej kawy, zjadała resztki z obiadu, a na kolację zostawały skórki od pomidorów, bo zanim Nicole było wolno się poczęstować, siostry brały dokładkę. Zakonnice pochylały się głęboko nad swoimi miskami fajansowymi, używane sztućce, nie umyte, wycierały we własne serwetki i chowały każda do swojej szuflady. Okazało się, że stół miał szuflady, ale w miejscu w którym siedziała Nicole szuflady nie było, zatem oblizała sztućce i zabrała ze sobą, żałując, że nie ma butów z cholewami, bo miałaby gdzie zatknąć ustrojstwo.

Po obiedzie nastąpiła znowu długa, wspólna modlitwa, potem siostry wstały i czekały aż wyjdzie przełożona. Ta zaś poruszała się jak rosyjska tancerka, suwając stopami po podłodze, w sposób tak wystudiowany, że nawet fałdy habitu nie drgnęły.

Nagle zatrzymała się przed gościem i przemówiła łagodnym, lecz autorytarnym tonem:

– Po powrocie idź natychmiast do kaplicy, żeby pomóc siostrze Prudencjanie umaić i przygotować dom boży na jutrzejsze święto Narodzin Najświętszej Marii Panny. Zachowuj się cicho, żeby nie mącić odpoczynku sióstr, które wykonują odpowiedzialną pracę. Są nauczycielkami i wychowawczyniami. Uczą dobrych manier – przełożona zmierzyła ją wzrokiem od stóp do głów.

Coś musiało być w wyrazie twarzy Nicole, bo nagle poczuła, że ktoś uszczypnął ją boleśnie w pupę. Dygnęła głęboko i powiedziała: tak, Wielebna Matko.

Przełożona odpłynęła. Nicole się odwróciła i popatrzyła w bystre, zielone oczy Prudencjany.

*

Wyruszyła do wuja z wizytą w jedynej sukience. Pan Mancini mieszkał w starym, eleganckim *„palazzo"* otoczony służbą cichą, dyskretną i taktowną. Wyszedł jej na spotkanie z wyciągniętymi ramionami i wzruszony serdecznie uścisnął.

– Nicole!, pokaż się, cały Antoine.

Zasiedli we dwójkę do pięknie nakrytego stołu i po raz pierwszy od kilku dni najadła się do syta. Przy kolacji wuj wprowadził ją w rodzinne sekrety.

– Widzisz, moja droga, Giovanna i ja, jesteśmy małżonkami tylko na papierze. Nie rozwiedliśmy się ze względu na krewnych, zajmujących wysokie stanowiska kościelne. Mam swoją Marcellę, a przedtem były Gina, Nina, Laura i kilka innych, uroczych istot łatwych i spragnionych sławy i pieniędzy. Wierzę, albo przynajmniej mam nadzieję, że się nie uskarżają. Pomogłem im znaleźć wymarzone zajęcie, zdobyć mieszkanie a nawet wyjść za mąż. Giovanna ma swojego ojca Vignello z którym odprawia „osobliwe nabożeństwa". Wiesz o tym, bo się czerwienisz! Vignello nie jest pierwszy ani ostatni, tak sądzę. Trochę się martwię o synów, bo nie wydaje mi się, żeby otrzymywali należyte wychowanie, ale gdy skończą osiemnaście lat, będą musieli się rozstać z mamusią. Taka jest umowa. Przewidziano dla nich karierę wojskową, bo powołania do kapłaństwa nie mają, a rodzina postawiła ich przed wyborem albo armia, albo Kościół.

Co będzie robiła starzejąca się Giovanna w olbrzymim domu sama, nie mam pojęcia. Dom nie jest jej, lecz mojej nieżyjącej matki i mieszka w nim, bo na to pozwalam. Sam zamieszkałem w domu rodzinnym i siedzę na swoim. – Pozwolisz do salonu – zaprosił gestem i poczekał aż wstanie.

Usiedli w luksusowo urządzonym pomieszczeniu, w wygodnych fotelach. Stopy utonęły w miękkim, pulchnym dywanie we wzory kwiatowe. Nicole ukryła dłonie na kolanach, pod torebką.

To moja matka – gospodarz wskazał na olbrzymi portret, przedstawiający ciemnowłosą, dość pulchną damę z nieco wydatnym nosem, w czarno – błękitnej sukni balowej. A po przeciwnej stronie ojciec. Spoglądają na siebie, jak za życia, nieufnie, niechętnie, bez miłości. Małżeństwo z rozsądku.

Ożeniłem się z Giovanną, bo była w ciąży. Czy ze mną?, któż to wie. Może tak, może nie. W każdym razie twój wuj, Matteo, narobił szumu i nie pozostało nic innego, jak poślubić kolejną przygodę.

– Kazała mówić do siebie „signora". Zabroniła nazywać siebie „zia" – wtrąciła nieśmiało.

Carlo roześmiał się na całe gardło. – I słusznie, dziecinko – upił łyk wina.

– Twój dziadek cierpiał na podagrę. Oprzyrządowanie męskie miał bez zarzutu mimo sędziwego wieku. Zatrudniono pielęgniarkę, Niemkę z pochodzenia, która wbiła sobie do głowy, że zostanie panią Cléber, jako że starszy pan był wdowcem. Zmierzała do celu drogą prostą i wypróbowaną. Gdy się okazało, że jest w ciąży, dziadek oraz jego córki i synowie z rodzinami, wypłacili pielęgniarce sporą sumę za trzymanie buzi na kłódkę, odczekali aż urodzi i dali do wyboru – wynieść się z dzieckiem lub bez niego. Wybrała to drugie, chyba bez żalu, bo nigdy się nie odezwała. I tak Giovanna została w rodzinie. Nie jest więc twoją ciotką, dziecinko, w każdym razie nie do końca.

– Nie wiedziałam – bąknęła – przepraszam bardzo. Nie chciałam być wścibska.

– Przede wszystkim, mów mi Carlo. Nie jesteś wścibska, kochanie, a poza tym, dlaczego mieszkasz u tych gidii?

Ze spuszczoną głową opowiedziała o swojej przygodzie w domu Giovanny.

– Pokaż ręce – zażądał Carlo. – Rany boskie! – wykrzyknął. – Zbieraj się, jedziemy.

– Dokąd, Carlo, dochodzi ósma wieczorem.

– Jesteśmy w Rzymie, Nicole, nie na wsi. To miasto żyje dwadzieścia cztery godziny na dobę.

Pomknęli samochodem przez rzęsiście oświetlone ulice, ludne i gwarne, do szpitala w którym pracował znajomy Carla. Przyjął ich jowialny, pulchniutki jak pączek, różowiutki pan, który rzucił okiem na dłonie Nicole i zawołał uszczęśliwiony: czyściła pani żyrandol! I poprowadził ich do gabinetu zabiegowego, nie przestając mówić.

– Okna mojego salonu wychodzą na ogródek. Miałem do wyboru: wymienić ramy i narazić na szwank zabytkowe witraże, albo odczyścić drewno. Ekipa remontowa doradziła to drugie. Zmieszali płyn do czyszczenia mosiądzu ze spirytusem, założyli maski na twarze i „ecco"! Ramy jak nowe. Tylko powlec świeżą farbą.

Pielęgniarka opatrzyła dłonie Nicole i założyła jej białe, bawełniane rękawiczki. Zabieg był nadzwyczaj bolesny i odbywał się w obecności Carla i lekarza.

– *Scusi, prego, scusi*[45] – Nicole stała nad kałużą. Zwyczajnie się posiusiała.

– Nie martw się, dziecinko, zaraz sobie poradzimy – podziękował lekarzowi.

Panowie uścisnęli sobie dłonie i umówili się na coś tam.

Pomknęli samochodem do luksusowego butiku, w którym Carlo zamówił trzy tuziny damskich majtek. – Po użyciu wyrzuć – doradził i dwa tuziny białych bawełnianych rękawiczek.

– Posłuchaj, Nicole, możesz zamieszkać u mnie, przez nikogo nie niepokojona.

– Powinnam wrócić do sióstr, żeby nie utwierdzić wuja Matteo w przekonaniu, że jestem po prostu trudna. Bardzo dziękuję, Carlo.

– Jutro spotykamy się o szóstej i kupujemy ci sukienki i buty. Masz tu trochę pieniędzy, bo u tych poprzecznych padniesz z głodu – wręczył jej sporą sumę. – Przyjadę po ciebie. Oto lekarstwa na dłonie. Nie zaniedbuj ich, bo będą blizny.

– Carlo, bardzo dziękuję. Już chciałam wracać. Włochy nie są moim najszczęśliwszym miejscem. – Przykro mi – pochyliła głowę.

– To smutne, Nicole. Jesteś po części Włoszką i to także twój kraj. Wracasz na obczyznę, dziecinko.

Prudencjana otworzyła drzwi i wpuściła do środka, wskazując pytająco palcem na toboły. Wydobyła rękawiczki i majtki. Zakonnicy aż się oczy zaświeciły.

– Niech siostra zatrzyma – wcisnęła jej w rękę parę białych, bawełnianych majtek.

Była w siódmym niebie.

*

Ruszyły do kaplicy, która okazała się sporym, dość zaniedbanym kościołem i zabrały się do pracy.

Nicole założyła na białe, bawełniane rękawiczki, lateksowe rękawice robocze, też prezent od Carla i wzięła się za szorowanie. Myły i pucowały ołtarze, wazony, świeczniki, figury, kropielnice, ławki, klęczniki, zmieniały bieliznę ołtarzową, wpychały w wazony świeże kwiaty, zatknęły nowe świece, w miejsce okopconych ogarków.

Właśnie odczyściła figurkę św. Józefa z kręczem szyi i zezowatym Dzieciątkiem na ręku i postawiła na wypucowanej skarbonce, podczas gdy Prudencjana męczyła się z knotem od świecy, który nie chciał się palić. Wreszcie świeca zamigotała. Prudencjana postawiła ją obok św. Józefa i pobiegła pomóc Nicole przy ustawianiu wysokich, smukłych wazonów, gdy Nicole wrzasnęła: – Prudencjana! Zielonooka zakonnica rzuciła okiem we wskazanym kierunku i zobaczyła, że Dzieciątku na ramieniu św. Józefa tli się pupa. – *Shit!* – wrzasnęła – *fuck! shit!* – pobiegła i bez nijakiej atencji wrzuciła św. Józefa z Dzieciątkiem do wiadra z wodą do mycia podłóg.

– *Bullshit!* – poprawiła.

Pupa Dzieciątka smętnie zasyczała w wodzie z mydlinami, a Prudencjana opadła na stopnie ołtarza.

– No, kurwa, popatrz i kto wrzuci choć lira do skarbonki z Dzieciątkiem z nadpaloną rzycią – westchnęła w trudno zrozumiałej mieszaninie włoskiego i angielskiego.

– Prudencjano!, po jakiemu ty gadasz. K… Duch Święty na ciebie zstąpił, czy cię pojebało. – Nicole klapnęła obok niej.

– Mam wszystko w dupie – zakonnica podparła brodę brudną ręką. – Wiesz, kim jestem?, „zapomnianą Australijką".[46] Przyjechałam do Włoch ze szczającą i srającą Włoszką, wdową po Australijczyku, która zażyczyła sobie wykorkować u siebie, czyli we Włoszech. Tak też zrobiła. Teraz czekam aż każą mi wypierdalać z powrotem do Australii.

Popłynęłam za ocean w wieku dziewięciu lat, w roku tysiąc dziewięćset trzydziestym trzecim. Moi rodzice żyli i moich pięciu braci też. Matka zajmowała się domem, pracował tylko ojciec i jako jedyna dziewucha zostałam wysłana przez moich rodziców – niech ich szlag trafi! – do Australii. Obowiązywało hasło: „dziecko najlepszym imigrantem".

Trafiłam do klasztoru, prowadzonego przez irlandzkie zakonnice – bodajby im cipy pozarastały – które zrobiły ze mnie zakonnicę i opiekunkę starców. Niczego tak się nie brzydziłam, jak obsranych, ustawicznie żrących staruszków. Trzy lata temu pewna wdówka zapragnęła wrócić do ojczyzny. Wróciła i kopnęła w kalendarz. Zaś ja, osoba towarzysząca, ugrzęzłam tutaj i nie wiem, czy lub kiedy się stąd wydostanę.

– Nie masz możliwości wystąpienia z zakonu?

– A dokąd miałabym pójść?

– Wiesz, wuj Carlo jest człowiekiem ustosunkowanym. Gdybyś pozwoliła, porozmawiałabym z nim. Domyślasz się, że atrakcyjnej pracy zaproponować ci nie może. Prawdopodobnie musiałabyś robić to samo, co w Australii, to znaczy zatrudniono by cię w jakimś hospicjum czy domu starców i zamieszkałabyś tymczasem w hotelu. Byłabyś wolna, zarabiałabyś na siebie i mogłabyś ułożyć sobie życie, jak każda normalna kobieta.

– Odbiło ci? Przecież nie umiem się nawet samodzielnie poruszać po ulicy, nie znam wartości pieniędzy. Nigdy sobie nie poradzę!

– Jeśli nie spróbujesz, nic się nie zmieni. Prędzej, czy później odeślą cię do Australii, do zakonnic, które z zazdrości, że spędziłaś jakiś czas poza macierzystym klasztorem dadzą ci popalić. Chyba, że jesteś głęboko religijna i uważasz, że takie postępowanie jest zdradą Boga.

– Nie!!! – Prudencjana potrząsnęła energicznie głową, wstała, wzięła wiadro i poszła szorować proszkiem kropielnice. – Jak myślisz? – spytała zduszonym głosem – czy marmur takiego koloru występuje w przyrodzie? – wskazała na czarno-szare czarki.

Obie dotykały dziwnych przedmiotów, które wyglądały jak plastikowe kubełki na śmieci, albo zużyte popielniczki.

– Poświeć mi świeczką, sprawdzimy na tej kropielnicy ukrytej w kącie. – Nicole nasypała proszku na wilgotną ściereczkę i potarła dość mocno brzeg, odsłaniając śnieżną biel z różowym żyłkowaniem.

– To wiekowy brud – westchnęła Prudencjana – a ludzie zanurzają w tym palce a potem, przeżegnawszy się, całują paluchy. Brrr!

Dochodziła godzina druga w nocy. W klasztorze panowała niczym niezmącona cisza.

– Chodź – zakonnica gestem nakazała milczenie i przy świetle świecy poprowadziła na zaplecze. Przez pralnię dotarły do niewielkich drzwi. Zeszły w dół stromymi schodami do sklepionej piwnicy, w której na metalowych drążkach wisiały dorodne szynki, wonne kiełbasy, na drewnianych półkach leżały najrozmaitsze gatunki sera, w specjalnych dołkach drewnianego stojaka porastały kurzem butelki szlachetnego wina i wytwornych likierów. Prudencjana odkrawała cieniutkie plasterki wędlin, sera i bez pudła wymacywała napoczęte butelki. Obżerały się i popijały w milczeniu.

– To wszystko dla odwiedzających przełożoną ważniaków – wyszeptała, umiejętnie odkrawając smakowity trójkąt pleśniowego sera. – Wiesz co – przełknęła ser i popiła winem – pogadaj z tym twoim wujem.

Na śniadanie Nicole znowu dostała się sucha i popękana piętka chleba, a jakby tego było mało, zabrakło kawy. Przełożona spoglądała z nieskrywaną satysfakcją, jak dziewczyna przechylała dziobek brzydkiego, emaliowanego dzbanka nad swoim kubkiem i nie spłynęła ani jedna kropla ożywczego płynu.

Bez słowa odstawiła cicho dzbanek i poczekała aż przełożona da znak do modlitwy po śniadaniu. Szybko wybiegła z klasztoru i pognała na śniadanie do pobliskiej kafejki. Jajka na miękko, plasterek szynki, chrupiące rogaliki, wonna kawa! Te rozkosze zawdzięczała wujowi Carlo, który wsparł ją finansowo.

Na zajęciach panowała dość swobodna atmosfera. Międzynarodowe towarzystwo składało się głównie ze studentów, chociaż pojawiło się paru młodszych pracowników naukowych, którzy próbowali się popisywać swoją wiedzą. Rzekomo rozległą. Nicole nie szukała przyjaciół, doskonale radziła sobie sama i nie czuła potrzeby ani zabawy, ani rozrywki. Właściwie nigdy się nie bawiła i nie pamiętała, aby kiedykolwiek, ktokolwiek zaprosił ją na wypad do lasu, do udziału w grze, na przykład w piłkę, czy pokręcenia się na zabawie tanecznej. Unikała męskiego towarzystwa. Krępowały ją dowcipasy, irytowały „latające" ręce.

Dzięki pomocy wuja Carlo mogła sobie pozwolić na zwiedzanie miasta i kupienie kwiatów, żeby złożyć króciutkie, kurtuazyjne i niezobowiązujące wizyty. Czerpała złośliwą satysfakcję z obserwowania zakłopotanych min i paniki w oczach krewnych, a potem powstrzymywanego westchnienia ulgi, gdy informowała, że mieszka u zakonnic.

– Czy może pani powiadomić *signorę* Claudię, że przyszła ją odwiedzić bratanica, Nicole Cléber, córka Antoine'a?

Służąca zniknęła i po chwili wróciła, aby poprowadzić do salonu, gdzie czekała lekko zawiana ciotka, jej niedosłyszący i sklerotyczny mąż i niezamężna, bo kulawa córka Chiara. Ciotka wyglądała jakby miała za chwilę zemdleć, wuj darł się „Antoine?", jakże to?, przecież to dziewczyna!, Chiara nerwowo poprawiała fryzurę. Mieszkali w ogromnym, zniszczonym domu, do którego nawpuszczali lokatorów, żeby mieć z czego opłacić służbę. Zajmowali całe piętro, razem około dziesięciu pokoi, ale całe dnie i noce spędzali w salonie lub w sypialni. Reszta pomieszczeń stała nieużywana, zarastała kurzem i pajęczynami. Kiedy ktoś korzystał z toalety rozlegało się głuche dudnienie i wszystkie rury drgały, więc rzadko spuszczali wodę, bo hałas uniemożliwiał krzepiące drzemki. W domu potężnie zajeżdżało.

– Czy ona u nas zamieszka? – ryczał wuj Marco. – Lubię takie świeże babeczki! – Głodny jestem! – wrzeszczał jeszcze głośniej.

– Nie, wuju – odchrząknęła, bo nie przywykła do wydzierania się i ją zatkało. Mieszkam u sióstr.

– Ach! – wykrzyknęła ciotka i dolała sobie wina.

– Och! – jęknęła Chiara i przyłożyła woskową dłoń do piersi bez biustu.

Podziękowała za przykurzone ciasteczka, umoczyła usta w nędznym sikaczu i szybko się pożegnała.

*

Czas mijał bardzo szybko i ani się spostrzegła a już pozostało tylko pięć dni do końca kursu. Zarezerwowała sobie bilet kolejowy do Krakowa z przesiadką w Pradze i poszła pożegnać się z wujem Matteo. *Monsignore* sprawiał wrażenie zadowolonego i ze zdziwieniem zauważył, że siostry ani razu na nią nie naskarżyły, choć są znane z fochów, dąsów i grymasów. Poprosiła o pozwolenie na zatelefonowanie do wuja Carlo, któremu chciała podziękować.

Myślała także o Prudencjanie i postanowiła wysondować teren.

Wuj Carlo przyjął ją w towarzystwie długonogiej, sarniookiej Marcelli, młodszej od swojego protektora o jakieś trzydzieści lat.

– Chciałam serdecznie podziękować za życzliwość i wspaniałomyślność – zagaiła – ręce – proszę – jak nowe. Wyjeżdżam pierwszego października. Miałabym do wuja jeszcze pewną sprawę, jeśli wuj pozwoli. Przedstawiła sprawę Prudencjany.

Carlo nie był zachwycony. Nigdy nie słyszał o „zapomnianych Australijczykach" i nie miał szczególnej ochoty pośredniczyć w wyprowadzaniu zakonnicy z zakonu, zwłaszcza cudzoziemki.

– Czy ona ma dokumenty? – spytał z lekką niechęcią w głosie.

– Musi mieć, skoro przyleciała z Australii, jako osoba towarzysząca dogorywającej Włoszce. Przypuszczam, że paszport przetrzymuje przełożona, bo wciąż nie wiadomo, czy i kiedy wróci do Australii.

– Czy to aby wszystko prawda? – głośno myślał Carlo. – Jego Eminencja będzie miał pretensje i kapelan...

– Niech wuj zrzuci to na mnie. Wyjeżdżam i chyba już nie przyjadę.

– Poczekaj chwilkę – podszedł do telefonu.

Najpierw długo rozmawiał o golfie, potem o piłce nożnej i wreszcie spytał, czy nie potrzebuje pielęgniarki.

– Powiadasz, że od zaraz – mrugnął do Nicole – i że masz pokoik służbowy z dostępem do łazienki i kuchenki?

– Nie, nie ma męża, bo to zbuntowana zakonnica.

– Dam ci znać... – odwrócił się do Nicole z pytającym gestem.

Pokazała na palcu, że jutro i szepnęła „domani".

– Dziękuję, wuju – powiedziała, gdy odłożył słuchawkę.

– Masz tu adres i nazwisko lekarza, a to moja wizytówka. Powiedz tej tam, jakże jej...

– Prudencjana!

– No tej Prudencjanie, żeby moją wizytówkę pokazywała rzadko. Rozumiesz chyba?

– Tak, wuju – wstała.

– To dla ciebie, Niki. Kup sobie trochę łaszków, bo od widoku tych łódeczek, dostaję morskiej choroby.

Zatrzymała się w sieni, żeby powiedzieć Prudencjanie, co załatwiła u wuja. W kilku zdaniach zdążyła przekazać, że może się zatrudnić i będzie miała zagwarantowany dach nad głową, gdy u wylotu sieni stanęła jak wykrzyknik matka przełożona. Skinęła palcem na obie rozmawiające kobiety a potem skierowała ten sam palec w dół, ku swoim butom, jakby chciała powiedzieć: do nogi!

– W naszym klasztorze obowiązuje reguła milczenia – wycedziła – rozmowy prywatne są niedopuszczalne. Wszystko, co mają do powiedzenia mieszkanki tego domu, musi zostać powiedziane publicznie, tak aby wszyscy słyszeli. Tu nie ma sekretów – blade usta przełożonej zacisnęły się w cienką podwójną linię.

– Proszę wybaczyć, Wielebna Matko – Nicole dygnęła – pytałam siostrę Prudencjanę, gdzie mogę zastać siostrę ekonomkę. Wyprowadzam się za cztery dni i chciałabym uregulować rachunek za zakwaterowanie.

Usta przełożonej złagodniały. – I wyżywienie! – dorzuciła.

– Za pozwoleniem Wielebnej Matki, ale stołuję się w kawiarniach i restauracjach. Zasiadam do wspólnego posiłku z siostrami, które dla mnie nie pozostawiają nic, zatem ograniczam się do słuchania fragmentów z Żywotów Świętych. Ponadto, skoro Wielebna Matka tak skrupulatnie mnie rozlicza, polecam łaskawej pamięci Wielebnej Matki swoją pracę w kaplicy przed świętem Narodzenia Najświętszej Marii Panny oraz wiórkowanie i pastowanie schodów i kapitularza po święcie.

Przełożona ukryła dłonie w rękawach habitu i oddaliła się sztywno, posuwistym krokiem, wyraźnie smakując dygnięcie Nicole i Prudencjany.

Podczas kolacji Nicole siedziała przy stole nieruchomo, wyprostowana, ze wzrokiem wbitym w lektorkę. Siostry nawet dla pozoru nie postawiły przed nią talerza. Nie była głodna. Objadła się u Carla. Ostentacyjne wykluczenie było jednak przykre.

Lektorka zamknęła grubą księgę, ucałowawszy przeczytaną stronicę. Przełożona wstała w milczeniu, a za nią natychmiast pozostałe siostry i Nicole, gdy nagle ciszę przerwała Prudencjana.

– *Anche io me ne vado*[47] – powiedziała głośno swoim zabawnym akcentem.

– *Pazza!* – rzuciła pogardliwie przełożona.

– *Me ne vado* – powtórzyła z uporem.

Zakonnice miały przestraszone miny i jak kurczaki za kwoką runęły do kaplicy za przełożoną, gdzie padły na kolana, aby modlić się za zbuntowaną.

– Ty – przełożona skierowała chudy palec w stronę Prudencjany – kładź się krzyżem na środku i módl się do Boga, aby ci przywrócił rozum.

Modły trwały dobrą godzinę. Potem siostry zaczęły opuszczać gęsiego kaplicę. Prudencjana chciała wstać, ale mateczka przygwoździła ją do posadzki, przyciskając wyglansowany bucik do jej pleców.

– Zostajesz na całą noc – rozkazała.

Przy śniadaniu przed Prudencjaną i Nicole nie postawiono ani kubka, ani talerza.

– Nie martw się – pocieszyła ją Nicole po śniadaniu. – Zaraz za rogiem jest kawiarenka. Przyniosę ci rogaliki z masłem i tost z sadzonym jajkiem.

– Nasza siostra pości – oświadczyła przełożona.

– Nie, Wielebna Matko, siostra Prudencjana pragnie opuścić klasztor – Nicole pośpieszyła z pomocą roztrzęsionej zakonnicy, bełkoczącej w niezrozumiałej mieszaninie angielsko-włoskiej.

– *Fuori*[48] – syknęła przełożona i gwałtownym gestem zerwała zakonnicy welon.

– Paszport, Wielebna Matko – Nicole wyciągnęła rękę.

– Niczego nie dostanie – mateczka fuknęła wściekła.

Nicole spóźniła się prawie godzinę na pożegnalny wykład. Najpierw odwiozła rozdygotaną zakonnicę do hospicjum, gdzie miała pracować i skontaktowała się z doktorem Borelli. Poprosiła o strój pielęgniarki i obiecała przywieźć bieliznę osobistą. Poskładała w równą kostkę habit, kornet, marną klasztorną bieliznę, wielokrotnie cerowane pończochy. Stare, zniszczone, łatane sandały zawinęła w kartki, wyrwane z notatnika akademickiego. Wszystko włożyła do dużej papierowej torby, usłużnie podanej przez recepcjonistkę i postawiła w kącie, za zgodą personelu. Potem pomknęła na zajęcia. O drugiej skończył się kurs i zaproszono kursantów na godzinę osiemnastą, na wspólny podwieczorek z wykładowcami.

Pojechała taksówką do hospicjum, kupując po drodze komplet bielizny i byle jaką sukienkę oraz najniezbędniejsze przybory toaletowe dla Prudencjany.

W hospicjum wśród pacjentów i personelu panowało niezwykłe ożywienie. Takiego przypadku nigdy tu nie było. Jedni kibicowali klasztorowi, inni zbuntowanej zakonnicy. Wszyscy, nawet najciężej chorzy, odzyskali werwę i apetyt.

Wróciły do klasztoru żeby oddać przedmioty, należące do zakonu, odebrać paszport Prudencjany i bagaż Nicole, ponieważ postanowiła spędzić ostatnie dwie noce w hotelu.

Bardzo młoda, przestraszona zakonnica wpuściła je do sieni i wskazała ławkę stojącą pod ścianą. Usiadły bez słowa. Prudencjana była nie do rozpoznania w ładnej choć taniej sukience w kwiaty, w białych sandałach i z torebką w dłoni. Krótko obcięte włosy, starannie umyte, z natury faliste, nadawały jej młodzieńczy wygląd i nikt nie powiedziałby, że ma trzydzieści siedem lat. Czekanie się przedłużało.

Dochodziła czwarta, gdy przed klasztorem zatrzymały się dwa samochody i krótko potem w sieni stanęli Jego Eminencja, *monsignore* Matteo i kapelan. Kobiety wstały na powitanie i dygnęły, ale rozzłoszczeni mężczyźni nawet na nie nie spojrzeli. Matka przełożona wyszła na spotkanie gości i z gracją ucałowała upierścienioną dłoń Mattea.

Po chwili zostały wezwane do gabinetu przełożonej.

Mateczka siedziała wygodnie za biurkiem, zaś mężczyźni nonszalancko rozparci w fotelach, z szeroko rozstawionymi nogami, bo przeszkadzały im wydatne brzuchy. Każdy z kieliszkiem w ręku, przyglądali się gniewnie dwom chudym i bladym kobietom, stojącym na środku pokoju.

Stały tak dobra chwilę, aż Nicole, niewiele się namyślając, podeszła do ustawionej z boku sofki, usiadła swobodnie, zakładając nogę na nogę. Prudencjana zrobiła to samo.

– Prudencjano – przełożona przerwała milczenie.

– Sarah, bardzo proszę. Nazywam się Sarah Jones.

– Moje dziecko – wtrącił się Matteo – działasz pod wpływem wzburzenia i uległaś zgubnemu wpływowi mojej niewdzięcznej bratanicy. Za kilka dni odzyskasz równowagę i zrozumiesz swój błąd.

Matteo mówił po angielsku źle i z dużym trudem.

– Nic podobnego – odparła Sarah. – Owszem jestem wzburzona. Jak czułby się pan gdyby odzyskał wolność po dwudziestu ośmiu latach? Zostałam odesłana do Australii przez własnych rodziców, dla których byłam zawadą. Czy moja matka nie mogła usunąć niechcianej ciąży? Czy pan wie, ile cierpień by mi oszczędziła? Nigdy nie chciałam zostać zakonnicą. O moim losie zadecydowały siostry, u których mnie umieszczono w charakterze pomocy kuchennej. Miałam dziewięć lat. Płakałam dzień i noc. Wykonywałam najcięższe, najniewdzięczniejsze prace. Spałam na strychu, na gołym sienniku. Byłam bita, głodzona, zastraszana i wreszcie wielokrotnie zgwałcona, bo zakonnice oddawały nas, całkowicie bezbronne, do pomocy na farmach, gdzie każdy mógł z nami robić, co mu się podobało. Kiedy miałam czternaście lat, w wyniku gwałtu zaszłam w ciążę. Jako piętnastolatka urodziłam zupełnie sama, bez niczyjej pomocy, w chlewie. Nie wiem, co się stało z moim dzieckiem. Po prostu zniknęło. Mnie zaś kazano wstawać i brać się do roboty, chociaż nie mogłam ustać na nogach.

Nauczono mnie czytać, pisać i liczyć i to wszystko, a potem zagnano do pracy przy obsłudze staruszków, chociaż marzyłam o tym, żeby zostać nauczycielką. Pogodziłam się ze swoim losem i jak martwa za życia tkwiłam na posterunku, marząc każdego dnia o tym, by umrzeć. I nagle spotkał mnie najprawdziwszy cud. Jestem wolna. Nie wierzę w waszego Boga. Wymyśliliście go sobie, aby mieć z czego wygodnie żyć. Nie pragnę zbawienia, bo już jestem zbawiona. Cud sprawiła Nicole, nie Bóg. Żądam zwrotu paszportu, a to – postawiła obok sofki papierową torbę – znienawidzony strój, który nosiłam ze wstrętem przez tyle lat.

– To nie takie proste, moje dziecko – Jego Eminencja wtrącił się do rozmowy. – Jesteś Australijką, obywatelką obcego państwa i dopóki byłaś w klasztorze znajdowałaś się pod opieką Kościoła. Twój status, w tej chwili, jest nieuregulowany, a twoja sytuacja prawna nadzwyczaj delikatna. Włochy mogą zażądać twojego wyjazdu do Australii.

– To wyjadę – Sarah podniosła głos. – Jako człowiek wolny. W przytułkach i hospicjach australijskich też brakuje rąk do pracy. Wiem coś o tym! Do klasztoru nie wrócę. Zanim jednak wyjadę poruszę niebo i ziemię, ściągnę prasę, radio i telewizję. Nagłośnię swoją sprawę, bo nie jestem jedyna. Jest nas „zapomnianych Australijczyków" i nie tylko Australijczyków, bo tacy jak ja żyją w Kanadzie i RPA, cały legion.

– Nicole – zwrócił się do milczącej dotychczas dziewczyny – przyjęliśmy cię z otwartymi ramionami.

– Z uchylonymi – przerwała mu dość bezceremonialnie. – Eminencja zapłacił za letni kurs języka włoskiego, ale uczynił to w ramach rozliczeń rodzinnych. Giovanna zatrudniała mnie w charakterze służącej i zażądała ode mnie usług seksualnych dla swoich ohydnych, pryszczatych, niepełnoletnich synów. Miłosierne siostry omal mnie na śmierć nie zagłodziły.

– Przywiozłaś z Polski komunistyczne poglądy. Sprowadziłaś zakonnicę na złą drogę, mnie wyprowadziłaś w pole, obraziłaś Giovannę...

– A to dobre!, obraziłam Giovannę! Zaraz opowiem o Giovannie, ojcu Vignello i nie zapomnę o *signiorze* Contini.

– Jak śmiesz! – warknął Matteo.

– A śmiem, śmiem, Eminencjo. Gaduła ze *signory* Contini i Eminencja też o dyskrecję nie dba. Nocować należy jednak u siebie, żeby ukręcić łeb ewentualnym plotkom. Mieszkanko Giny niczego sobie, dość kosztowne, to prawda, za to gust gospodyni, bez zarzutu. Piękna komódka i biureczko śliczne. Obicia doskonale dobrane, zaś ściany z lustrem skrywającym szafy, co za wyrafinowanie! Ten Caravaggio[49] autentyczny, czy doskonała kopia? Gina ma dostęp do jednego i drugiego.

– Przyłączyłaś się do komunistycznych prześladowców Kościoła! – wysyczał *monsignore*.

– Jakich prześladowców, gdzie, w Polsce? – parsknęła śmiechem.

– To jakiś kiepski żart! Nikt w Polsce nie prześladuje Kościoła. Każdy, kto tego pragnie, może bez przeszkód uczestniczyć w praktykach religijnych. Ludzie chodzą na nabożeństwa: msze, nieszpory, adoracje, nabożeństwa majowe i różańcowe w październiku, roraty w Adwencie, Drogi Krzyżowe i Gorzkie Żale w okresie Wielkiego Postu, rekolekcje w Wielkim Tygodniu, Pasterkę w Wigilię Bożego Narodzenia, mszę rezurekcyjną w pierwszy dzień Wielkanocy. Wszystkie niedziele są wolne dla tych, którzy nie pracują w ruchu ciągłym. Czy we Włoszech, w niedziele, nie ma prądu, gazu, wody, nie działa kanalizacja, odpoczywa Straż Pożarna, nie działają szpitale, nikt się nie rodzi, ani nie umiera, nie kursują samoloty, pociągi, tramwaje, autobusy, turyści niczego nie zwiedzają? Największe i najważniejsze święta w Polsce, to święta kościelne: Boże Narodzenie, Wielkanoc,

Wszystkich Świętych. Niektóre z nich świętowane podwójnie, bo zarówno Boże Narodzenie jak i Wielkanoc, to dwa dni wolne od pracy, składające się na pierwsze i drugie święto. Do sakramentów może przystępować każdy, kto odczuwa taką potrzebę. Nawet członkowie partii przystępują do sakramentów i wywalają ozory, żeby przyjąć komunię w jakichś odległych miejscowościach, by nie rzucać się w oczy. Chrzci się dzieci, urządza huczne przyjęcia z okazji Pierwszej Komunii Świętej, przystępuje do bierzmowania, spowiedzi... Młodzi ludzie biorą ślub kościelny. Działają Seminaria Duchowne, młodzi mężczyźni wybierają karierę duchownych, kobiety i mężczyźni wstępują do bardzo licznych i świetnie prosperujących klasztorów, które prowadzą szkoły i przedszkola. Zakonnice pracują w szpitalach i hospicjach. O czym więc panowie mówią? Jakie prześladowania? Wciąż wznosi się kościoły, kaplice, klasztory... Absolwenci szkół przyklasztornych mają takie same prawa, jak ci, którzy pokończyli naukę w szkołach świeckich. Ze mną na roku studiują dziewczęta, które zdały maturę u ss. Sakramentek, Nazaretanek, Urszulanek, chłopcy, którzy byli uczniami OO. Pijarów i Salezjanów i wszyscy oni otrzymują stypendia państwowe, jeśli tylko spełnią kryteria, to znaczy ich rodzice mają niskie dochody, a studenci pozytywne oceny.

Sięgnijmy do historii. Reformacja w Polsce miała charakter powierzchowny, była ruchem obejmującym szlachtę i nie była nakierowana na sferę duchową lecz ekonomiczną.

Tak, tak panowie, szlachcie obrzydło płacenie uciążliwych dziesięcin i bierne przyglądanie się rosnącemu bogactwu Kościoła. Już w pierwszym okresie reformacji Kościół utracił dziewięćdziesiąt procent dziesięcin.

Dokładnie tak, jak teraz – gdy nie wiadomo o co chodzi, to najpewniej chodzi o pieniądze.

Pociągnęło to za sobą znaczną tolerancję religijną i w przeciwieństwie do innych krajów, Kościół nie znalazł poparcia u szlachty w prześladowaniach za odstępstwo od wiary. W Polsce zygmuntowskiej można było krytykować Kościół, duchowieństwo, dogmaty, obrzędy, a nawet samą religię pod jednym wszakże warunkiem, że krytykant był szlachcicem. Dla szerokich mas obowiązywało posłuszeństwo wobec monarchy i Kościoła, zaś bunty, takie jak w Gdańsku w latach 1525–1526 były surowo tłumione.

Kontrreformacja przebiegała w Polsce, zawsze w porównaniu z innymi krajami, dość ospale. Do Polski walili różnowiercy pewni jeśli nie bezkarności, to przynajmniej tolerancji. Aż do roku 1724, do sprawy toruńskiej, czyli do pierwszej połowy XVIII wieku. W okresie rozbiorów stosunek do Kościoła zależał od mocarstw rozbiorowych. Po roku tysiąc dziewięćset dziewiętnastym Kościół poczuł się jak ryba w wodzie i w okresie międzywojennym stał się największym latyfundystą w kraju. I nagle wraz z końcem drugiej wojny światowej utracił nie tylko wpływy, ale przede wszystkim ogromne dochody. Czy to nie wystarczający powód, żeby podnieść wrzask i rozdzierać szaty? Po prawie tysiącu lat gromadzenia stanowisk, przywilejów i majątków! Oto prześladowanie!

Nie zaprasza się księży do otwierania miejskich szaletów ani muzeów, w szkołach i sklepach nie wiszą krzyże, nauka religii odbywa się w salkach katechetycznych lub w kościele i to chyba jest owym „prześladowaniem". Księża nie mogą grzmieć z ambon na ustrój, rząd, obowiązującą ideologię, sojusze międzynarodowe, ale czy we Włoszech wolno publicznie ciskać gromy na Kościół i papieża? Wolność słowa jest ograniczona i w Polsce i we Włoszech.

Rozumiem, że niemal tysiącletnia, ustawiczna obecność przedstawicieli Kościoła w życiu publicznym, od narodzin do zgonu każdego Polaka: bogatego i biednego, króla i nędzarza, kobiety i mężczyzny, umocniła Kościół w przekonaniu, że tak być musi. Otóż nie musi.

Być może w innych krajach socjalistycznych zamyka się świątynie, albo zamienia na lokale użyteczności publicznej, jak na przykład muzea. Widziałam takie kościoły – muzea w NRD. Pragnę jednak zwrócić uwagę, że zniszczono, zburzono lub zamieniono w magazyny dziesiątki nierzadko zabytkowych synagog, a Kościół katolicki nabrał wody w usta. Na palcach jednej ręki można policzyć kirkuty, które uniknęły zniszczenia. Oczywiście, że tych aktów wandalizmu dopuścili się hitlerowcy, ale Kościół katolicki nie protestował i nawet nie wspomniał o krzywdzie, jaka spotyka starszych braci w wierze.

Wydaje mi się, że panowie naczytali się o Rewolucji Francuskiej i Październikowej i rozciągnęli swoją wiedzę na kraje socjalistyczne. W ogarniętej rewolucją Francji, religia nabrała charakteru prywatnego i tak być powinno, bo religia jest sprawą prywatną, co w żaden sposób nie wyklucza wspólnotowego charakteru praktyk religijnych. Jeśli sto osób będzie miało takie same przekonania i potrzeby, nic nie stoi na przeszkodzie, by sto osób spotkało się w jednym miejscu, aby wspólnie oddawać się modłom. Nie oznacza to jednak, że tych sto osób ma dyktować setkom i tysiącom innych, być może myślących inaczej, jak mają postępować i wyrokować o tym, co jest słuszne a co nie.

– Nicole, jestem wstrząśnięty. Przez myśl mi nie przeszło, że moja ukochana bratanica, córka mojego rodzonego brata, będzie pochwalała komunistyczne porządki. Przez pamięć na Sekretarza Stanu i licznych duchownych w rodzinie, zarzuć te bluźniercze poglądy, dziecko. Pragniemy twego dobra tu, na ziemi i twojego zbawienia.

– Wuju Matteo, nie ma żadnego zbawienia. Wraz z naszą śmiercią wszystko się kończy. Potem nie ma nic – pochyliła się ku zasmuconemu Matteo. – Wybrałeś wygodną profesję i dostatnie życie, ale czy naprawdę wierzysz w to, co głosisz? Przecież łamiesz wszystkie śluby, czy nie powinieneś się bać potępienia? Nie boisz się, prawda? Ja też nie, wuju.

Kardynał, przełożona, kapelan i Prudencjana–Sarah milczeli.

– Jak można żyć bez Boga? – *monsignore* zwiesił głowę.

– Można. Bogiem są wszyscy ludzie i ty, wuju i Prudencjana i nawet Wielebna Mateczka. Są Bogiem okrutnym, jak mateczka, wyniosłym, jak panowie i poniewieranym, jak my dwie.

– A zatem wysiłek nas, duchownych, nasze poświęcenie są daremne, tak?

– Jaki wysiłek, jakie poświęcenie? Czy wiesz, jak ciężką i niebezpieczną pracę wykonuje górnik, hutnik, odlewnik, budowlaniec? Ile wysiłku musi włożyć w utrzymanie siebie, rodziny, dzieci? Jak wiele trudu musi sobie zadać, aby godnie mieszkać, najeść się do syta, ubrać się należycie? Mieszkasz wygodnie, obsługiwany przez dyskretne służące, karmiony przez pracowite kucharki, opierany i odziewany, dobrze jesz i pijesz, miękko i wygodnie śpisz, masz do dyspozycji wysoko kwalifikowanych specjalistów, dbających o twoje zdrowie, zimę spędzasz w przytulnym mieszkaniu w Rzymie, latem jedziesz na wieś, grasz w golfa, tenisa, jeździsz na nartach i nawet kobiet nie musisz sobie odmawiać. Twój ziemski byt jest luksusowy, w porównaniu z losem, także wykształconego mężczyzny, obarczonego rodziną.

A Wielebna Matka, poniewierająca Prudencjaną i mną, czy zdaje sobie sprawę, czego uniknęła wstępując do klasztoru? Może męża brutala, damskiego boksera? Gromadki dzieci, uwieszonych u spódnicy i wołających jeść, pić, siku, kupy? Ustawicznego strachu, czy znowu jestem w ciąży? Iść do pracy i pozostawić dzieci same, żeby się chowały na ulicy i wyrosły na bandytów, czy zostać w domu i żyć z mężowskiej pensji, modląc się, żeby jej nie przepił? Ileż poświęcenia, pokory i samozaparcia potrzeba, by pozwolić, żeby lektorka cały dzień pościła, albo przyjęta w charakterze gościa dziewczyna, głodowała na oczach obżerających się sióstr? Czy mateczka przeleżała kiedyś całą noc krzyżem na lodowatej posadzce kościoła? I po co to? Bogu się ta męka podoba? Niezły z niego sadysta. Czy Wielebna Matka rozmawiała kiedykolwiek ze Sarą–Prudencjaną, która zakonnicą zostać nie chciała? Boją się siostry piekła i diabła! Bez powodu. To Wielebna Matka stwarza piekło i stanowi w nim najwyższą władzę.

Podobno siostry są „wychowawczyniami i nauczycielkami. Uczą dobrych manier". Czy niepodawanie gościowi krzesła, to przejaw dobrych manier?

Mieszkam w socjalistycznym, bezbożnym kraju – jak twierdzą pa-nowie – tylko że w tym zakątku świata, gdzie podobno prześladuje się Kościół, obowiązuje żelazna zasada, wielowiekowa: „gość w dom, Bóg w dom". Jestem gościem w tym domu i jadam w mieście, dzięki hojności obcego człowieka, bo na śniadanie zabraknie dla mnie kawy i zostaje sucha piętka chleba, na obiad odrobina wody na dnie wazy z zupą, a na kolację obierki z pomidorów. Czy tego uczą siostry? Jak to możliwe, że nauczycielki i wychowawczynie nie czytają gazet, książek, nie słuchają radia, nie oglądają telewizji. Czego siostry uczą, jeśli same popadły we wtórny analfabetyzm?

Sarah jest wolna. Może decydować o swoim losie. Nie wiem, co zrobi z tą wolnością i ona sama pewnie też nie wie. Pierwszy raz w swoim trzydziestosiedmioletnim życiu może wybierać sama, co chce robić. Jestem dumna z tego, że wyzwoliłam jednego niewolnika. Niby mało, ale czy państwo mogą powiedzieć o sobie chociaż tyle?

– Idziemy Saro – wstała z sofki – przed nami niepewna przyszłość. Będziemy musiały dokonać wyboru, ty i ja. Zobaczymy, na ile nam się poszczęści. Jeden wycinek rzeczywistości już znamy.

– Twój paszport, Prudencjano – przełożona położyła na stole książeczkę – i nie waż się wracać i skamleć o zmiłowanie.

– To właśnie jest miłosierdzie, Saro. – Nie mogła Wielebna Matka – dygnęła przed przełożoną – trafniej spointować tego spotkania. – Eminencjo, *Monsignore* – dygnęła raz jeszcze.

– Nie nocujesz tutaj, Nicole? – zdziwił się Matteo.

– Załatwiłam sobie nocleg w niedużym „*albergo*"[50], w którym na parterze mieści się kawiarnia. Tam jadałam śniadania i kolacje przez ostatnie dwadzieścia trzy dni. Wygląda czysto i schludnie. Sarah nocuje w pokoju gościnnym hospicjum, gdzie się zatrudniła. Wyjeżdżam jutro o dwudziestej drugiej. Dziś wstąpię jeszcze na pożegnalne przyjęcie, jutrzejszy dzień przeznaczam na ostatni spacer po mieście i drobne zakupy.

– Sprawiłaś nam ogromny zawód i niemniejszą przykrość.

– Żałuję szczerze. Nie chciałam nikogo krzywdzić i przykro mi, że pozostawiłam po sobie niemiłe wspomnienia. Proszę przyjąć wyrazy głębokiego ubolewania.

Obie się ukłoniły i wyszły, odprowadzane przez przestraszoną zakonnicę.

*

Podjechały taksówką pod hotelik, gdzie Nicole odstawiła walizkę i kazały się wieźć do hospicjum.

– Nicole – Sarah była wzruszona – żegnaj i dziękuję.

– Żegnaj, Saro. Gdyby ci przyszła kiedyś ochota, żeby się ze mną skontaktować, zostawiam ci mój adres.

– Brzydko piszę, robię błędy ortograficzne... – Sarze zwilgotniały oczy.

– Nie martw się, jestem filologiem – wsiadła do taksówki i pojechała spóźniona na przyjęcie.

W eleganckiej restauracji rozsiedli się kursanci w gali. Panie założyły wieczorowe kreacje, obwiesiły się biżuterią i natapirowały fryzury. Panowie wbili się we fraki, poprzypinali muchy i błyskali złotymi spinkami u mankietów. Nicole włożyła po raz pierwszy jedwabną sukienkę, białą, zdobioną wokół dekoltu, ramion i obrąbka u spódnicy, delikatnym wzorem kwiatowym i ładne, białe szpilki. Wszystko prezenty od Carla.

Rozpuściła bardzo długie, proste, blond włosy. Których końce lekko podkręciła lokówką, pożyczoną od gospodyni hoteliku. Na wyleczone już dłonie założyła koronkowe rękawiczki.

W restauracji był mały parkiet do tańca. Dopiero, gdy dała się zaprosić do walczyka, przypomniała sobie boleśnie o połamanych żebrach. Uśmiechała się promiennie do swojego sympatycznego partnera, Niemca, mówiącego po włosku z ciężkim, twardym akcentem i starała się płytko oddychać.

Przyjęcie skończyło się tuż przed dwudziestą trzecią i kursanci rozjechali się do swoich kwater taksówkami, zaś wykładowcy pojechali do domów własnymi samochodami. Pan Sandro, ciemnowłosy okularnik, specjalista od gramatyki włoskiej zaproponował, że odwiezie ją do domu. Nie miała ochoty na przejażdżki ze znajomo-nieznajomym, bała się gadulstwa i „latających" rąk i czuła się śmiertelnie zmęczona. Ustąpiła dopiero wtedy, gdy dosiadło się dwoje innych kursantów – znajomy Niemiec i opalona na pomidora Norweżka czy Szwedka.

Para na tylnym siedzeniu poczynała sobie dość śmiało. Nicole zesztywniała i uważnie przyglądała się ulicom, których nie rozpoznawała.

– Jedziemy niewłaściwą drogą – zauważyła chłodno.

– Wstąpimy najpierw do mnie na drinka przed snem – uśmiechnął się Sandro, kładąc jej rękę na kolanie.

Ujęła mankiet jego marynarki w dwa palce i zdjęła rękę z kolana. Nagle zatrzymali się na skrzyżowaniu ze światłami. Po prawej stronie znajdował się postój taksówek, a po lewej karabinierzy żywo dyskutowali z grupą turystów, najpewniej cudzoziemców, bo dyskusji towarzyszyła gwałtowna gestykulacja.

Nicole szybkim ruchem otworzyła drzwiczki samochodu, wysiadła i rzuciła: – *Grazie e buona notte*[51] i pobiegła do taksówki. Bez przygód dojechała do hoteliku, płacąc za kurs astronomiczną cenę.

W pokoiku znajdowała się toaletka z odchylanymi lustrami. Zdjęła sukienkę i rzuciła okiem na swoje żebra. Zobaczyła ogromny zielono--żółty obrzęk, który bolał przy każdym dotknięciu. Ból odczuwała przez cały czas, ale starała się tak poruszać, aby nie urazić tkliwego miejsca. Opuchliznę zobaczyła po raz pierwszy. Przedtem nie miała okazji dorwać się do lustra. Poczłapała do łazienki na półpiętrze i wzięła prysznic, drugi od wielu dni, jakie spędziła w klasztorze.

Przespała całą noc kamiennym snem i obudziła się dopiero o ósmej. Po śniadaniu wyruszyła na ostatni spacer po Wiecznym Mieście. Z pieniędzy Carla kupiła sobie bladoniebieski kostium i bluzkę, białą z delikatnym błękitnym wzorkiem. Zrujnowała się na niezbyt drogie, za to solidne jesienne, sznurowane buty, szykowny komplet damskiej bielizny dla mamy i sweterek dla Anki. Wstąpiła na lichy, choć drogi obiad i kupiła wałówkę na drogę. W hotelu spakowała walizkę, uregulowała należność, wbiła się w niezniszczalną sukienkę z kory, w łódeczki i nałożyła sweter, bo noce były coraz chłodniejsze. Taksówką dojechała na dworzec i wsiadła do czystego, pachnącego pociągu. Bez przeszkód dojechała do Pragi, nie naruszywszy zabranej ze sobą żywności, bo w pociągu był czynny wagon restauracyjny, bufet, no i stewardzi roznosili kanapki i napoje.

Do odjazdu z Pragi pozostało prawie pięć godzin. Wykorzystała je na spacerek po mieście i obiad. Gdy wróciła na dworzec nie miała żadnych wątpliwości, którym pociągiem pojedzie dalej. Brudne wagony, matowe od kurzu okna, smród toalet brutalnie przypomniały o tym, co ją czeka.

Wagon restauracyjny był zamknięty, a za oszklonymi drzwiami można było oglądać rozwalonych na siedzeniach konduktorów w porozpinanych marynarkach, rozchełstanych koszulach i przekrzywionych krawatach, ciągnących piwo prosto z butelki.

Granica polsko-czechosłowacka. Opryskliwi, gburowaci pogranicznicy, celniczki i celnicy, grzebiący brudnymi rękami w walizkach. Nicole wiozła tak mało, że nawet nie odczuła kontroli zbyt boleśnie. Za to mogła się przyglądać upokorzonym współpasażerom, których skromny dobytek lądował na brudnych obiciach siedzeń. Kobiety i mężczyzn wyprowadzanych do kontroli osobistej i kobiety wracające spłakane i poniżone. Sponiewieranych, Bogu ducha winnych ludzi, którym przyszło do głowy ruszyć się ze swojego grajdoła.

*

W katedrze i w akademiku powitano ją bez entuzjazmu. Wiadomo, była za granicą, naprzywoziła sobie różnych ciuchów... Tylko Lilka i Asia spojrzały, pochwaliły i stwierdziły, że zbyt bogato to w tym raju nie było.

Rozpoczął się ostatni rok studiów i mozolenie się nad pracą magisterską przy zupełnym braku dostępu do materiałów źródłowych. Długie godziny spędzone w Jagiellonce i, daremna najczęściej, wędrówka po bibliotekach najprzeróżniejszych uczelni w poszukiwaniu niezbędnych tytułów. Miłe i uprzejme bibliotekarki bezradnie rozkładały ręce.

W przerwach w pisaniu pracy magisterskiej znowu tłumaczenia i tłumaczenia, z hiszpańskiego, francuskiego, włoskiego, niemieckiego, żeby trochę zarobić i posłać do domu. Mama wyobrażała sobie, że Nicole mknęła ekspresem do złotodajnych miejsc pracy, gdzie wszyscy przedeptywali z niecierpliwości, aby zatrudnić panią magister, ozdobę najstarszego uniwersytetu w Polsce. Nikt nie był w stanie jej wytłumaczyć, że tak nie jest.

To ospałość, ociężałość, lenistwo, brak inteligencji głupiej pannicy sprawiają, że nie została jeszcze zaproszona na ministerialne salony, gdzie czekają na nią wyściełane krzesła i pełna kasa.

Anka mozoliła się nad impresjonistami. Jej opiekun naukowy sprawiał wrażenie osoby nie odróżniającej stylów malarskich, zaś o poecie Baudelaire[52] wiedział, że pił. Promotorka Nicole też miała trudności z pracą swojej podopiecznej i upierała się przy błędnych, niegramatycznych sformułowaniach. Wszelkie próby zwrócenia uwagi na niepoprawność językową, wywoływały gwałtowny sprzeciw, stawianie na swoim, obrażanie się i polecenia w rodzaju – „a teraz proszę pójść do Delikatesów i zrobić mi zakupy. Oto kartka".

Pani profesor była sędziwą osobą ze śladami wielkiej urody i staroświeckiej elegancji w doskonałym stylu. Była poważnie chora i zmagała się z cierpieniem, jak przystało na prawdziwą damę: nie uskarżała się, nie lamentowała, nie biadoliła, nie użalała się nad sobą, czasem tylko chmurka gorszego humoru sygnalizowała, że złe samopoczucie ma jednak swoje nieprzekraczalne granice. Ta znakomita erudytka cierpiała na dokuczliwą dolegliwość, nękającą zarówno pracowników naukowych, jak i studentów: brak kontaktów z zagranicą, brak możliwości wyjazdu, przetrenowania języka mówionego na co dzień, brak dostępu do prasy i literatury. Od wybuchu drugiej wojny światowej, pani profesor tkwiła w zaczarowanym kręgu przedwojennej literatury i archaicznego języka, którym nikt już nie mówił. Czasem udawało się zdobyć, przez znajomości czy protekcję, jakąś książkę czy gazetę i po odpowiednim przetrenowaniu właściwej formy, stosownych gestów i słów, podsunąć nobliwej osobie, która głośno się zastanawiała, „któż mógł wydać coś tak prostackiego".

Z pokorą poprawiała teksty, przerabiała tak, jak sobie życzyła pani profesor i modliła się, żeby nikt nigdy nie zajrzał do tej pracy, bo doznałby wstrząsu.

– To ma brzmieć w ten, a nie inny sposób – irytowała się opiekunka i na dowód swojej racji, kartkowała drobnymi, pomarszczonymi dłońmi, rozsypujące się wydania z roku tysiąc dziewięćset piątego, szóstego i stukała chudziutkim palcem w pożółkłe kartki. Potem wpijała się fiołkowymi, niedowidzącymi oczami w tekst, odnajdując coś zupełnie innego niż się spodziewała i zawiedziona odkładała książkę, wzdychając: błąd drukarski.

Po trwającym niemal rok przeciąganiu liny praca była gotowa. Pani profesor jeszcze tylko wprowadziła poważny błąd do tytułu i już była usatysfakcjonowana.

Mama też się cieszyła i liczyła wirtualne pieniądze. Widziała siebie i Nicole w wielkim mieście, w wygodnym mieszkaniu, bez problemów finansowych. Nie było się nawet komu zwierzyć, bo wszystkie koleżanki przeżywały to samo. Żadna nie wiedziała, gdzie i czy się zatrudni, a rodziny przytupywały z niecierpliwości, kiedy to wreszcie pojawi się w domu pani magister.

Nicole zatrudniła się na uczelni i nadal miała mieszkać w akademiku, bo nie było najmniejszego nawet, dostępnego finansowo, lokum w mieście. Bała się przyznać, że problemy dopiero się zaczną, gdy po ukończeniu studiów utraci prawo do stypendium mieszkaniowego i stołówkowego i z chudej pensji asystenckiej będzie musiała opłacać i mieszkanie i wyżywienie. Skończą się przekazy dla mamy, bo drobne zarobki z tłumaczeń będzie musiała wydać na siebie, żeby przeżyć. Życia prywatnego nie miała. Z nikim się nie spotykała. Do ubóstwa, braku mieszkania, dochodziło widmo staropanieństwa. Anka podpisała umowę z jakąś szkołą na wschodzie kraju. Inteligentna, pełna polotu i fantazji, rozmiłowana w impresjonistach, ze skłonnością do wyszukanych, ekstrawaganckich strojów, autorka dowcipnych powiedzonek i kalamburów, bystra obserwatorka ludzkich zachowań, wrażliwa na fałsz i obłudę miała wsiąść w pociąg i wyruszyć do małego miasteczka, zagubionego wśród pól i lasów, by poruszać się po trójkącie: kościół – kwatera dla nauczyciela – szkoła, bo bez kościoła ani rusz. Może znajdzie sobie jakiegoś golca i wyjdzie za niego. Będzie mu rodzić dzieci i prać skarpetki. W pieluchach i mydlinach utoną: dowcip, polot, przenikliwość, fantazja, inteligencja.

*

– Coś ty taka osowiała? – spytał Laskowski z przemądrzałą miną.
– Cisną mnie buty – odpowiedziała, nie unosząc wzroku znad tekstu.
– Przyszłość cię uwiera, złotko, nie buty.
– Jakże może mnie uwierać coś, czego nie mam? O jakiej przyszłości mówisz? – rzuciła zaczepnie.
– Trzeba było sobie zjednać Mostowskiego – ciągnął dalej niezrażony. – On ma dojścia. Może ci znaleźć dodatkową, ciekawą pracę, mieszkanie jakieś też się znajdzie.
– Wyobrażam sobie. Wzięłam to pod uwagę, lecz jest coś, co wszystko przekreśla, CENA. Aby skorzystać z dobrodziejstw, jakimi dysponuje Mostowski, musiałabym się wyrzec siebie. Nie, Adamie. Jeśli zmienię front, choćby tylko po to, by udawać, będzie to oznaczało moją zgubę. Nie sprzedam się za pracę i dach nad głową. Bez Mostowskiego też zginę, ale nie na kolanach. To sprawa przesądzona.
– Chcieliśmy ci pomóc, Nicole…
– My! Jacy my? Czy mam rozumieć, że swoją ewentualną pomoc uzależniasz od mojego stosunku do Mostowskiego i jego instytucji?
– Nie inaczej.

111

– Rozumiem. Przypieczętowałeś moją zgubę. A podobno jesteś znawcą ludzkich dusz! Mojej duszy nie chciałeś, czy nie mogłeś poznać? Może ci się udało i jedno i drugie, ale chciałeś wypróbować swoje zdolności manualne i wymodelować mnie na obraz i podobieństwo konfesyjnego ideału, żeby potem uwiecznić jako wzorcową postać, co to i wiedzę i wiarę posiadła i obie zharmonizować potrafi. Nie!, będę to ciągnęła tak długo, jak się da, a potem zobaczymy.

– Mam złe przeczucia, moja droga. Spacerujesz nad przepaścią. Kiedy się potkniesz, pogrążysz się w otchłani, z której nigdy się już nie wydostaniesz. To będzie droga bez powrotu.

– Wiem o tym i już się z tym pogodziłam.

– Czy zatem warto się było tak poświęcać? W imię czego?

– Poznania, mądrości, spojrzenia na drugą stronę lustra. Dowiedziałam się wielu rzeczy, których się nawet nie domyślałam.

– Myślisz, że z tą wiedzą, mądrością, łatwiej się żyje? – roześmiał się cicho.

– Nie wiem, ale z pewnością lżej się umiera. Żal jakby mniejszy. „Dzięki nauce zdobywamy władzę nad otoczeniem. W tym sensie nauka jest przeciwstawna mądrości, mądrość bowiem nie dąży do władzy, ale do większego zbliżenia się i tym samym lepszego zrozumienia otaczającego świata, wczucia się w jego tajemny rytm. Pod wysiłkami naukowymi kryje się dążenie do władzy, a pod szukaniem mądrości – miłość do otoczenia”.[53] – Proszę – podała plik kartek – to streszczenie tłumaczenia z wyszczególnieniem rozdziałów. Zaznacz, proszę, co mam przetłumaczyć i zechciej zadzwonić. Odbiorę i odniosę wykonaną pracę.

– Niki, boisz się, prawda? – spoważniał i wstał z fotela.

– Boję się matki. Jej rozczarowania, zawodu i robię wszystko, aby jej oszczędzić przykrości. Prędzej, czy później nadejdzie moment, gdy odkryje, że nie spełniłam pokładanych we mnie nadziei i oczekiwań i znienawidzi mnie jeszcze bardziej. Wiem o tym i jestem bezsilna. Gdybym przynajmniej mogła powiedzieć, że to neurotyczka w rozumieniu Karen Horney.

– Oh! – uśmiechnął się z pobłażaniem.

– Filologowi Karen Horney wystarczy. Nie chcę dodatkowej specjalizacji, próbuję jedynie zrozumieć, a tym samym wybaczyć. Uwierz mi, Adamie, na słowo, że mam co wybaczać. Nie chcę się zwierzać ani tobie, ani żadnym Mostowskim, wolę zostać ze swoimi problemami sama. Mam wtedy pewność, że są wyłącznie moje. To czego doświadczam na co dzień, to nie tylko najczystszy pigmalionizm, nie tylko „tyrania powinności" pani Horney, na którą machasz ręką, to coś więcej. Żyje w urojonym świecie, w świecie wirtualnym, myśli życzeniowo i bierze marzenia za rzeczywistość. Gdy coś idzie nie po jej myśli, gdy napotyka na przeszkody, staje się nieprawdopodobnie agresywna. Domyślasz się, że słowo „patologia" jest obelgą.

Wszyscy się sprzysięgli, żeby doznawała samych porażek, zaś źródłem wrogości otoczenia jestem ja. Gdyby mnie nie było, świat by ją kochał, nosił na rękach, wszystko by się udawało, a przyjaciele i rodzina leżeliby u jej stóp. Wyobraża sobie, że zamieszka w luksusowym mieszkaniu w Krakowie lub Warszawie i już wydała mi polecenia w kwestii usytuowania mieszkania i urządzenia wnętrz. Siedzi na walizkach.

– Będzie coraz gorzej, nie łudź się, nie oprzytomnieje!

– Wiem o tym i nie potrafię temu zaradzić. Jestem również świadoma tego, że kiedyś mnie unicestwi. Do kogo mam się zwrócić ze swoim zmartwieniem? Mam się modlić? Bóg mi pomoże? Mostowski? Chyba sam w to nie wierzysz.

– Powinna się poddać terapii.

– Ależ jest zupełnie normalną, kochającą, niezwykle wrażliwą i delikatną osobą o wątłym zdrowiu. To ja jestem nieinteligentna, niedojrzała, niedorozwinięta pod względem fizycznym i umysłowym i ma na to dowody. Przecież wszędzie na mnie czekają i oferują dobrą pracę i mieszkanie, czego nie dostrzegam, bo jestem ociężała umysłowo. To że studiuję z powodzeniem, nie jest niczym niezwykłym. Istnieją przecież idioci, którzy mają jakieś tam, bliżej nieokreślone zdolności. Jestem takim kuriozum.

Żyję z chorą kobietą, Adamie i nic nie mogę zrobić. Otoczenie coś tam zauważa, ale przecież wszyscy mają swoje drobne dziwactwa, których nikt nie leczy. Jest taka sympatyczna, miła, na wielu rzeczach się zna, bywała w eleganckim świecie! Nikt jej nie widział bladej z furii, ciskającej naczyniami, wymachującej nożami i nożyczkami.

Ta część spektaklu jest zarezerwowana dla mnie. Ataki histerii, mania prześladowcza, wielogodzinne awantury i przemowy, z których niewiele da się zrozumieć, kłótnie z wyimaginowanymi wrogami w pustym pokoju, na przemian z urojeniami wielkościowymi, napady paniki. – Przepraszam, rozgadałam się niepotrzebnie. Do widzenia!
– Niki, nie miałem pojęcia!
– Teraz już wiesz. Zadowolony? Tego się spodziewałeś? No to, cześć – wyszła.

*

W czerwcu zdała egzamin magisterski na celująco i zaraz powiadomiła matkę.

Parę dni poświęciła na spakowanie się, pożegnanie z koleżankami i załatwienie sprawy zatrudnienia w macierzystej uczelni. Od października miała zamieszkać w jednoosobowym pokoju w Domu Akademickim.

Jeszcze róża od Lilki, skromne przyjęcie i życzenia powodzenia. Nigdy już nie spotkała Asi, Anki, Olgi, Soni. Zniknęły z jej życia na zawsze.

Po raz ostatni wyjeżdżała do Paryża, do Litmanów. Miała ładniejsze stroje, pamiątki po pobycie w Rzymie, i dyplom w kieszeni. Zatem wyjazd na letni kurs dla studentów był trochę naciągany. Znowu telepała się brudnymi, cuchnącymi pociągami i wpadała w ramiona pana Litmana, uśmiechniętego nieśmiało i jego chłodnej, trochę sztywnej małżonki. Odnalazła „swój" pokój, sprzątnięty i schludny, przygotowany na przyjęcie gościa.

Od pierwszej chwili zauważyła, że profesor był jakiś inny. Mówił cichszym głosem, przysiadał od czasu do czasu, co mu się dotąd nigdy nie zdarzało, wchodził tylnym wejściem, gdzie był podjazd dla samochodów, żeby uniknąć chodzenia po schodach, był blady i obficie się pocił. Bardzo dużo palił.

Nicole też paliła, ale się starała to robić ukradkiem, odkąd Laskowski, w przypływie szczerości, zwrócił uwagę, że palenie bardzo do niej nie pasuje i wygląda z papierosem po prostu zabawnie.

Ograniczyła ilość wypalanych papierosów, aby zniechęcić profesora Litmana. Chyba tego nawet nie zauważył.

Pani profesorowa, surowa i milcząca, wodziła wzrokiem za mężem, pełna troski i niepokoju.

Czternastego lipca wybrali się we trójkę, aby obejrzeć paradę. Dzień był słoneczny, upalny. Postali jakieś dwadzieścia minut i profesor zażyczył sobie usiąść. Przycupnęli przy stoliku kawiarnianym, wypili po soku pomarańczowym i bocznymi, cienistymi uliczkami dotarli do chłodnego, mrocznego mieszkania.

Zabrały się do szykowania posiłku, profesor wyciągnął się na kanapie. Nakryły do stołu i we dwie poszły do salonu, żeby obudzić śpiącego. Profesor leżał na wznak, leciutko się uśmiechał.

Stały nad zmarłym bez słowa. Wreszcie Nicole podsunęła fotel pani Litman i zachęciła, by usiadła. Przykucnęła przy wdowie. Nagle, niespodziewanie, pani Litman wymierzyła jej siarczysty policzek, od którego Nicole usiadła na podłodze.

– Ależ, *Madame* – złapała się za płonącą twarz.

– To za wygląd, tylko za wygląd!

Wstała, poszła do łazienki i obmyła twarz w zimnej wodzie. Gdy wróciła do salonu, wdowa dzwoniła do Zakładu Pogrzebowego. Cichutko przeszła na piętro i zaczęła się pakować.

– Nicole – usłyszała za sobą – nie wyjeżdżaj. Jeszcze nie teraz, jeszcze nie dziś. Bardzo cię potrzebuję.

Odłożyła spakowaną walizkę i dosiadła się do pani Litman, która spoczęła na niewielkiej sofce pod oknem.

– Zabrali ciało mojego męża. Odszedł i nie powróci, a ja nie umiem płakać.

– Miałam siedemnaście lat, gdy trafiłam do obozu, prosto na blok szpitalny, jako królik doświadczalny. Przedtem długo się ukrywałam i widziałam, jak zabierali całą rodzinę. Mnie nie znaleźli. Syn gospodarzy miał na mnie ochotę. Nie podobał mi się, nie miałam doświadczenia i z zemsty na mnie doniósł. Nie chcę wracać do przeszłości, nie chcę wspominać, wolę udawać, że nic się nie działo. Zniszczyli moje ciało i duszę. O mojej przeszłości wiedział tylko mój mąż, bo nie mogłam mieć dzieci. Całkowicie oddałam się pracy i prawie mi się udało nie myśleć obsesyjnie wciąż o tym samym, gdy nagle pojawiłaś się ty. Twój wygląd zewnętrzny mnie powalił.

Lubię cię, Nicole, cenię za solidną pracę, upór w dążeniu do celu, perfekcjonizm, ale ta mleczna cera, popielato blond włosy, błękitne, chłodne oczy, przyprawiają mnie o dreszcz grozy. Mowy nie ma o jakiejkolwiek twojej winie. Potrzebuję twojej taktownej, dyskretnej obecności, dopóki na ciebie nie patrzę. Pewnie myślisz, że zwariowałam. Jestem od ciebie o czternaście lat starsza i wyglądam jak własna babka. Przepraszam cię, bardzo cię przepraszam, nie chciałam cię uderzyć, nie byłam sobą. Czy nie pomyślałaś o pozostaniu we Francji, w Paryżu, u mnie, na stałe? Mieszkanie jest duże, a nie mam żadnych krewnych.

– *Madame* Litman, dziękuję za propozycję. Bardzo kuszącą, prawdę mówiąc. Przeżyła pani wstrząs, czuje się samotna i zagubiona. Rozumiem to i serdecznie pani współczuję. Czas nie tylko goi rany, co jest tak banalne, że aż prostackie, lecz zmienia punkt widzenia. Pani uczucia do mnie są dostatecznie ambiwalentne, abym mogła sobie pozwolić na ryzyko pozostania u pani. Może nadejść moment, w którym moja obecność stanie się dla pani nie do zniesienia. Była pani dla mnie zawsze gościnną, życzliwą gospodynią i sumienie mi nie pozwala wykorzystywać sytuacji, w jakiej się pani znalazła. Zdaję sobie sprawę, że gdy nie będziemy mogły na siebie patrzeć, zawsze mogę się wyprowadzić, ale pani sytuacja się nie zmieni. Wciąż będzie pani sama. Nie działajmy pochopnie. Jeśli za jakiś czas nie zmieni pani zdania, przyjadę i zostanę. Teraz muszę wyjechać.

– Już nie wiem, która z nas jest starsza i dojrzalsza – pani Litman spojrzała na swoje chude, kościste dłonie. – Mam złe przeczucia, Niki. Nie wierzę, abyśmy się kiedykolwiek miały jeszcze spotkać. Boję się o ciebie i siebie.

– Też się boję, nawet bardzo. Uwierz mi, to najlepsze wyjście, jeśli nie jedyne.

Odjechała z Paryża osiemnastego lipca, w dwa dni po pogrzebie profesora Litmana. Pożegnała się z panią Litman i z niepowtarzalną szansą. Gdzieś tam czekała na nią niekochająca i niekochana, niezrównoważona matka, która potrzebowała wsparcia i pomocy, chociaż żarliwie temu zaprzeczała.

*

W Wiedniu czekała cioteczna siostra, Frauke z mężem Horstem i synami Heinzem i Wolfgangiem, nazywanym Wolli. Prowadzili niedużą cukiernię w cichej uliczce, niedaleko Ringu i przymierzali się do remontu, jako że latem jest mniejszy popyt na ciasteczka i torty. Spokojni i pogodni, pracę wykonywali solidnie i terminowo, ale nie wariowali i zawsze znaleźli czas na wypicie kawy i pogawędkę. Samo ustalenie zakresu remontu, do spółki z ekipą malarzy i tynkarzy oraz posadzkarzy, zajęło im całe trzy dni podczas których wypili morze kawy, zjedli dwa torty, wielkości młyńskich kół i przypomnieli sobie solo i na głosy wszystkie znane przeboje.

Gdy wreszcie ekipa przystąpiła do dzieła, pracowała fachowo, czysto, nie wałkoniła się, ani nie urywała z pracy. Zjawiali się punktualnie o siódmej, w samo południe robili przerwę na posiłek i po pół godzinie znowu brali się do pracy i metodycznie, bez pośpiechu działali do dziewiętnastej.

W dwa tygodnie cukiernia z zapleczem i piekarnią były jak nowe. Robotnicy zainkasowali należność i zaraz pojawiła się ekipa sprzątająca. Przed końcem sierpnia cała rodzina ruszyła na dziesięciodniowy odpoczynek do niewielkiego domku nad brzegiem Dunaju. Panie szykowały posiłki, Horst odświeżał ramy okienne i drzwi, a dzieci taplały się w wodzie, bawiły się w Indian, biegały za piłką. Nicole odżyła w sielskiej atmosferze, wyciszyła się wewnętrznie, nabrała dystansu do czekającej ją pracy, przemyślała swoją sytuację.

W pierwszych dniach września cukierenka otworzyła podwoje po remoncie, ku radości stałych bywalców, którzy zachodzili by obejrzeć, pochwalić i zamawiać babeczki, torciki, ciasteczka, ciasta z blachy. Panie wychodziły z pakuneczkami, obwiązanymi kolorową tasiemką z pętelką i zawieszając na jednym palcu, nieśpiesznie podążały na podwieczorek. Większe zamówienia dostarczał do domu zabawny dryblas na motorowerze, powtarzający jak mantrę „küss die Hand".[54]

Nicole pomagała na zapleczu, a po zamknięciu sprzątała cukiernię, za co dostawała parę szylingów. W połowie września pożegnała miłych sympatycznych krewnych i klientów, którzy dowiedziawszy się, że wraca do Krakowa, uśmiechali się i powiadali: „ach so!, also um die Ecke.[55]

I znowu przez Pragę, przez kontrolę graniczną i celną, w smrodzie z toalety i w klejących się od brudu przedziałach wagonów. Żadnego „dzień dobry", „proszę", „dziękuję". Paszporty do kontroli, otworzyć walizkę, Co tam pani chowa? – zeschnięte kanapki. Brudnymi rękami celnik rozkłada kanapki, unosi paluchami plasterek szynki – przedtem gmerał w cudzych butach – i wciska paczuszkę z powrotem. Nicole zwija kanapki i ostentacyjnie wrzuca do śmietniczki.

– Nie podoba się? – skrzeczy celnik.

– Właśnie tak – odpowiada spokojnie.

– No to trzeba było siedzieć w domu – z hukiem zatrzaskuje drzwi.

Wróciła do domu na kilka dni. Matka zamiast powitania, wygłosiła płomienną mowę na temat wygód i uroków studenckiego życia, pozazdrościła balów, przyjęć i rautów, rozpytała o cenne znajomości, jakie córka zawarła wśród polityków, dyplomatów, ministrów i kogo tam jeszcze.

Na skromne prezenty nawet nie spojrzała tylko pokazała czarno--białe zdjęcie w „Przyjaciółce" czy „Przekroju" i zażyczyła sobie podobnie urządzonego pokoju w nowym mieszkaniu. Nicole słuchała w milczeniu, obejrzała zdjęcie, pokiwała głową i położyła się spać.

Następnego dnia poszła na cmentarz żeby podlać kwiatki na grobach i rzucić okiem na znajome, nieciekawe ulice.

– Witaj, Niki! – usłyszała za sobą.

Włodek.

Szli obok siebie w milczeniu. Włodek był małomówny i skryty.

– Jak ci się wiedzie na studiach? – Nicole przerwała niezręczne milczenie.

– Kończę w przyszłym roku. Miałem urlop dziekański. A tobie?

– Już skończyłam. Wróciłam właśnie z ostatnich niby studenckich wakacji i od października rozpoczynam pracę w charakterze asystenta.

– Masz mieszkanie w Krakowie?

– Nie, nadal będę mieszkała w akademiku.

– A ty?

– Mieszkam z rodzicami. Mam stypendium fundowane i będę codziennie dojeżdżał do pracy. – Niki, czy mogę cię odwiedzić w Krakowie?

– Jeśli nie rozboli cię głowa i nie dostaniesz kataru, proszę. Przedtem jednak powiadom mnie, bo student może się urwać ze zajęć, a pracownik raczej nie.

– Adres ten sam?

– Tak, ten sam.

– Mogę iść z tobą na cmentarz?

– Tak, oczywiście, ale ten rower, który prowadzisz, będzie trochę przeszkadzał...

– Odstawię na podwórze, kiedy będziemy przechodzili obok domu.

Nagle zza rogu wyłoniła się mama Włodka, wracająca z zakupów.

– Dzień dobry, pani – ukłoniła się Nicole.

– Dzień dobry – odpowiedziała z wyraźną niechęcią. – Włodek, ojciec cię potrzebuje – zwróciła się do syna.

– Będzie musiał poczekać, teraz jestem zajęty!

Pani Grätzowa otworzyła usta i znieruchomiała. – Przepraszam.

– Do widzenia, pani – Nicole ukłoniła się po raz drugi.

– Dooo widzenia!

*

Zamieszkała w lodowatym pokoiku, wyłożonym białymi kafelkami, wygospodarowanym z przylegającej doń kuchenki. Łóżko składało się z metalowej ramy, ułożonej na cegłach, wpuszczonej we wnękę, w której zwykłe metalowe łóżko by się nie zmieściło. Pod oknem znalazło się miejsce na stolik i krzesło. Po lewej stronie, tuż przy drzwiach wbudowano dwudrzwiową szafę, zaś po prawej znalazła się umywalka z lustrem. Pod oknem zainstalowano nieczynny, jak się okazało zimą, kaloryfer. Od drzwi do okna trzy kroki, od łóżka do umywalki, półtora kroku. Królestwo.

Dzień wypełniały zajęcia ze studentami, dyżury w katedrze i to, co najprzyjemniejsze – praca w bibliotece. Oprócz pracy zawodowej i znowu tłumaczeń, nie znała innych zajęć. Chodziła w studenckiej odzieży, nie wstępowała do kawiarni, nie kosztowała ciastek, nie spotykała żadnej koleżanki. Otwierała usta żeby prowadzić ćwiczenia, a potem milczała, czekając aż jakiś zasłużony pracownik naukowy zechce ją zagadnąć. Zarabiała tak mało, że na początek zrezygnowała z obiadów. Na ulicy Sławkowskiej znajdował się bar mleczny, w którym po godzinie osiemnastej można było zjeść za darmo ziemniaki, kapustę a czasem talerz zupy. Krążyła wokół baru już przed osiemnastą, chociaż rzadko jej się udawało dopaść resztek, bo miała obowiązek pełnienia dyżurów w katedrze. Rozpytywała o pokoje do wynajęcia, ale ceny porażały. Próbowała się zatrudnić w innym zakładzie i pracować na dwóch etatach, do tego jednak potrzebowała pisemnej zgody pierwszego pracodawcy. Uniwersytet, a ściślej Katedra, takiej zgody konsekwentnie odmawiali.

Matka słała długie listy, pełne napomnień i zawoalowanych, a czasem jawnych pogróżek. „Któż to widział – pisała – aby pozwolić matce czekać już dwa miesiące na przeprowadzkę do Krakowa. Stoczyłaś się na dno moralnego upadku, zadajesz się z podejrzanymi osobami, włóczysz się po lokalach i z całą pewnością prowadzisz rozwiązłe życie, skoro nie chcesz matki u swojego boku. Wiesz doskonale, że nie pozwoliłabym ci na trwonienie pieniędzy na zabawę i rozpustę".

Listy przychodziły niemal codziennie. Odpisywała grzecznie i spokojnie, wyjaśniała, tłumaczyła, wszystko na nic. Zaczęły przychodzić przesyłki z kartką i jednym słowem: KŁAMIESZ, albo OSZUSTKA, lub DZIWKA.

Późną jesienią napisał Włodek. Zapowiedział się na niedzielę i całe szczęście, bo w dni powszednie istniały ograniczenia w przyjmowaniu męskich wizyt w pokojach. Mężczyźni mieli wstęp do żeńskiego domu akademickiego tylko w godzinach popołudniowych, pomiędzy szesnastą a osiemnastą. Włodek musiał wracać do Gliwic i to najlepiej pociągiem o szesnastej trzydzieści. W niedziele wizyty przedłużono i trwały od czternastej do osiemnastej. Kto w grudniu spaceruje po mieście od jedenastej do wpół do piątej? Na wysiadywanie w lokalach nie mieli oboje pieniędzy.

Rozmowa się nie kleiła. Lata milczenia położyły się cieniem na znajomości i dawnej zażyłości. Oboje mieli różne doświadczenia i świadomość, że rodziny nie są tym związkiem zachwycone. Nicole dała jasno do zrozumienia, że nie jest zainteresowana ani sentymentalną, ani erotyczną przygodą.

Wyrosła ze studenckiej beztroski i przyjaźń damsko-męska już jej nie interesowała. Była zawiedziona i rozgoryczona rzeczywistością, w jakiej przyszło jej żyć, i daleka od lekkiego, swobodnego stosunku do przyszłości.

Włodek nie był ani natrętny, ani namolny, przyznał, że pragnie trwałego, legalnego związku, ale nie ukrywał, że obawia się reakcji rodziny, zwłaszcza matki.

– To już twoja sprawa – odparła dość sucho. – Radziłam sobie i radzę w trudnych warunkach i nie zamierzam robić maślanych oczu do twojej matki. Okażę jej szacunek, uznam jej status w rodzinie, nie będę podważała jej autorytetu, na więcej jednak liczyć nie powinna. Nie zatańczę, jak mi zagra.

Odprowadziła go do pociągu w grudniowych ciemnościach i z dworca poszła do Laskowskiego, z którym była umówiona.

Już w przedpokoju dotarł do niej powolny, kaznodziejski, namaszczony ton Mostowskiego. Zawsze mówił tak, jakby słuchacze byli półgłówkami, niezdolnymi pojąć przepastnej głębi jego myśli. Robił teatralne pauzy w rozmowie, opierał kapuścianą głowę na dłoni w udawanej zadumie i potakiwał z pobłażliwym uśmiechem.

– Niki! – Laskowski wstał wyraźnie zadowolony. – Cieszę się, że jesteś.

Mostowski podał rękę, nie ruszając się z miejsca. Uśmiechnęła się niemiło.

Nie była w najlepszym nastroju i klesze prostactwo zirytowało ją bardziej niż powinno.

– Jak się czujesz w nowej roli? Można? – zatrzymał dłoń z butelką nad kieliszkiem. – Dobre!

– Proszę! – uśmiechnęła się z przymusem. – Lubię Bailey'a.

Upiła drobny łyczek. – W nowej roli czuję się marnie, bo zimno i głodno i biednie też, co chyba widać.

– Istotnie, nigdy nie byłaś pulchnym pączuszkiem, teraz zmizerniałaś.

Mostowski ciągle roześmiany rzucił nagle:

– Początki zawsze są trudne i trzeba je przyjmować z pokorą.

– Trafna choć niezbyt głęboka myśl – zanurzyła usta w likierze.

– Znalazłaś jakieś mieszkanie, czy nadal mieszkasz w akademiku?

– Choćbym pracowała dwadzieścia cztery godziny na dobę, bez pomocy z zewnątrz, mieszkania nie kupię, nawet w Nowej Hucie.

Tkwię w akademiku i nie działa ogrzewanie, a pokój wykafelkowany. Zimno jak w psiarni! Chyba dam sobie spokój z pracą naukową i spróbuję się zatrudnić w szkolnictwie na Śląsku. Tam o niewielkie mieszkanie łatwiej.

– Marzyłaś o doktoracie – zauważył zasępiony Laskowski.

– I na marzeniach się skończy – ucięła kwaśno. Pamiętam, że „Wszelkie zrywanie związków (…) z wybraną dziedziną studiów czy pracy pociąga za sobą poważną utratę energii psychicznej, a nierzadko przysparza jednostce wiele cierpień. Ale najgroźniejszym aspektem tych zwrotów życiowych jest to, że tracimy wówczas zainteresowanie swoją autentyczną osobowością, nie możemy bowiem być z niej dumni (…)".[56]

– O czym miałaby być pani praca doktorska, moje dziecko?
– Mostowski z ironią rozłożył ręce, jakby wzywał Boga na świadka takiego absurdu.

– O Torquemadzie[57] – parsknęła cicho, dopijając Bailey'a. Spodziewałam się wsparcia źródłowego z pańskiej strony.

– Niestety, nasze piętnastowieczne źródła są niezwykle ubogie.

– Miałam na myśli przewodnictwo duchowe. Mentalność aż tak bardzo się nie zmieniła, a OO. Dominikanie coś tam w swoich zbiorach mają, chociażby kopie.

– Sądzisz, że pomagałbym ci w pisaniu pracy doktorskiej, która, jak się domyślam, nie zostawiłaby suchej nitki na Kościele? – Mostowski śmiał się na całe gardło.

– Tak właśnie! Ty i Adam. Chciałabym zrozumieć mentalność człowieka opętanego ideą, bo nie o samą władzę mu przecież chodziło. Zresztą gdyby napęd stanowiła żądza władzy, to ilość ofiar może tylko utwierdzić w przekonaniu o posiadaniu władzy. Rzeczowników się nie stopniuje. Co zatem wyższe od władzy? Pomijam już fakt, że zawsze znajdzie się sceptyk dla którego „taka władza, to żadna władza".

– Praca doktorska o Torquemadzie wymagałaby poszukiwań źródłowych za granicą. Załóżmy, że znalazłabyś do nich dostęp, w co osobiście wątpię, chociaż wiem, że stać cię na dużo. Wyprowadzenie mniszki z klasztoru, to dość śmiały wyczyn, jak na młodą osóbkę z odpowiednimi powiązaniami. Wuj chyba nie był zachwycony, a cioteczny dziadek w grobie się przewraca.

– Miałam wprawić w zachwyt wuja Matteo? – spojrzała ostentacyjnie na podłogę.

– Spadło ci coś? – zainteresował się Laskowski.

– Nie, nie!, oglądałam obuwie twojego gościa. Chciałam się upewnić, czy nie nosi pantofli. Informacje, jakie posiada mogły dotrzeć do Polski tylko pocztą pantoflową.

– Można się domyślać, że taka praca zostałaby wydana drukiem, bo temat jest bardzo nośny – Mostowski podjął przerwany wątek. – Kościół doznałby uszczerbku.

– Istnienie, takiej kreatury w łonie Kościoła już jest uszczerbkiem...

– Ocenianie Torquemady ze współczesnego punktu widzenia jest anachronizmem – przerwał poirytowany.

– Nie jest! Pozwolono mu działać i ta zgoda stała i stoi w sprzeczności z nauką Kościoła i przekazem ewangelicznym. Zbrodnia jest zbrodnią niezależnie od epoki historycznej w której została popełniona. Stalinizm czy hitleryzm były zbrodniami i nimi pozostały, bez względu na to, czy natrafiły na opór, czy poparcie jednostek, czy całych grup społecznych.

– Musisz zrozumieć, że Kościół jest prześladowany i nagłaśnianie mrocznych faktów z dziejów Kościoła, jest dostarczaniem oręża prześladowcom.

– A wiesz, na prześladowanego nie wyglądasz. Przeciwnie. Masz się znakomicie i twoi koledzy również. Nie mam już wejściówek do filharmonii, na bilety do teatru mnie nie stać, podobnie jak na bilety do kina, spaceruję więc sobie po mieście bez celu, w brzuchu mi burczy, w stopy mi zimno i cóż widzę? Co ulica, to kościół, kaplica lub klasztor. Wszystkie zadbane, sprzątnięte i CZYNNE.

Spotykam alumnów Seminarium Duchownego rumianych, pulchnych, zadowolonych. Nie to, co młodzi mężczyźni studiujący na uczelniach świeckich, powracający ze Studium Wojskowego w przewiewnych płaszczykach i łatanym obuwiu, snujący się na nogach z waty, za przeproszeniem, o suchym pysku.

Zakonników i zakonnic całe legiony. Wszędzie wiszą skarbonki i puszki na datki, tace krążą na nabożeństwach, a więc Kościół może zbierać pieniądze, których nikt nie kontroluje. O co ci chodzi?

– Zniszczone świątynie, od lat nieodnawiane, zagrabione majątki, upaństwowione szkoły, przedszkola, ochronki, szpitale, nauka religii wyrugowana ze szkół, symbole religijne usunięto z urzędów, szkół...

– Chciałbyś, żeby państwo odnawiało i remontowało obiekty sakralne i to tylko katolickie? A co z synagogami, cerkwiami, zborami, kirkutami? Czy uważasz, że dlatego, że katolicy są w większości, należy ich dotować?

Wiara jest sprawą prywatną każdego człowieka, a jeśli zbierze się grupa ludzi, która chce wspólnie przeżywać swoją wiarę, to niech zadba o miejsce, w którym się spotyka. A te majątki, szkoły i co tam jeszcze wymieniłeś, wypracował Kościół tłukąc kamienie, czy tak? Ludzie nie mają, gdzie mieszkać, małżeństwa się rozpadają, bo mieszkają po dwie, trzy rodziny w jednym lokalu, co nieuchronnie prowadzi do zatargów i scysji, a ty się o mniszki martwisz?! Odaliski z boskiego haremu.

Niech się zatrudnią w przędzalniach, tkalniach, szwalniach, zakładach metalowych, niech pracują na zmiany po osiem godzin na dobę i niech wynajmują kawalerki po osiemset złotych miesięcznie. Po wyjściu z pracy, zrobieniu zakupów i zadbaniu o siebie i mieszkanie, będą sobie mogły leżeć krzyżem i klepać pacierze aż do upojenia.

Od nauki religii są kościoły i salki katechetyczne. Wiara nie jest nauką, szkoła zaś upowszechnia naukę. Taka jest jej rola. Co się zaś symboli religijnych tyczy to, przede wszystkim do miejsc ogólnodostępnych przychodzą ludzie o różnych poglądach, dlaczego więc mają się, na powitanie, dowiadywać, że tu rządzą katolicy a ponadto, czy nie uważasz, że zawieszanie symboli religijnych gdzie bądź, bez wyboru, banalizuje te symbole, sprowadzając je do funkcji jeszcze jednego elementu wyposażenia obok lampy i przełącznika?

– I ty chcesz pracować w szkole?! Chcesz wychowywać młodzież, kształtować jej charaktery, umysły. Mają być plasteliną w twoich drobnych dłoniach, którą będziesz ugniatała i formowała aż uzyskasz wzorzec człowieka radzieckiego. Bez Boga, bez religii, bez Kościoła.

– Dlaczego radzieckiego, a nie na przykład francuskiego. Uważam, że jedynym słusznym i społecznie pożytecznym wychowaniem, jest wychowanie laickie, kształtujące ludzi krytycznych i racjonalnych.

Nie wrogów religii, lecz ludzi działających świadomie, a nie uwarunkowanych lękiem czy strachem przed społecznym ostracyzmem, czy wiecznym potępieniem. Chciałabym zaszczepić swoim uczniom krytycyzm i umiejętność rozumnego oceniania najróżniejszych propozycji światopoglądowych i takiego ich akceptowania lub odrzucania, aby nie powielać błędów swoich poprzedników, którzy dali się uwieść nośnym hasłom, głoszonym przez rozfanatyzowanych ideologów.

Wychowanie laickie, jak już mówiłam, nie oznacza wychowania wroga religii lecz niezależnego obywatela, wyemancypowanego ze stada, myślącego w sposób niezależny. Jak twierdzi Claudio Magris: „Laickim jest ktoś, kto potrafi zaangażować się politycznie, zachowując krytyczną niezależność, śmiać się i podśmiewać z tego co kocha, nie przestając kochać; kto wolny jest od potrzeby uwielbienia i desakralizacji, kto nie zastawia na siebie pułapek, znajdując tysiące uzasadnień ideologicznych dla własnych błędów, kto wolny jest od kultu dla siebie samego".

– Rozumiem, że jesteś gotowa nas opuścić – wtrącił Laskowski.

– Czy spróbujesz rozpocząć nowe życie samotnie?

– Nie!, chociaż wiem, że podpory życiowej mieć nie będę. Wiem, w co się wplątuję i robię to świadomie. We dwójkę łatwiej i raźniej, nawet jeśli solidarności oczekiwać nie należy. Staropanieństwo jest tak dokładnie obśmiane i wyszydzone, że można by przypuszczać, iż to sypialniane doświadczenie jest jedynym kryterium, potwierdzającym pełną wartość indywidualną i społeczną kobiet.

– I macierzyństwo – dorzucił z namaszczeniem Mostowski.

– Nie myślałam o macierzyństwie wcale. Dopóki nie dorobimy się własnego, samodzielnego mieszkania, wykluczam macierzyństwo całkowicie.

– Związek mężczyzny i kobiety nieukierunkowany na prokreację to... – zaperzył się Mostowski i plasnął dłonią w oparcie fotela.

– Prostytucja? Może i tak. Z prokreacją czy bez, małżeństwo jest formą prostytucji. Zatwierdzoną urzędowo, pobłogosławioną w kościele... Kiedy tak pomyśleć, jak sobie radzą kobiety i mężczyźni, którzy się małżeństwa świadomie wyrzekają... Nie trzeba być obdarzonym szczególną wyobraźnią, aby zdać sobie sprawę, że trzeba sięgnąć do środków zapobiegawczych. Hormony są areligijne.

– Domyślam się, że myślisz o środkach antykoncepcyjnych, Niki, ale one bywają przede wszystkim zawodne, a ponadto, co na to twój narzeczony?

– Adamie, nie mam narzeczonego, lecz tylko sympatię. Nie omawialiśmy spraw intymnych, bo cierpimy na chroniczny brak okazji. Jeśli jednak zdecydujemy się związać na stałe, nie omieszkamy omówić i tego aspektu małżeństwa. Wolę być śmieszną starą panną, niż zniewoloną żoną. Wypadki przy pracy, no cóż, z tym też można sobie poradzić.

– Chyba nie mówisz o usuwaniu ciąży?! – huknął Mostowski, oblewając się rumieńcem.

– Właśnie o tym mówię. Mój brzuch należy do mnie i to ja decyduję, czy coś będzie się w nim rozwijało, czy nie. Z całą pewnością nie będę pytała o zdanie żadnego duchownego.

– To morderstwo!

– Jesteś surowszy od swoich uczonych poprzedników. Beda, ustalając karę nakładaną za usunięcie ciąży, pisze w swoim rytuale pokutnym: „Istnieje wielka różnica, czy chodzi o kobietę ubogą (pauperula), która to czyni, bo nie może wyżywić nowych dzieci, czy też o kobietę bezwstydną, która ukrywa złe prowadzenie się" (4,12).

Tej samej reguły przestrzegał Pseudo – Teodor (6,4). Burchard w XI wieku w swoim „Dekretum", 19 w „Patrologii łacińskiej" t. 140, col. 972 stwierdza, że ilekroć zapobiegła zapłodnieniu, kobieta popełniła zabójstwo. Lecz to duża różnica, czy to biedna kobieta, która postępuje z powodu trudności z wyżywieniem, lub czy chodzi o kogoś, który działał, aby ukryć nierząd.[58]

– Twoja dusza nieśmiertelna zostałaby na wieki zbrukana. Takiego czynu nic nie usprawiedliwia i nikt nie przebaczy. Twoje ciało również może ponieść szkodę nie do naprawienia. Zniszczone ciało i skalana dusza.

– „Istnienie niematerialnej i nieśmiertelnej duszy" jest – że zacytuję Zdzisława Cackowskiego – „skandalicznym zabobonem XX wieku". Ten sam pogląd wyraził O. Józef Maria Bocheński.

Jeśli dopatrujesz się morderstwa w usuwaniu wczesnej ciąży, to jaki jest twój stosunek do menstruacji u kobiet i polucji u mężczyzn?

Zgodzisz się chyba, że w tych dwu wymienionych przypadkach marnuje się potencjalne życie. Zarodek nie jest zdolny do życia poza organizmem macierzystym a zatem, jeśli nie chcę być opakowaniem, nikt mnie do tego nie zmusi, choćby wrzeszczał głośniej od ciebie. Można zdelegalizować zabiegi przerywania ciąży, ale to nie powstrzyma kobiet od usuwania ciąż niechcianych, nawet za cenę własnego, tym razem realnego życia. Jesteś mężczyzną i nigdy w ciąży nie byłeś i nie będziesz, a zatem milcz! „Ya don't a play'a da game, ya don't a make'a da ruse".[59]

– Niki, przesadziłaś – Laskowski dotychczas milczący, położył swoją rękę na jej dłoni.

W tej chwili weszła pani Laskowska z tacą. Nicole zerwała się, żeby pomóc gospodyni, Laskowski wstał, Mostowski ani drgnął.

– Pani pozwoli, jestem Nicole Cléber, czy mogę pomóc?

– Bardzo mi miło. Dziękuję pani.

Atmosfera nieco się rozrzedziła. Nicole pomagała rozlać herbatę i nakładała ciasto na talerzyki. Pani Laskowska przycupnęła w milczeniu i lekko się uśmiechnęła do dziewczyny.

– Panna dostarcza nam rozrywki – wyjaśnił Mostowski gospodyni, która o nic nie pytała. – Mnie, doświadczonemu kapłanowi i Adamowi, weteranowi wojny i byłemu pilotowi RAF-u.

– To miłe, że siebie wymieniłeś na pierwszym miejscu. Natrudziłeś się w tym kapłaństwie. Od machania kropidłem łokieć tenisisty ci się zrobił. Jestem pełna szacunku i uznania dla Adama. Kobietami, panowie, jednak nigdy nie byli, a szkoda. Zniesiono niewolnictwo, przynajmniej w większości krajów, bo w nielicznych państwach wciąż istnieje. Zniesiono, oficjalnie przynajmniej, pańszczyznę. Cywilizowane kraje potępiają apartheid, ale niewolnictwo i poddaństwo kobiet, jak istniało tak istnieje. Nami, kobietami, rządzą mężczyźni i na dodatek wierzą, że mają do tego prawo, bo są silniejsi fizycznie – prawda, lepiej wykształceni – nieprawda i zajmują odpowiedzialne stanowiska – również prawda. Sami sobą te stanowiska poobsadzali na zasadzie: zajmują eksponowane stanowiska, bo są mądrzy. Są zaś mądrzy, bo zajmują eksponowane stanowiska. Cóż za finezja w rozumowaniu!

– Moje dziecko…

– Przepraszam, że wpadam w słowo, ale czy mógłbyś nie nazywać mnie swoim dzieckiem? Może jestem podobna do twoich dzieci, nie powinieneś mnie jednak zaliczać do swojej progenitury. Bardzo proszę!

– Pełnimy w społeczeństwie określone role, wynikające z naszej płci. Wszelkie próby uwolnienia się od ciążących na nas obowiązków muszą skończyć się niepowodzeniem, narażając buntownika na ośmieszenie.

– Jesteś stalinistą! – rozpromieniła się Nicole. – Właśnie dokonałeś samokrytyki, bo pełnisz funkcję, nie założyłeś rodziny, paradujesz w sukience! Jesteś ośmieszonym buntownikiem, zgodnie ze swoją własną definicją. Zrzuć sukienkę, ożeń się, załóż rodzinę, weź się za pracę, przynoszącą pożytek społeczeństwu i pozwalającą utrzymać siebie i bliskich. Wolisz niczego nie zmieniać, prawda? Rodzina bywa kłopotliwa, żarłoczna, wciąż czegoś potrzebuje, szacunku nie okazuje żadnego, no i mozolić się trzeba. Chodzić do pracy, znosić kaprysy zwierzchników, liczyć pieniądze, żeby starczyło do wypłaty, z obsługą kiepsko, bo żona też pędzi do pracy – z jednej pensji trudno wyżyć – i to zaśpi, to obiad przypali, to na kolację poda chleb ze smalcem...

Dulcis et decorum est paradować w koloratce, bo wszyscy się kłaniają, wypielęgnowaną dłonią kreślić znak krzyża, nosić się w atłasach, koronkach, aksamitach, trudzić się w zacisznym gabinecie nad wytwornie oprawionymi księgami, z dala od zrzędnej żony i wrzaskliwych bachorów, łaskawie przyjmować, elegancko podane, smakowite i pożywne posiłki. Potem można zwrócić się do ciemnego ludu i z ambony grzmieć na pijących babiarzy, którym obrzydły wiecznie brzemienne żony i na kobiety, bo mają dzieci po dziurki w nosie.

– Na chwilę chciałbym wrócić do sprawy antykoncepcji i przerywania ciąży. Czy nie pomyślałaś o tym, że nie tylko kobiety popełniają śmiertelny grzech, ale do swojego grzechu, do zbrodni, wciągają personel medyczny?

– Stosy, nic tylko stosy!, a na nich niechaj spłoną niepokorne, z natury grzeszne, wszeteczne, bezrozumne kobiety, wodzące mężczyzn na pokuszenie. Piękna wizja, godna Torquemady. Widzisz, lekarz zobowiązuje się do udzielenia pomocy każdemu, niezależnie od tego, czy potrzebujący jest jego przyjacielem, czy wrogiem, czy podziela jego poglądy, czy nie.

– Ciąża nie jest chorobą – wtrącił.

– Może nią być. Zdrowie to nie brak choroby, lecz stan pozwalający człowiekowi sprawnie funkcjonować w społeczeństwie. Niechciana ciąża zaburza funkcje psychiczne kobiety, a to już jest choroba, wymagająca leczenia, w którym na pierwszy plan wysuwa się usunięcie przyczyny. Nikt nie pyta strażaka, czy uważa za słuszne ratowanie z pożaru, nierzadko z narażeniem własnego życia, wielokrotnego mordercy, skazanego przestępcy. Żołnierz nie może odmówić wykonania rozkazu, bo godzi on w krewnego, przyjaciela, sąsiada. Skoro tak bardzo cię uwiera „zabijanie nienarodzonych", wytłumacz mi, dlaczego nie mierzi cię obecność duchownego przy wykonywaniu wyroków śmierci. Przecież to ewidentne morderstwo, któremu nie tylko, że ksiądz błogosławi, ale swoją obecnością na miejscu kaźni, legalizuje odbieranie życia. A co z kapelanami wojskowymi, błogosławiącymi zabijaniu, zabijanym i zabijającym. Przykazanie głosi: „nie zabijaj". Nie precyzuje, kogo nie należy zabijać. Mamy rok tysiąc dziewięćset sześćdziesiąty trzeci, za parę dni wkroczymy w sześćdziesiąty czwarty. Nie wiemy, jakie zmiany, udogodnienia, udoskonalenia, także w medycynie, dokonają się w przyszłości. Domyślać się można, że twoja instytucja będzie „przeciw" tak, jak przeciw szczepieniom ochronnym przeciw ospie i przeciw przetaczaniu krwi. Przeciw – dla zasady. Im człowiek biedniejszy, bardziej udręczony i uciemiężony, mniej wykształcony, tym podatniejszy na indoktrynację, zwłaszcza taką, która pokornym obiecuje niebo, a buntownikom grozi piekłem. Nie wierzę, aby poprawił się los kobiet dopóki nie umniejszy się roli Kościoła w życiu publicznym, bo to z Kościoła właśnie płyną lekceważenie i pogarda dla kobiet. Mimo odkryć i postępu w medycynie, wciąż wierzycie, że kobieta nic nie wnosi w dzieło stworzenia nowego człowieka. Tak jak rolnik, który rzuca w ziemię ziarno, z którego wyrośnie nowa roślina, tak mężczyzna wprowadza do kobiecego ciała nową istotę, która w kobiecie musi dojrzeć. Zniszczenie tego zasiewu jest zbrodnią przeciw pełnowartościowemu człowiekowi, którego domem było ciało mężczyzny – Boga. Bóg jest mężczyzną, czyż nie?

– Dochodzi dziewiąta! – wykrzyknął Mostowski. – Kierowca czeka od godziny. Miał przyjechać po mnie o ósmej – zerwał się z fotela. – Zapraszam, Nicole, podwieziemy cię.

– Mogę pójść pieszo, pojechać tramwajem, taksówką...

– Może pani u nas zanocować – wtrąciła pani Laskowska.

– Chodź, wkrótce się znowu spotkamy i trochę pokłócimy! – wykonał zachęcający gest.

– Gdzie spędzisz święta, Niki, chcieliśmy cię z żoną zaprosić.

– To bardzo miłe i wzruszające. Dziękuję. Muszę pojechać do domu. Nie mogę inaczej.

– Kiedy wracasz?

– Najpóźniej drugiego albo trzeciego.

– Zatem czekamy na panią w Trzech Króli – pani Laskowska musnęła jej rękę.

– Dziękuję bardzo. Życzę państwu zdrowych, spokojnych Świąt i udanego Nowego Roku.

Jechali w milczeniu przez ośnieżone, wyludnione ulice miasta.

– Najpierw podwieziemy panią – rzucił Mostowski kierowcy.

– Tak, Wasza Wielebność.

– Wesołych Świąt, panno Cléber – powiedział na pożegnanie.

– Dziękuję, nawzajem, Wasza Wielebność. Dobranoc.

*

Wyjechała na święta w ostatniej chwili. Celowo zwlekała. Jeszcze dwudziestego trzeciego odniosła tłumaczenie, około jedenastej stanęła w kolejce do sklepu cukierniczego w Rynku, tuż za Szewską i obładowana chlebkiem świętojańskim, krakuskami i wedlowskimi pałeczkami waflowymi powlokła się do nieprawdopodobnie zatłoczonego pociągu relacji Przemyśl – Szczecin. Stała w korytarzu na jednej nodze i wciąż przekładała bagaż z ręki do ręki. Gdzieś w okolicach Trzebini tak opadła z sił, że nieśmiało oparła pudełko „krakusków" na cudzej walizce. Zaraz została obsztorcowana przez eleganta w karmazynowym wdzianku.

– Zabierz pani ten śmieć z mojej walizki. Nie widać, że skóra?

– Przepraszam bardzo – natychmiast zdjęła kartonik. – Walizka, proszę pana, jest z tektury. Niemniej raz jeszcze przepraszam.

Wąsaty właściciel kuferka rozdarł się na cały wagon.

– Ludzie, słyszeliśta, co powiedziała ta chuda cipa?

Zaraz pojawiło się grono ekspertów, które poddało walizkę szczegółowym oględzinom.

– Skóra! – zawyrokował facet na dużej bańce.

– Tektura – upierali się inni.

– Skóra czy tektura – zawyrokował jegomość o aparycji Bułganina – dziewucha powinna patrzeć, gdzie stawia pudła.

– Proszę pana – głos Nicole lekko zadrżał – grzecznie tego pana przeprosiłam. Dziewuchą jest może pańska córka, biedaczka. Zaś walizka tego obrażonego dżentelmena nijakiego uszczerbku nie doznała, bo w pudełku są herbatniki „krakuski".

– Krakuski – pisnęły baby – gdzie pani kupiła „krakuski"?

– Wystałam w kolejce na krakowskim rynku.

– Bezczelna – syknął „Bułganin"

– Zamknij się dziadu – warknął chudzielec w płóciennym, spranym płaszczyku, z nędznym zarostem i wystającą grdyką. Te „piernole" są więcej warte niż ten sracki kuferek. – O! – wzniósł przedmiot dumy właściciela karmazynowego wdzianka – rogi obłażą i widać dyktę. – Gówno, nie skóra!

Już wjeżdżali na dworzec w Katowicach i kuferek zszedł na dalszy plan.

– Helmuth, *danke* – Nicole zwróciła się do chudzielca.

– Dobrze, że udawałaś, że się nie znamy. Pomogę ci dotrzeć na peron trzynasty – porwał bagaże i pognał w swoim cienkim palcie, objuczony jak muł. Odstawił pakunki do prawie pustego, podstawionego pociągu i pomógł jej wsiąść.

– *Frohe Weinachten*, Niki, *und ein Glückliches Neues Jahr* – wyszeptał i cmoknął ją w policzek.

– *Danke*, Helmuth, *macht's gut* odpowiedziała cichutko – *Steig lieber schnell aus, sonst fährst du mit.*[60]

Dotarła na miejsce po dziewiętnastej i ruszyła pieszo do domu. Było gdzieś minus trzy stopnie i prószył drobny śnieg. Nic spotkała po drodze zupełnie nikogo. Zmęczona i zziajana dopadła drzwi domu. Matka powitała ją nawet dość życzliwie.

– Już od rana ludzie przychodzą i pytają o chlebek świętojański, krakuski, kasztany, figi w marcepanie, czekolady smakowe – wymówka była wyraźna.

– Nie jestem studentką, pracuję i nie mogę porzucić pracy, żeby zaopatrywać znajomych w produkty na prowincji niedostępne. Mam oryginalne opakowania z ceną.

– Należy nam się marża za przywóz.

– Jeśli sobie życzysz, możesz naliczać marżę. Proszę tylko o zwrot tego, co wydałam.

Starała się ukryć drżenie brudnych rąk. Marzyła o filiżance ciepłej herbaty i kromce chleba z czymkolwiek.

Usiadła w skromnej, ale czystej kuchni, umeblowanej gratami sprzed pół wieku i z rozkoszą wchłonęła zapach świeżo zaparzonej herbaty i chleba z metką. Zaraz też zaczęli pojawiać się sąsiedzi, którzy wyczekiwali słodkich specjałów. Matka wszystko sprzedawała na sztuki i zadowolona inkasowała od uszczęśliwionych nabywców, którzy wcale Nicole nie zauważali.

Kult „cargo".[61]

Wykąpała się w ciemnej łazience, po omacku i padła znużona na miękkim posłaniu. Śniła o Włodku.

Obudziła się o świcie, gdy matka szykowała się na ranną zmianę.

– Ugotuj warzywa na sałatkę i utrzyj na tarce – poleciła matka.

– Nie lepiej drobno pokroić – zaproponowała nieśmiało.

– Ma być utarte! – rozkazała matka.

Nie znosiła utartych warzyw, wymieszanych z jabłkiem i majonezem. Przyprawiały ją o mdłości, bo do złudzenia przypominały rzygowiny. Jednak nie oponowała.

Wstała razem z matką, podała śniadanie i zdawkowo pocałowała w policzek na pożegnanie. Umyła warzywa, postawiła na ogniu i zabrała się do ścielenia łóżek. Kiedy kończyła sprzątać mieszkanie warzywa były miękkie. Odcedziła i zostawiła do wystygnięcia i pobiegła po zamówiony chleb na święta. Ustawiła się w dużej kolejce.

– Przyjechałaś na święta do mamy, prawda? – usłyszała za sobą.

– Profesorka podobno jesteś, w dużym mieście mieszkasz, ale jak głodno to do mamy – kobieta w jedwabnej chustce głośno komentowała jej obecność.

– Przede wszystkim nie jestem profesorką lecz asystentem, proszę pani, bo droga do profesury jest mozolna. Poza tym nie jestem głodna, ale obyczaj nakazuje spędzać święta w gronie rodzinnym. A jak się miewa pani córka, Lodzia?

– Moja Lodzia wydała się za mąż. – Ty pewnie jesteś starą panną?

– Moja Lodzia pracuje na kopalni, bo była świetnym matematykiem – kobieta rozpoczynała każde zdanie od „moja Lodzia". – Mąż „mojej Lodzi" pracuje w „pykaesach".

– Proszę pozdrowić ode mnie swoją córkę, miło ją wspominam, chociaż o jej matematycznych talentach słyszę po raz pierwszy. Razem zdawałyśmy maturę. Gratuluję jej zamążpójścia.

Odebrała chleb, grzecznie powiedziała „Wesołych Świąt" i wyszła ze sklepu, odprowadzana szeptami i ironicznymi parsknięciami śmiechu. Niosła swój bochen jak ofiarę pokładną.

Zabrała się za sałatę warzywną i tradycyjną makówkę i moczkę[62]. Pracowała pilnie i nieśpiesznie i myślała o swojej przyszłości.

Przytargała węgiel z piwnicy w dwóch pogiętych, ocynkowanych wiadrach i wodę ze studni, bo z powodu świąt i dużego poboru wody spadło ciśnienie w sieci i krany wydawały żałosne bzyczenie. Szybko umyła schody, wypolerowała poręcz i wyszorowała do połysku wspólną toaletę.

Matka wróciła krótko po dwunastej. W związku ze świętami, w Wigilię, kobiety mogły wyjść z pracy o dwie godziny wcześniej. Stała na środku kuchni podczas gdy matka sprawdzała, czy warzywa dobrze utarte, czy chleb na miejscu, czy węgiel przyniesiony, piernik namoczony. Później białą ścierką sprawdziła, czy wytarte kurze, wypolerowana poręcz, wyszorowane podłogi. Ściereczka była nieskazitelna.

– Masz szczęście – oznajmiła.

– Bo co? – Nicole nie wytrzymała. – Mogę wracać choćby zaraz.

Matka nie podjęła tematu.

Zjadły wigilijną wieczerzę we dwie i natychmiast wyruszyły w odwiedziny do sióstr Amalii.

Nicole czuła się niezręcznie. Ciotki nie kryły złego humoru i były wyraźnie niezadowolone. Nagle przypomniał jej się cytat: „*à cause de sa peau trop blanche, son teint blafard, ses cheveux filasse, ses yeux ciel de février elle était la tête de turc de la famille*".

Istotnie. Miała zbyt jasną skórę, bladą cerę, płowe włosy, oczy w kolorze lutowego nieba i była w rodzinie kozłem ofiarnym. Tylko, skąd pochodziło to zdanie? Nie mogła sobie przypomnieć. Amalia promieniała samozadowoleniem. Oto ona, pracująca, już jest po wieczerzy i zaszczyca odwiedzinami bałaganiarskie, niezorganizowane siostry, które mimo że nie pracują, nie potrafią przygotować wigilijnej wieczerzy o przyzwoitej porze. Ani się nie zająknęła, że sama ograniczała się do wydawania poleceń i narzekania, całą zaś pracę wykonała młoda, sprawna córka, mocująca się z najprzeróżniejszymi obowiązkami od piątej rano.

W powietrzu wisiała awantura. Jak długo można słuchać przechwałek i autoreklamy, gdy karpie się przypalają, ziemniaki prawie rozgotowane, a pod drzwiami skomli pies i chce koniecznie wyjść? Wreszcie jedna z ciotek nie wytrzymała.

– A ty co? – zwróciła się do Nicole. – Nie umiesz przyjść i spytać ciotki, czy czegoś nie potrzebują?

Rodzonej siostry atakować w święta nie wypada, można się za to wyładować na niesympatycznej, nielubianej, bo przemądrzałej siostrzenicy.

– Męża sobie znajdź i dziećmi się zajmij! – syczała ciotka, bo karp był spalony na węgiel.

– Wesołych Świąt i Szczęśliwego Nowego Roku – wyrecytowała Nicole na stojąco.

– Natychmiast wracaj – warknęła matka – bo pożałujesz.

– Już żałuję – zamknęła cicho drzwi i wyszła sama w ciemną, wilgotną noc.

Szła wolno przez opustoszałe miasteczko. W oknach świeciły się światła, płonęły świeczki na choinkach, ludzie siedzieli przy stołach i śpiewali kolędy. Na ulicach nie było zupełnie nikogo. Skądś przyplątał się kudłaty pies i dreptał obok niej, jakby zadowolony, że znalazł towarzystwo. Raz po raz spoglądał jej w oczy i przyjaźnie machał ogonem. Umyślnie wybrała okrężną drogę, żeby napaść oczy cudzą radością. Psisko otarło grzbiet o jej nogi, więc pochyliła się i podrapała go delikatnie za uchem. Zrewanżował się miłosnym liźnięciem. Dotarła wreszcie do domu. Pod kuchnią węglową została odrobina żaru. Rozniciła ogień kilku szczapkami drewna i dorzuciła węgla. Zaparzyła sobie kubek herbaty, zgasiła światło, usiadła na stołeczku przy piecu i popijała herbatę, wpatrując się w ogień. Było tak cicho, że tykanie zegara brzmiało, jak wystrzały z dziecięcej pukawki. Wigilia. Obyczaj nakazuje ustawić dodatkowe nakrycie dla niespodziewanego gościa. Ciekawe, jak zareagowaliby ci miłośnicy tradycji, gdyby tak zapukała i wprosiła się na wieczerzę. Nie była głodna. Swoje zjadła i na poczęstunek nie czekała. Pragnęła ciepła, życzliwości, uśmiechu. Roześmiała się i aż drgnęła na dźwięk własnego głosu. Rzeczywiście cicha noc, ale czy święta... Może lepiej było zostać w Krakowie i spędzić święta z Laskowskimi? Po co było się telepać taki kawał drogi?

Około dwudziestej pierwszej wróciła rozwścieczona matka, którą musiał odprowadzić zięć siostry. Zaczęła się rozbierać, ciskając części garderoby na krzesła i łóżko.

– Sprzątnij – warknęła.

Zrozumiała, że święta ma z głowy. Mama postanowiła zastosować scenariusz „cichej mszy" – nie odzywać się przez całe święta, jak tylko po to, by rozkazać: sprzątnij, idioto; umyj, kretynie; nakryj do stołu, bałwanie. Telewizora nie miały. Było tylko radio „Sonatina", ale nie było wolno włączyć, bo irytowało mamę. Zaczęła się zastanawiać, czy nie wyjechać choćby natychmiast. Dochodziła już jedenasta w nocy i o tej porze pociągi nie kursowały. W pierwsze święto transport publiczny działał w ograniczonym zakresie, w drugie święto też niewiele lepiej. Dwudziestego siódmego mogła już wracać.

Położyła się spać, odprowadzona gromkim:

– Dobranoc się mówi, chamie, parszywa dziwko!

Leżała na wznak nie mogąc zasnąć. Wodziła wzrokiem po biednych, starych meblach, stoczonych przez korniki, bezużytecznych książkach, lekturach z czasów szkolnych. Przez okno w narożniku wpadało światło ulicznej latarni. Jeśli chciałaby wyjść za mąż, musiałaby się wprowadzić z powrotem do tego mieszkania, bo innego nie miała. Przydział mieszkania opiewał na matkę i córkę. Może udałoby się wynająć jakiś kąt, chociaż gospodarka mieszkaniami była tak rygorystyczna... Pośród tych ponurych rozważań zasnęła sama nie wiedząc, kiedy.

Obudziło ją głośne stukanie naczyniami, walenie garami, szum wody w łazience. Wstała, umyła się, ubrała, zainkasowała parę idiotów, imbecyli, kretynów, śmieci, pomogła przygotować śniadanie, a potem obiad, nieustannie słuchając wściekłego tłuczenia naczyniami i wyzwisk. Tak minęło pierwsze święto.

W drugie święto było nieco ciszej, bo matka się chyba trochę zmęczyła, no i repertuar inwektyw się wyczerpał, za to zaczęła chorować i umierać. Przez cały dzień chodziła w szlafroku i aż dziw, że nie poszła w nim do kościoła. Z powodów dla Nicole niezrozumiałych, matka uważała, że w swoim satynowym szlafroku w olbrzymie kwiaty, sutym, do ziemi, wygląda niezwykle nobliwie i elegancko. Nie było sposobu na wytłumaczenie, że przyjmowanie gości w szlafroku jest niestosowne. Matka podobała się sobie w szlafroku i żadne argumenty nie skutkowały.

Właśnie zasiadła z książką, oparta plecami o kaflowy piec, gdy rozległo się pukanie do drzwi. Przyszedł Włodek.

Kolana się pod nią ugięły. Tylko jego brakowało.

– Dobry wieczór. Cześć.

– Ależ, proszę bardzo – matka odmieniona, radosna, pogodna, uśmiechnięta, wierciła się po mieszkaniu, umiejętnie nadając sypialnianemu strojowi powabnej zamaszystości. – Pozwoli pan ciasta, kawy czy herbaty? Nicole rusz że się, dziewczyno – upomniała ją dobrodusznie, wpijając się wzrokiem pełnym wściekłości w osowiałą córkę.

– Chciałem prosić panią o chwilę rozmowy – Amalia przyłożyła dłoń do piersi i spąsowiała. – Pragnę poślubić Nicole i ośmielam się prosić o jej rękę.

– Proszę pana… – matka coś tam bąkała. – Nicole jest dorosła, choć moim zdaniem zbyt młoda.

– Mam prawie dwadzieścia cztery lata. Włodek prosi o moją rękę, bo tak wypada. Niczyja zgoda nie jest mi potrzebna. – Mogłeś się zrujnować na kwiatek – dorzuciła w myślach.

– A cóż na to pańska matka? – Amalia uśmiechnęła się wdzięcznie.

– Nie wie, że poszedłem się oświadczyć. Chciałem najpierw porozmawiać z paniami. – Matka złoży pani stosowną wizytę, jeśli pani pozwoli.

Potem siedzieli przy stole, sztucznie się szczerzyli i opowiadali sobie nieśmieszne historie. Wkrótce Włodek się wyniósł, pytając, czy może nazajutrz przyjść z wizytą. Kiedy zostały same, matczyna złość ustąpiła miejsca wścibstwu i upodobaniu do plotek. A wiedziałaś?, a kiedy?, a gdzie?, a czy ze sobą sypiacie?

– Tak. Gdy ja mówię, on zasypia i odwrotnie. Sypiamy nie tyle ze sobą, co obok siebie.

Matka krążyła po mieszkaniu, jak lew w klatce i prowadziła niekończące się monologi, głośno rozmyślała o ślubie, przyjęciu, matce Włodka. Nicole oparta o piec czuła, jak powieki jej opadają i zaczyna śnić o Paryżu i pani Litman.

– Nie śpij, gdy do ciebie mówię – zagrzmiała matka.

– Przepraszam. Myślałam, że mówisz do siebie.

– Bo tak jest. Nie wtrącaj się.

Chciała wyjechać dwudziestego siódmego, ale zorientowała się, że nic z tego, bo matka, bo Włodek... Drugiego stycznia nikt jej nie powstrzyma. Przede wszystkim obiecała, że stawi się w Katedrze, a ponadto w Trzech Króli była zaproszona do Laskowskich. Powinna kupić kwiaty, może na Karmelickiej?

– Nicole! – matka aż spurpurowiała od wrzasku. – Co się z tobą dzieje?

– Zamyśliłam się, przepraszam. Nie co dzień ktoś prosi o moją rękę.

– No tak, no tak.

*

To co się działo drugiego stycznia w pociągu Szczecin – Przemyśl nie da się opisać. Nicole stała pomiędzy drzwiami do wagonu i drzwiami do zapchanej toalety, z której wylewała się gęsta, cuchnąca maź i pokonując próg, torowała sobie drogę pomiędzy podeszwami butów pasażerów i stojącymi na podłodze walizkami. Podróżni, udręczeni, trzymali walizki w rękach. Nicole miała tylko ceratową, niebieską torbę i za bardzo się nie męczyła, ale to stanie w gównie działało jej na nerwy. Pociąg wtaczał się na dworzec kolejowy w Krakowie. Maszynista, chyba świadom sytuacji, zatrzymał się daleko od peronów i pasażerowie wysiadali prosto na tory, ponaglani przez zdenerwowanych SOK-istów, a potem, potykając się i przewracając, brnęli, obładowani, pośród plątaniny torów. – Chodzić po podkładach! – wrzeszczeli mundurowi – nie po szynach. Z trudem dotarli na perony Dworca Głównego, nagabywani przez czekający tłum.

– Co się stało? – pytali.

– Nic, proszę państwa – odpowiadała Nicole małżeństwu z dwójką zaspanych dzieci. – Po prostu zrobiliśmy wam miejsce, żeby uniknąć natłoku. Pociąg przyjechał bardzo przepełniony i część pasażerów, stojących na korytarzu, już wysiadła.

– Mamusiu, co tak śmierdzi? – spytało jedno z dzieci.

– Toalety są zapchane i korytarze są powalane, dziecko.

Oddaliła się w kierunku kopczyka śniegu i bardzo długo czyściła buty. Mimo to, gdy wsiadła do autobusu sto czternaście, ktoś zauważył: zalatuje gównem.

– To ja – przyznała się Nicole – przyjechałam pociągiem relacji Szczecin – Przemyśl w wagonie z uszkodzoną toaletą.

Zaraz też odezwał się pulchny jegomość i rzecze do sąsiada:

– Panie, znam to! Uważasz pan, podczas wojny pocisk trafił w latrynę. Przez tydzień nie mogliśmy wysłać żadnego zwiadowcy. Smród go zdradzał.

Nicole wysiadła na przystanku przy Wyższej Szkole Rolniczej, popularnym WYSROL-u i poczłapała dalej pieszo, starając się brnąć w śniegu, aby usunąć resztki odoru.

W pokoju panował straszny ziąb. Zagrzała wodę w kuchence, żeby wlać do umywalki i umyć się po podróży. W tej same wodzie uprała pończochy, a potem umyła buty. Wreszcie wypuściła wodę i wyszorowała umywalkę proszkiem własnej produkcji: łyżka piasku, ukradzionego w Parku Jordana, łyżka sody, ukradzionej przez matkę w pracy i łyżka chloru, kupowanego w małych, szarogranatowych pudełkach. W wyszorowanej umywalce wypłukała pończochy i powiesiła na sznurku, rozciągniętym pomiędzy oknem i wywietrznikiem. Zagotowała wodę w garnuszku i zaparzyła herbatę – plujkę, rozpakowała pokrojone kromki chleba i cieniutko obłożyła boczkiem i cebulą. Skórkę z boczku położyła na butach. Niech lepiej zajeżdżają wędzonym niż chlorem lub gównem.

Wtuliła się w nieświeżą pościel – zmiana raz w miesiącu, a właśnie skończył się grudzień i trzeba czekać do końca stycznia – i przykryła się wszystkim, co miała, na sam wierzch kładąc ciemnogranatowy płaszcz, żeby nie oblazł strzępkami pościeli. Zasnęła natychmiast. Zbudziła się około siódmej. Zaścieliła łóżko, wyszczotkowała starannie płaszcz, odczyściła buty, sprzątnęła pokój, umyła się w lodowatej wodzie, założyła wilgotne pończochy, ubrała się i ruszyła na śniadanie do baru mlecznego na rogu Czystej, bo stołówka, z powodu ferii zimowych, była jeszcze nieczynna.

W Katedrze nie było nikogo i panowało dotkliwe zimno. Na szczęście dozorca przygotował parę szczap i wiadro węgla, więc rozpaliła ogień i zabrała się do pracy, nie zdejmując płaszcza. Około południa zjawiła się pani Kierownik Katedry. Była wyraźnie zadowolona, że Katedra jest czynna. Pracowała do popołudnia, a potem wybrała się na obiad do „Kapusty". Parę dni spędzonych w domu pozwoliło zaoszczędzić na jedzeniu. Po obiedzie wróciła do pracy i ukradkiem robiła tłumaczenia aż do wieczora, bo nie pojawił się ani jeden student. Około osiemnastej sprawdziła wszystkie zamki, okna, piec, zamknęła drzwi na klucz i poszła do baru na Siennej na gigantyczną porcję kaszy ze skwarkami. Po powrocie do domu, podczas wieczornej toalety, zauważyła olbrzymie, żywoczerwone, piekące obręcze na udach, od mokrych pończoch. Posmarowała żółtą, cuchnącą, za to tanią wazeliną i zabrała się do przygotowywania bladoniebieskiego kostiumu i bluzki w niebieski wzorek na wizytę u Laskowskich.

Szóstego, w drodze do pracy, zamówiła na Karmelickiej wiktoriański bukiet.

– To znaczy, jaki? – spytała z godnością kwiaciarka.

– Taki! – pokazała obrazek, dumna z tego, że była przewidująca i wkalkulowała ignorancję sprzedawczyni.

Kobieta długo wpatrywała się w obrazek i wreszcie wybąkała:

– Jak się toto nazywa?

– Bukiet wiktoriański!

– Gdzie można kupić coś takiego? – wskazała na cienką broszurkę w błyszczącej okładce, na kredowym papierze.

– Nie wiem, proszę pani. Prawdopodobnie nigdzie. Dostałam ją za darmo w paryskiej kwiaciarni.

– Pani pożyczy na chwilkę. Oddam jak pani będzie odbierała bukiet. Odpiszę sobie.

– Proszę!

– Dziękuję bardzo. Odliczę od ceny. Wystawię kilka takich bukietów i napiszę nazwę. Ludzie się usr..., to znaczy będą zdziwieni.

Bukiet kosztował całe trzydzieści złotych, z upustem. Pani Laskowska była zachwycona i wstawiła go z ogromnym wyczuciem, w ciemnobłękitny, stylowy wazon. Każdy, kto przychodził wykrzykiwał: – ale cudo!

Wstydziła się swojej głupawej próżności, lecz pękała z dumy.

Oprócz Laskowskich, byli Wesołowscy, nieznany ciemnowłosy mężczyzna i chuda, pożółkła dama, nałogowa palaczka. Kiedy wszyscy już siedzieli przy stole wkroczył Mostowski we własnej osobie. Każdy, oczywiście, musiał wstać, żeby przywitać dostojnego gościa. Paniom opadły pończochy i podeszły wyżej paski do pończoch, biustonosze też nie próżnowały, panowie przytrzymywali serwetki na wysokości penisów.

– Nicole – westchnął uśmiechnięty Mostowski – znowu się spotykamy.

– Ale *entrée*, to z jakieś sztuki, czy improwizacja?

Mostowski parsknął śmiechem, wziął rozmach i pobłogosławił stół z potrawami. Biesiadnicy przeżegnali się nabożnie.

– No i teraz się pozatruwamy – szepnęła Nicole do siedzącego obok Staszka Wesołowskiego.

Pokraśniał ze śmiechu i powtórzył szeptem żonie. Rozbawienie nie uszło uwadze Mostowskiego, który spojrzał Nicole prosto w oczy, najwyraźniej próbując ją onieśmielić. Wytrzymała jego spojrzenie. Prudencjana–Sarah nauczyła ją patrzeć bez mrugania i przekonała się, że ta prosta technika bywa nadzwyczaj skuteczna.

Słuchała uważnie opowieści o chodzeniu z gwiazdą, z Herodem i dowiedziała się, że wszyscy prócz niej, byli tego dnia na mszy.

– Czy istnieje jakiś kościół pod wezwaniem Trzech Króli? – spytała nałogowa palaczka.

– A to oni byli święci? – Staszek znieruchomiał z kieliszkiem wina w ręku.

– Na cudach w każdym razie się znali, bo w Polsce są Trzema Królami, bardziej zbuntowani nazywają ich Mędrcami ze Wschodu – proszę zauważyć, że ze wschodu, nie z zachodu, „Lux ex Oriente, ex Occidente luksus", zaś po hiszpańsku są po prostu „los Reyes Magos" – Królami-Magami. Zasłużyli sobie na świętość, bo co się chłopy natrudziły, to ich – Nicole drobnymi kawałeczkami zajadała się smakowitym szczupakiem.

– Wciąż jednak nie wiem, czy są świętymi, czy nie są – ciemnowłosy nieznajomy nie krył irytacji. Znacie kogoś, kto by się nazywał Baltazar?

– Znam Melchiora Wańkowicza – wybąkał Laskowski.

– Imię Kacperek jest popularne – poparła go żona.

– Znałam pewnego bardzo upartego Baltazara – westchnęła Nicole.

– Żartujesz! – Laskowski przechylił się przez stół. – Biedne dziecko!

– Jakie znowu dziecko, to był osioł! Jeździliśmy na nim, kiedy akurat nie popadał w katatonię. Najpierw nieruchomiał w osłupieniu, by nieoczekiwanie zerwać się do szalonego biegu.

– Wspaniała katedra w Kolonii posiada relikwie Trzech Króli i kaplica im jest poświęcona – Mostowski odezwał się z namaszczeniem.

Nieznajomy ze zdziwienia szeroko otworzył oczy:

– To kawał?

– Dlaczegóżby kawał? – święty mąż dołożył sobie sałatki.

– Skąd wiedzą, że to relikwie trzech facetów, o których się mawia, że byli królami, mędrcami, magami…?

– Houdini zweryfikował – mruknęła Nicole.

– Znak z nieba – uśmiechnął się Mostowski z politowaniem nad głupotą swoich rozmówców.

– Nicole, Ludwiku, proszę! – Laskowski spojrzał błagalnie.

Poczuła sympatię do nieznajomego sceptyka.

Po kolacji przeszli do salonu. Panowie rozsiedli się wokół okrągłego stolika, panie usiadły na wygodnej kanapie.

– Zapaliłabym! – jęknęła palaczka.

– Proszę zapalić! – zachęciła Nicole. – Papieros tłumi zapach kadzidła.

Kobiety zachichotały.

– Oni palą, my też możemy – Ludmiła przyjrzała się mężczyznom – chociaż nie, nie palą!

– Mają faje, ale nie nabite – rzuciła palaczka na głodzie.

Wszystkie cztery popłakały się ze śmiechu. Ludmiła wybiegła do toalety.

– Śmieją się, aż się posikały – zauważył po cichu Wesołowski.

– Daję głowę, że z nas.

Wracała z Wesołowskimi, którzy odprowadzili ja pod sam dom.

– U Laskowskich zawsze jest miło, chociaż pani domu wydaje się być osobą wyciszoną, żyjącą w cieniu sławnego męża – Ludmiła pochyliła się w stronę Nicole. – Za Mostowskim nie przepadam.

– To człowiek niezwykle ambitny, pewny siebie, arogancki i bez skrupułów pod pozorami delikatności i łagodności. Nie chciałabym go o nic prosić. Mam wrażenie, że odmowa sprawiłaby mu satysfakcję. Litości w nim nie ma, w przeciwieństwie do Adama – Nicole brnęła przez dość głęboki śnieg w płaskich butach i dostała zadyszki. – Przystańmy na momencik, dobrze?

– Łatwo się męczysz, czy dobrze się czujesz? – Staszek z Ludmiłą przyglądali się jej uważnie.

– Wyjeżdżam z Krakowa. Wracam na Śląsk i wychodzę za mąż. Bardzo żałuję, ale dłużej tu nie wytrzymam. Mieszkam i odżywiam się jak kloszard. Załatwiam formalności, związane z zatrudnieniem w liceum.

– Zginiesz na prowincji – szepnęła Ludmiła.

– Tutaj też. Mogłabym się zakotwiczyć w Paryżu, ale co z matką?

– Dziękuję za odprowadzenie. Dobranoc.

*

W Kuratorium Oświaty przyjęto ją bardzo życzliwie. Natychmiast uzyskała zapewnienie, że może liczyć na etat nauczyciela we wskazanej miejscowości, a nawet dodatkowy kontrakt w liceum w stolicy powiatu, gdzie brakuje nauczycieli języków obcych. Wracała do Krakowa z mieszanymi uczuciami. Z jednej strony cieszyło ją, że zdołała załatwić swoją sprawę za pierwszym podejściem, bez potrzeby szukania poparcia czy protekcji. Koleżanki opowiadały o trudnościach ze znalezieniem pracy, o „tymczasowych angażach", niekorzystnych kontraktach. Z drugiej zaś uświadamiała sobie, że oto zrywa więzi z uczelnią, miastem i że jest to zerwanie ostateczne. Odtąd zamieszka na prowincji, która rządzi się własnymi prawami i którym trzeba się bezwarunkowo podporządkować, bo odwrotu nie będzie. Trochę się bała.

Katedra nie była wprawdzie zbyt przyjazna. Młodzi pracownicy naukowi traktowali ją dość niechętnie, bo żaden z nich nie zdołał załatwić sobie tylu i tak pracowitych pobytów za granicą. Czekali na stypendia i nie chcieli wyjeżdżać do pracy, uważając, że wykonywanie prostych zajęć musi przynieść ujmę komuś, kto jest asystentem na uczelni. Jakoś nie rozumieli, że wiedza, biegłość, doskonalenie zawodowe wymagają ofiar i nie ma znaczenia, co będą robili przez kilka tygodni, jeśli tylko osiągną upragniony cel. Bali się pohańbienia przez wykonywanie „niegodnych" zajęć.

Doświadczeni naukowcy wciąż zerkali na boki, jakby czekali na śmiałka, który wysadzi ich z siodła. Nie dzielili się swoją wiedzą i doświadczeniem. Przeciwnie. Czekali na potknięcia z nieskrywaną satysfakcją i wiarą, że niedoskonałość młodych umocni ich autorytet. Wszyscy w pracy widzieli, że boryka się z trudnościami finansowymi i mieszkaniowymi. Nikt nie pomógł, nie wsparł, za to chętnie utrudniał próby poradzenia sobie, chociażby nie wydając pozwolenia na dodatkowe zatrudnienie.

Tymczasem milczała i nie opowiadała o swoim zamiarze odejścia z uczelni. Przesiadywała w Katedrze i chętnie pomagała studentom, którzy mozolili się nad zrozumieniem tekstu.

– Miłosierna Samarytanka – szydziła urodziwa choć mocno niedouczona pani adiunkt. – Mąąądra, uczona, dooobra!

– Chciałabym, aby nasi studenci byli ode mnie lepsi – odpowiadała spokojnie.

– Żeby szybciej pani wyleciała? – parsknęła.

– Żeby podnieść prestiż uczelni!

– Cóż za dalekosiężne plany! – kierownik Katedry odezwała się dość nieoczekiwanie.

– Myślałam, że to wspólne plany całego zespołu. Stworzenie nowej kadry dobrze wykształconej, ambitnej, konkurencyjnej, z którą będą się liczyły inne uczelnie.

– Dość naiwne, gdy samemu nie ma się dachu nad głową – pani docent nie odrywała wzroku od notatek.

– Na tym właśnie polega dramat. Bez dachu nad głową, trudno doskonalić się w zawodzie. I o to pewnie chodzi. Ostatecznie zniechęcić tych ambitniejszych, żeby móc dalej dyktować na wykładach całe fragmenty podręczników, które we Francji na przykład, można kupić w każdej księgarni.

Pani adiunkt spłonęła rumieńcem i zerwała się ze zniszczonego krzesła z oparciami pod łokcie:

– Jak pani śmie!

– Co takiego?

– Szkalować pracowników Katedry!

– A kogo, przepraszam?

Zapadła krępująca cisza. Chłopczykowaty asystent zarumienił się jak panienka, a cierpiąca na ozenę, nieśmiała pani asystent, siąkała nosem. Nicole lekko zemdliło. Na szczęście przyszło dwóch studentów, którzy nie rozumieli fragmentu Zoli.

Wyszła jako ostatnia i oddała klucz dozorcy. Wróciła do swojej lodowatej klitki i ciężko usiadła na łóżku z listem Włodka w ręku.

Rozdarła kopertę i wyjęła maleńki arkusik.

Włodek donosił, że miał ciężką przeprawę z rodzicami, ale sobie poradził, że jego mama odwiedzi panią Amalię i że ma stypendium fundowane z zakładu niedaleko domu, tylko że na obrączki mu nie starczy, ani na ślub, ani na wesele i w ogóle jest w złym nastroju.

Wyrwała kartkę z zeszytu i nagryzmoliła:

– Byle ci starczyło na kondomy!

Zaadresowała kopertę i już miała nakleić znaczek, gdy się zawahała. Podarła kartkę. Zdjęła płaszcz, umyła ręce i zeszła na kolację. Zjadła smaczne placuszki z gotowanych ziemniaków z sosem grzybowym. Wróciła do pokoju, zagrzała wodę, umyła się, zrobiła małą przepierkę i zasiadła do tłumaczenia. Około wpół do trzeciej nad ranem przerwała tłumaczenie i napisała krótki, ostrożny list do Włodka, w którym zapewniała, że zdąży odłożyć nieco pieniędzy dzięki tłumaczeniom, więc może nie będzie tak źle. Położyła się do lodowatego wyrka i natychmiast zapadła w niespokojny, pełen koszmarów sen.

Obudziła się z potężnym bólem głowy. Szybko zaścieliła łóżko, sprzątnęła pokój, umyła się i ubrała i poszła na śniadanie, zostawiając szeroko otwarte okno. Zapach pleśni i stęchlizny wiercił w nosie.

Na ćwiczeniach zabrakło miejsc siedzących. Przyniosła kilka numerów Paris – Match, które rozdała do obejrzenia i poprowadziła ćwiczenia na temat produkcji szampana, w oparciu o ciekawy artykuł z popularnego pisma Science et Vie. Podczas przerwy doszło jeszcze kilka osób. Po ćwiczeniach pobiegła na dwie godzinki do Jagiellonki, a potem szybciutko na obiad. Dobiegła do okienka na trzy minuty przed zamknięciem. Przełknęła zimną zupę, zbrylone, lodowate ziemniaki z kapustą, skropione brunatną breją i próbowała uporać się z kawałkiem mięsa wielkości pudełka zapałek, który okazał się kością.

Po południu powlokła się do Katedry, gdzie powitało ją kilku studentów zsiniałych z zimna i złowrogie milczenie współpracowników.

– Proszę państwa – zwróciła się do studentów – zapraszam do czytelni. Proszę trochę poskakać i potupać, żeby zabić mróz, bo tam nie ma ogrzewania.

Mimo dotkliwego zimna, zajęcia były ciekawe i trochę się przedłużyły. Pani docent zajrzała do sali i położyła klucze na stole.

– Jak państwo skończą, proszę oddać wszystkie klucze dozorcy. Nie zimno państwu? – spytała bez sensu.

W połowie marca Nicole otrzymała oficjalne pismo z Kuratorium, w którym powiadamiano ją, że od nowego roku szkolnego zostanie zatrudniona na pełnym etacie, jako nauczyciel języków obcych. Natychmiast napisała do Włodka i złożyła wymówienie w rektoracie. Nie mogła sobie odmówić przyjemności podkreślenia, że do rezygnacji z pracy naukowej zmusiły ją niskie zarobki i katastrofalne warunki mieszkaniowe.

W Katedrze zaraz poprawiły się nastroje. Wreszcie skończą się uciążliwe wizyty studentów, będzie można znowu wygłaszać długie i nudne wykłady, bez obawy, że któryś maruda zada kłopotliwe pytanie, wrócą do użytku podręczniki sprzed drugiej wojny światowej, nastanie upragniony spokój.

Nicole przyjęła kilku uczniów, którym udzielała korepetycji. Rozpoczynała dzień pracy o siódmej i kończyła o trzeciej w nocy. Zrezygnowała z obiadów i kolacji, jadała tylko śniadania i obładowana suchym chlebem, którego pełny kosz leżał przy stołówkowym okienku, biegła na zajęcia. W chwilach głodu smarowała kromki musztardą majonezową i wcinała z apetytem.

Matka Włodka złożyła obiecaną wizytę matce Nicole. O rękę panny jednak nie prosiła. Zaproponowała, że przymknie oko na nieformalny związek, bo Nicole nie wydaje się być odpowiednią kandydatką. „Niech sobie ze sobą przebywają, skoro chcą, po cichu i dyskretnie, aby nikt nie gadał, ale po co zaraz się żenić" – wyjaśniała.

Tego Amalii było za wiele.

– Chciałaby pani, aby moja córka zaspokajała łóżkowe potrzeby Pani syna? – zagrzmiała. – A co na to pani idol, ksiądz proboszcz?

Mało brakowało, a panie nakładłyby sobie po buziach.

Ustalili z Włodkiem, że pobiorą się w kwietniu i wezmą tylko ślub cywilny.

Grätzowie zażądali ślubu kościelnego. Nie pytali o stroje, obrączki, koszt uroczystości, ani o przyjęcie. Zauważyli jedynie, że za podróż do Krakowa i z powrotem będzie musiała zapłacić panna młoda, bo „właśnie wydajemy za mąż najstarszą córkę i takich wydatków nie udźwigniemy".

– Lidka jest wprawdzie młodsza od Włodka i ode mnie, dziecka się nie spodziewa, ale skoro nadarza się okazja do pozbycia się z domu dziewuchy, to kawalera nie należy zniechęcać – kwaśno skomentowała Nicole.

Mierziły ją grymasy przyszłych teściów. Była „dobrze urodzona", nosiła piękne nazwisko, miała zawód i dyplom ukończenia studiów wyższych w kieszeni, zapewnioną pracę, nie była kaleką ani nie spodziewała się dziecka. Narzeczony wnosił w posagu trzy siostry, niepracującą matkę i tatusia z parciem na szkło.

Gdy stanęli z Włodkiem przed ołtarzem, z głodu zakręciło jej się w głowie, co wywołało porozumiewawcze potakiwania. Uzbierała na ślubną sukienkę, buty, kwiaty, obrączki ślubne, opłaty za uroczystości, bilety kolejowe dla wszystkich gości pana młodego, którzy zwalili się na ślub do Krakowa i na przyjęcie w Jamie Michalikowej.

W czerwcu złożyła kilka pożegnalnych wizyt. Wyglądała jak cień, a odzież na wieszaku prezentowałby się lepiej. Pani Laskowska spytała z uśmieszkiem, czy jest w ciąży. Laskowski i Mostowski zamienili się w słuch.

– Nie, proszę pani, nie jestem i długo nie będę. Po prostu zwracam długi, stąd mój kwitnący wygląd – odparła chłodno. – Na czymś muszę oszczędzać i prócz jedzenia nic nie zostało.

– Gdzie pani zamieszka z mężem? – dociekał Mostowski.

– W mieszkaniu, w którym jestem zameldowana na stałe wraz z matką, w jednym pokoju z kuchnią.

– Kiedy pojawi się dziecina, będzie niewygodnie – drążył.

– Już powiedziałam, że obecności dziecka nie przewiduję – Nicole z trudem tłumiła irytację.

Mężczyźni się roześmiali.

– Nie sama będziesz o tym decydowała – pouczyła ją pani Laskowska.

– Owszem sama, tylko ja sama.

Wstała, otworzyła torebkę, podklejoną plastrem i wyjęła kopertę.

– Chciałam zwrócić dług sprzed trzech lat – położyła kopertę przed Laskowskim.

– Ależ Nicole! – żachnął się szczerze lub nieszczerze oburzony.

– Nie lubię długów.

– Masz do nas wszystkich żal – stał ze spuszczonym wzrokiem. – Uważasz, że powinniśmy byli ci pomóc.

– Tak!, chociaż to już bez znaczenia. Będziecie musieli z tym żyć. Oby długo. Ja też. Wciąż będę o tym pamiętała.

– Jest pani rozgoryczona – Mostowski też wstał.

– Nie, zbrzydzona, czuje odrazę. Żegnam.

– Nicole, nigdy się nawet nie zająknęłaś – Laskowski próbował coś wyjaśnić.

– Po co, przecież cudownym losu zrządzeniem doskonale wiedziałeś. Przed chwilą sam o to pytałeś. Napiszesz jakieś chwytające za serce dzieło, które cię unieśmiertelni. O mnie wszyscy zapomną. Ot, anonimowa ofiara, po prostu.

Zdarza się wielkim humanistom, że nie zauważą drobiazgów – uśmiechnęła się smutno. – Sytuacje bez wyjścia trafiają się wszystkim, nie tylko ubogim asystentom. Jeszcze sam zakosztujesz bezsilności, Adamie. – Ukłoniła się i wyszła.

W czerwcowym słońcu ulice wydawały się radosne i promienne, jak gdyby sobie kpiły z jej goryczy i cierpienia. Usiadła na ławeczce, bo nagle źle się poczuła. Takie duże, zamożne miasto i nie znalazł się w nim kąt dla samotnej dziewczyny. Znała tyle bogatych ludzi, dla których pracowała szybko, tanio i sprawnie! Wstała z ociąganiem, otrzepała dyskretnie spódnicę i ruszyła do akademika po spakowaną walizkę. Włodek nie mógł przyjechać, bo przygotowywał się do egzaminu i był podenerwowany.

Wracała tam, skąd przyszła. Wspominała lata studenckie – godziny spędzane w bibliotekach, radość jaką sprawiały tłumaczenia, płynnie spływające, bez wysiłku, spod pióra, wesołe momenty w gronie koleżanek, które z dnia na dzień zniknęły, by się więcej nie pojawić. Starała się odpędzić wspomnienia o pani Litman i Paryżu. Czuła narastający ból za mostkiem, który ściskał gardło i paraliżował rękę. Włodek, ślub, wesele i nabzdyczona rodzina męża, która o wydatki nawet nie spytała. Złota obrączka luźno obracała się na chudym palcu. Żadnego upominku, prezentu, kwiatów. Zupełnie nic. Nawet życzeń nikt nie złożył. Przeszła przez skromną salkę Urzędu Stanu Cywilnego, a potem przemknęła w deszczowy dzień, w rypsowej prostej sukience, w butach na plastikowej podeszwie, przez nieciekawy kościół. Coś tam wymamrotała pod nosem i wyszła na deszcz, uczepiona ramienia trochę zakłopotanego, a może znudzonego mężczyzny, który odtąd był jej mężem, chociaż w nowej roli czuł się wyraźnie źle. W mieszkaniu koleżanki ściągnęła białą, ślubną sukienkę i wskoczyła w prastary kostiumik, nabyty na krakowskich ciuchach. Upchnęła białe byle co do tekturowej walizki, która nie wytrzymała próby wody i zaplamiła ślubną sukienkę w sposób niemożliwy do odratowania. Nie zrobili ślubnych zdjęć, z oszczędności, i jeszcze trochę a zapomni, jak wyglądali oboje tego dnia.

Teraz liczyły się egzaminy Włodka, nerwy Włodka, rodzice Włodka, humor Włodka, praca Włodka. Była dodatkiem do Włodka. Już się nie liczyła, chyba że przez dziewięć miesięcy... a potem znowu nic, aż do śmierci.

*

Na niewielkim osiedlu, gdzie mieszkała Amalia, największe nawet plotkary trzymały język za zębami. Przynajmniej oficjalnie. W miasteczku było tylko jedno liceum, do którego uczęszczała młodzież miejscowa i z okolicznych wsi. Prawie każdy miał krewnego, powinowatego albo znajomego, który uczył się w miejscowym liceum albo zamierzał podjąć naukę w najbliższym czasie. Narażanie się nauczycielowi było zatem wysoce nierozważne. W jedynym osiedlowym sklepiku kierowniczka darła się na całe gardło:

– Dla pani profesor chlebek, tak? – i podała ponad głowami stojących w kolejce dorodny, rumiany bochen. Nikt nawet nie pisnął.

Proboszcz Adler obnosił swoją zranioną miłość własną.

– Nie dali u mnie na zapowiedzi – skarżył się matce Nicole i rodzicom Włodka. – Przecież to ja jestem proboszczem!

– Od prawie sześciu lat tu nie mieszkali – próbowała oponować Amalia. – Tak, szczerze mówiąc, nie jestem zadowolona z tego związku – dodawała na pocieszenie. – Ci Grätzowie, mimo nazwiska, to tacy patrioci, ksiądz rozumie?!

Matka Włodka współczuła proboszczowi i roniąc krokodyle łzy wyjaśniała:

– To jej sprawka! Mój Włodek wyrósł w szacunku dla Kościoła i rodziny, ale ona to przybłęda.

– No nie przesadzajmy, pani Ludwiko – potępienie niepochodzące od władzy duchownej, uznał za uzurpację. – Panna Cléber ma doskonały rodowód i powiązania rodzinne godne pozazdroszczenia. Czy jest pani pewna, że młodzi wzięli ślub w kościele rzymsko-katolickim?

– Najzupełniej pewna – potakiwała zirytowana teściowa. – Byłam na tym ślubie w Krakowie, u świętego Szczepana.

– W Krakowie, powiada pani. Upewnię się, sprawdzę. Z takimi koligacjami…

– I gdyby ksiądz proboszcz mógł ją upomnieć, żeby nie towarzyszyła Włodkowi ilekroć mnie odwiedza. Niech sobie siedzi u siebie. Włodek ma rodzinę: mnie, ojca i siostry.

– Pani Ludwiko, to grzech. W Piśmie napisano: „dlatego opuści człowiek ojca swego i matkę i złączy się ze swoją żoną i będą oboje jednym ciałem. A tak już nie są dwoje, lecz jedno ciało".[63] Proszę o tym pamiętać.

W domu atmosfera była pełna napięcia. Amalia nadskakiwała Włodkowi, żeby zarobić punkty u matki Włodka, sąsiadów i znajomych. Naiwnie wierzyła, że Włodek będzie o niej komukolwiek opowiadać. Za to dawała upust złości wobec Nicole. Wróciły wyzwiska, szyderstwa, raniące kpiny.

– Po diabła były lata wyrzeczeń, ogromnych wydatków, skoro byłaś za głupia i wylądowałaś na prowincji. Już tam się na tobie poznali.

– Mamo, o jakich wyrzeczeniach i wydatkach mówisz? Przecież posyłałam do domu każdy zaoszczędzony grosz.

– A gdzie mieszkanie, które obiecywałaś? – syczała.

– Nigdy nie obiecywałam żadnego mieszkania. Napisałam dziesiątki listów, w których dokładnie wyjaśniałam, że o mieszkaniu nie ma co marzyć.

– Kłamczyni, oszustka, kurwa!

– Dlaczego zarzucasz mi kłamstwo i obrzucasz mnie obelgami?

– Na nic innego nie zasłużyłaś! Śmieć, jak ojciec – chlusnęła kawą w twarz córki. – I żebyś mi się nie odważyła mieć bachora, bo zabiję ciebie i to gówno, które z ciebie wylezie. Masz obowiązki wobec mnie i tylko mnie! Zrozumiałaś, szmato? Musiałam cię znosić przez siedemnaście lat i żądam, żebyś mi zwróciła zmarnowany czas i utracone szanse. Masz lizać ślady moich stóp!

– Nie prosiłam się na świat i…

Tasak zawirował w powietrzu i wylądował w skrzynce z węglem.

– Co się stało? – wszedł Włodek i zaczął usuwać fusy z kawy z włosów żony.

– Oblała się kawą, ta twoja głupia żona, Włodku. Ty chodzisz do pracy, biedaku, a ona nawet naczyń porządnie umyć nie potrafi i obrzuca się fusami. Profesorka od siedmiu boleści!

– Niki!

– Już dobrze, Włodku – poszła umyć twarz do łazienki. W gardle narastała lodowata, dławiąca gula. – Jak wytrzymam te dwa miesiące do rozpoczęcia roku szkolnego? – spoglądała w lustro na swoją bladą, nieciekawą twarz. – Paryż i spokojne, zaciszne mieszkanie u Litmanów – szybko wytarła łzę.

Matka spała na tapczanie w dość przestronnej kuchni, zaś Nicole z mężem w pokoju.

– Nie zamykajcie drzwi do pokoju, bo się duszę – kładła dłoń na dekolcie.

– Chcielibyśmy pobyć we dwoje – nieśmiało bąkał Włodek. – Pobraliśmy się sześć tygodni temu, a nawet nie wiemy, co to małżeństwo.

– Jeszcze zdążycie się sobą nacieszyć. Pozwólcie mi tylko umrzeć w godnych warunkach – Amalia uderzyła w płaczliwy ton.

– Może poczekamy do niedzieli. Pójdzie do kościoła i zostaniemy sami – szepnął Włodek, wtulając twarz w długie włosy żony.

– Może... – odpowiedziała zniechęcona.

– Przez wasze szepty nie mogę spać. Młodość egoistyczna i samolubna, obojętnie traktuje cierpienie starych – Amalia narzekała z kuchni.

– Może jednak zamknę drzwi – zaproponował Włodek.

– Przecież się duszę! – jęknęła teatralnie.

Zamilkli, przytuleni do siebie.

– Nie tak sobie wyobrażałem – szepnął.

– Zupa nie posolona, za to ziemniaki za słone i dlaczego te ziemniaczki się nie rozsypują tylko są w całości i dlaczego do obiadu aż tyle warzyw? – Amalia nieapetycznie grzebała w talerzu, mieszając warzywa z rozdrobnionymi ziemniakami. – Jestem ciężko chora i nie wszystko mogę jeść głupia, tępa krowo! Odepchnęła talerz i część jedzenia ześliznęła się na obrus. – Mam jeść na takim obrusie? Cisnęła sztućcami do skrzyni na węgiel.

Nicole wstała, zmieniła obrus i ułożyła ponownie jedzenie na tacy. Podłożyła haftowaną serwetkę i podała tacę matce, która obrażona, zdążyła się przesiąść na tapczan. W mgnieniu oka, talerz zupy wylądował na jej sukience.

Zniechęcona, usiadła w poplamionej odzieży na krześle i złożyła ręce na podołku, jak rozpaczająca, wiejska kobieta.

Zagrzała wodę i zabrała się do zmywania naczyń i prania obrusa i sukienki. Włodek wrócił o wpół do czwartej. Podała jeszcze raz obiad.

– Pyszne ziemniaczki, lubię takie, które się nie rozsypują.

– A mój żołądek ich nie toleruje – Amalia uniosła ręce i opuściła w geście rozpaczy. – Zawsze byłam wątłego zdrowia, najdelikatniejsza ze wszystkich dzieci swoich rodziców i ulubienica mamy, bo wrażliwa...

– Bardzo dobry obiad – pochwalił Włodek, bezceremonialnie przerywając wywód Amalii, drobiazgowo analizującej swoje zalety. – Wolę lane ciasto od makaronu. Nie lubię kiedy makaron się ześlizguje z łyżki, spada z powrotem do talerza i opryskuje przy okazji koszulę. – Pomogę ci sprzątnąć po obiedzie i wybierzemy się z wizytą do moich rodziców.

– Włodku, twoja mama nie lubi, kiedy przychodzę z tobą.

– Wydaje ci się, jesteś przeczulona, przewrażliwiona, wszystko interpretujesz na swoją niekorzyść. Lubią cię i moja mama i ojciec i siostry. – Jesteś dla nich trochę wielkomiejska. Przybladłaś, źle się czujesz? – wyjadł resztkę kompotu ze salaterki.

– Ach, to wy? – powitała ich Ludwika i ucałowała Włodka w oba policzki. – Coś ty taka blada, jesteś w ciąży? Bo Lidka jest i ogromnie się cieszy. Wyszła za mąż później niż ty i już Bóg jej pobłogosławił.

– Gratuluję, Lidka – Nicole skinęła przyjaźnie do naburmuszonej szwagierki, która wyszła ze swojego mieszkania.

– Nie ma czego, wciąż rzygam – westchnęła Lidka.

– To przejdzie – pocieszyła ją Nicole.

– No ty akurat się na tym znasz!

– A wiesz, trochę się znam. Pracowałam krótko jako salowa w Klinice Chorób Kobiecych i wąchnęłam, dosłownie, to i owo.

– Naprawdę?! Nie wiedziałam. Wejdź, usiądź. Kazik jeszcze nie wrócił. Mamy szansę na samodzielne mieszkanie.

– Wyprowadziłabyś się stąd? Ładnie tu i twoja mama na miejscu...

– To prawda, niemniej wolałabym mieszkać z dala od rodziców i sióstr. – A ty?

Spojrzała na swoje dłonie i zmieniła temat.

Wrócili około ósmej wieczorem. Amalia siedziała nadąsana i nie odzywała się ani do córki, ani do zięcia. Włodek niewiele sobie z tego robił, za to Nicole znowu poczuła lodowatą grudę w gardle. Przygotowała kolację i nakryła do stołu.

– Nie będę jadła. Zeżryjcie sami moją krwawicę. Dla mnie za późno na kolację.

Nieoczekiwanie odezwał się Włodek.

– Nie żremy, tylko jemy. Płacę na utrzymanie własne i żony, a jeśli mama nie chce jeść, to niech nie je. Dieta jeszcze nikomu nie zaszkodziła. Może się wyprowadzimy.

Amalia osłupiała. Nikt nigdy nie ośmielił się jej zlekceważyć, a tym mniej skarcić. Siedziała jak struta, nie wiedząc, jak zareagować. Gdy poszli spać, Włodek zamknął drzwi do pokoju.

– Duszę się – wrzasnęła.

– Niech mama otworzy okno. Mamy sierpień i trzydziestostopniowy upał – zaparł drzwi krzesłem.

*

Pierwsza konferencja nauczycielska odbyła się dwudziestego siódmego sierpnia. Stawiła się punktualnie, z duszą na ramieniu. Miała odtąd pracować ze swoimi byłymi nauczycielami, z których tylko jeden, ulubiony, ceniony, kochany i szanowany dorównywał jej stopniem naukowym. Trochę się bała ewidentnych niedouczków, których znała od najgorszej strony i bardzo się zdziwiła życzliwym przyjęciem. Nikt z obecnych nie zniżył się do protekcjonalizmu. Przeciwnie. Byli uśmiechnięci i życzliwi, gotowi do współpracy i pomocy i jakby trochę dumni, że dorobili się takiego okazu.

Zrewanżowała się ciepłem i serdecznością w stosunku do najstarszych nauczycieli, co spotkało się z wyraźną aprobatą. Wyściskała swojego dawnego wychowawcę, który aż pokraśniał z zadowolenia i nauczyciele zaczęli bić brawo. Wróciła, pełna szacunku i miłości dla ludzi, którzy pchnęli ją w świat, sami pozostając skromni, niezauważeni na prowincji, czekając na sukcesy swoich wychowanków. Posiwiali, postarzali, ale wciąż pełni ufności, że ich praca nie pójdzie na marne, że z ziarna, które zasiali wyrosną dorodne, ciężkie od wiedzy kłosy. Dawno nie przeżyła tak radosnej chwili. Dyrektor, człowiek skromny i gotowy do kompromisów, był wyraźnie poruszony. Nie musiała się bać. Nieliczne wyjątki były bez znaczenia.

Od samego początku, od pierwszego dnia, stała się najpopularniejszym, najbardziej lubianym nauczycielem. Uczniowie chętnie brali udział w jej lekcjach, chcieli się nauczyć języka, byli aktywni, współpracowali. Zdarzały się zgrzyty, które starała się tak rozegrać, aby nie ucierpiał autorytet nauczyciela i godność ucznia. Kiedy z jakiegoś powodu: silnych mrozów, matur, trzeba było organizować wspólne zajęcia, na lekcjach Nicole klasa pękała w szwach i uczniowie siedzieli na torbach ułożonych na podłodze. Nic nie było tematem tabu: ani nielegalne wyjazdy z kraju, ani religia, ani seks. Do klasy wślizgiwali się uczniowie starsi, którym do matury pozostał niecały rok.

– I co, moje dziecko – Amalia nabrała powietrza – łatwo nie jest, prawda? – zauważyła bardzo z siebie zadowolona, nie mogąc ukryć radości z tego, że córka doznała upokorzenia.

– A wiesz, jest zaskakująco miło. Nawet się nie spodziewałam. Bałam się konfrontacji z byłymi nauczycielami i uczniami z prowincji. Niepotrzebnie. Zostałam przyjęta jak księżniczka i mam grono wiernych słuchaczy, niczym starożytny filozof.

Wkrótce o Nicole zrobiło się głośno. Lubiana, ceniona, wręcz kochana nauczycielka. Uczniowie lgnęli do niej, jak muchy do miodu, współpracownicy cenili ją i szanowali. Pozostawał podstawowy problem: brak mieszkania.

Szkoła dysponowała kawalerkami dla nauczycieli zamiejscowych, ale Amalia wykluczyła tę ewentualność, bo „co ludzie powiedzą. Matka na miejscu, a wy mieszkacie kątem. Spaliłabym się ze wstydu".

Radosne chwile w szkole przeplatały się z ordynarnymi scenami i obelgami w domu. Amalia nie odpuszczała. Za nic sobie miała przywiązanie uczniów i ich rodziców, a także szacunek nauczycieli. Chciała pieniędzy i luksusu. Kretynki, świnie, idiotki, kurwy, szmaty, ścierki spadały na głowę Nicole niczym śnieg w zimie. Wciąż powtarzały się pogróżki:

– Nie odważ się mieć dziecka!

Podczas gdy teściowa ustawicznie nalegała:

– Kiedy wreszcie doczekam się wnuka od mojego jedynego, pierworodnego syna.

Włodek tymczasem milczał. Puszczał mimo uszu rozpaczliwe skargi żony, nie zważał na to, co mówi Amalia, a własnej matce odpowiadał: nie martw się. Zajmował się pracą dyplomową, pracą zawodową i marzył o kupnie telewizora. Lubił święty spokój i jak ognia unikał sporów, sprzeczek, zatargów. Amalia dość szybko odkryła, że zięć nie stanowi żadnej przeszkody. Otwarcie i bez zażenowania obrażała i poniżała córkę, szydziła z niej i drwiła pewna bezkarności. Inwektywy, przekleństwa obelgi były na porządku dziennym, podczas gdy Włodek z największym spokojem przeglądał gazetę „Sport", albo zajadał z apetytem kogel-mogel. Pobladła Nicole w milczeniu prała bieliznę na tarze i w wielkim kotle gotowała „białe", bo matka lubiła „czyste, wykrochmalone pranie".

– Włodek, pomóż mi zdjąć kocioł – poprosiła.

– Nie widzisz, że czyta, idiotko – warknęła Amalia.

Włodek nie słyszał, albo udawał, że nie słyszy.

Wzięła miednicę i drewnianymi szczypcami wyjmowała z wrzątku pojedyncze sztuki bielizny. Mydliny spadały na rozżarzoną blachę, tworząc pękające od gorąca banieczki i doprowadzając matkę do obłędu. Krzyczała rozwścieczona i przeklinała.

Potem garnuszkiem wybrała roztwór, dopóki w kotle nie pozostało tyle, że mogła go sama udźwignąć. Wypraną i wykrochmaloną bieliznę zaniosła do rozwieszenia na lodowaty strych. W ciszy rozpościerała na sznurach mokre, klejące się do rąk prześcieradła, powłoczki, obrusy, bieliznę osobistą, błądząc myślami po Jagiellonce.

Kiedy wróciła, Amalia monologowała o swojej krzywdzie, a Włodek rozwiązywał krzyżówkę. Uprzątnęła ślady po praniu, umyła podłogę i zabrała się do szykowania kolacji.

– Nie będę dzisiaj jadła, niech zdechnę z głodu, bo tu się żyć nie da – warknęła matka.

Udała, że nie słyszy. Zjadła jedną kromkę chleba, sprzątnęła po kolacji i zasiadła do poprawiania klasówek. Od sody i proszku do prania porobiły się jej na rękach pęcherze, które podczas wykręcania bielizny popękały i dość obficie krwawiły. Nakleiła plastry, żeby nie powalać zeszytów. Było już po dwudziestej drugiej.

– Gaś światło, bo chcemy spać – zażądała. – Pracujemy.

– Też pracuję i muszę poprawić klasówki.

– Gaś światło, powiedziałam, bo wrzucę te przeklęte zeszyty do pieca i spalę – podniosła głos.

Włodek ani drgnął.

Zabrała zeszyty, latarkę i poszła do łazienki, w której nie było instalacji elektrycznej. Skończyła poprawiać krótko przed północą.

Na czubkach palców wbiegła do pokoju i wśliznęła się zziębnięta do ciepłego łóżka, w którym spokojnie spał mąż.

Kiedy następnego ranka zdjęła plastry, jej ręce wyglądały jak u trędowatej.

– Co ci się stało w ręce? – spytał nieprzytomnie, jak gdyby wrócił z kosmosu.

– To od prania.

– Księżniczka, dyplomowana, zrobiła sobie „ziazia" – dobiegł ją chichot.

– Jestem uczulona na proszek do prania – wyjaśniła.

– Uczu... cha, cha, cha, uczulona!, no nie!, słyszałeś?, ona jest uczulona – Amalia aż się popłakała ze śmiechu. Turlała się po tapczanie, klaskała w dłonie, klepała się po udach.

Włodek spojrzał znad filiżanki:

– Dziś kupuję pralkę „Frania".

– Ani mi się waż – Amalia najwyraźniej się zapomniała, bo zaraz się poprawiła. – Włodeczku, tu jest ciasno, będzie niewygodnie.

– Postawimy w kącie, za drzwiami, albo zawiozę do swojej matki.

– Ależ Włodku, coś wymyślimy, tylko po co taki zbędny wydatek. Powinniście oszczędzać na mieszkanie...

– Moja żona nie może paradować z takimi rękami.

– To fanaberie, mój drogi, przywyknie, okrzepnie...

– Idę do pracy i wracam z pralką – trzasnął drzwiami.

– Ch... przeklęty, przybłęda, ja mu dam pralkę – Amalia ubierała się pospiesznie, nie przestając przeklinać.

Kiedy drzwi się za nią zamknęły, Nicole rzuciła się do ścielenia łóżek, sprzątania mieszkania, obierania ziemniaków, czyszczenia warzyw. Pobiegła na strych i zgarnęła na wpół wilgotną bieliznę do popołudniowego prasowania. Szybko się ubrała, nałożyła świeże plastry i dwadzieścia po siódmej wybiegła do pracy.

Wkroczyła do szkoły i ogarnęło ją uczucie radości. Dwóch pędzących chłopców omal jej nie przewróciło. Odskoczyła ze śmiechem. Stąpała ostrożnie po schodach, mocno trzymając się poręczy, bo biegający uczniowie, rozbrykani, rozbawieni, gnali na oślep, przekrzykując się nawzajem. Usiadła na swoim krzesełku pomiędzy łacinnikiem z wykształcenia a historykiem starożytnym z przydziału, bo łaciny nie nauczano, i historykiem nowożytnym. Cieszyła się z towarzystwa dwóch niemłodych nauczycieli, których szczerze podziwiała, ceniła i lubiła. Byli życzliwi i przyjaźni choć nigdy nachalni. Poproszeni, chętnie śpieszyli z radą i pomocą, bez narzucania swojego zdania.

– Co się pani stało? – zatroszczył się łacinnik, którego wielokroć prosiła, aby mówił jej po imieniu tak, jak za szkolnych czasów.

– Robiłam pranie, a jestem uczulona na proszek.

– To tak jak ja – westchnął historyk. – Tylko pralka, proszę pani, tylko pralka.

W klasie omawiała klasówkę. Starannie wynotowała wszystkie błędy i teraz analizowała je po kolei, unikając jak ognia ujawnienia w czyim wypracowaniu się znalazły. Zachęcała uczniów do zadawania pytań w obcym języku i po kilku dniach chichotów, jąkania się, rumieńców nabrali odwagi i śmiało posługiwali się językiem, którego się uczyli, wdając się między sobą w spory, czy spytali dobrze, czy źle. Pozwalała im się sprzeczać i kłócić, skrzętnie i szybko notując na tablicy to, co właśnie powiedzieli, żeby skorygować pomyłki. Nie reagowali na dzwonek, nie wypadali z wrzaskiem z klasy, a na przerwach powtarzali nowopoznane zwroty. Byli radośni, pogodni, bez lęku. Lubili lekcje i nauczyciela.

Dyrektor i większość koleżanek i kolegów okazywali sympatię i coś na kształt podziwu. Zapał uczniów i nauczyciela były zaraźliwe i udzielały się nawet zatwardziałym malkontentom. Zwlekała z powrotem do domu, założyła kółka zainteresowań, wypożyczała filmy oświatowe, które wyświetlała ze zdezelowanego projektora, utworzyła zespół muzyczny „Zgoda", nazwany tak dla żartu, w nawiązaniu do radzieckiej komedii, w której pojawiła się straszliwie fałszująca orkiestra o tej samej nazwie.

Życie prywatne i zawodowe nie mogły bardziej ze sobą kontrastować.

Pewnej wczesnowiosennej soboty wracała po jedenastej do domu. Zrobiła po drodze zakupy i wlokła się obładowana siatami.

– Witam panią profesor – usłyszała za sobą.

– Pan doktor Brandt! – ucieszyła się.

– Zapraszam do siebie na przedpołudniową herbatkę – odebrał jej z rąk siatę z dwoma słojami fasolki szparagowej.

– Rozsiedli się wygodnie na sfatygowanych fotelach w zagraconym salonie, pełniącym funkcje gabinetu lekarskiego. Gosposia podała herbatę i oznajmiła:

– Dziś jest tylko zupa, bo w soboty się sprząta, no nie? – wzięła gościa za świadka.

– No tak – skinął zrezygnowany lekarz. – I plotkuje – dorzucił. – Zatrudniam ją od dwudziestu lat, odkąd umarła jej matka. W każdą sobotę mnie informuje, że sprząta, chociaż dwadzieścia razy pięćdziesiąt dwa to tysiąc czterdzieści, a jeszcze nigdy nie widziałem, żeby sprzątała.

– I co u pani? Jak się pani czuje w roli prowincjonalnego nauczyciela? – nalał herbaty do filiżanek.

– Hm!, podejrzewam, że jak prowincjonalny lekarz, panie doktorze. Zawsze mówił mi pan po imieniu.

– *Tempora mutantur…*[64]. Z radością wrócę do zarzuconej formy jeśli i ty będziesz mi mówiła po imieniu – wstał, ukłonił się i powiedział: Krzysztof.

– Nie wiem, czy wypada.

– Niki, nie pytaj, co wypada, a co nie. Tkwimy w prowincjonalnej dziurze i do nas należy ustalanie dopuszczalnych norm zachowania. A więc śmiało! Powiedz mi jak sobie radzisz z matką.

– Źle, Krzysztofie, a dokładniej nie radzę sobie wcale – wygładziła frędzle jedwabnej chusty, którą nosiła na szyi.

– Tak przypuszczałem. Znam siostry Kraal od prawie trzydziestu lat. Wybacz szczerość, ale co jedna to bardziej szajbnięta. Augustę interesują wyłącznie psy i chętnie zagląda do kieliszka. Emilia, ten mały Mongoł, powinna była zostać aktorką, bo razem ze swoją córką nadają się tylko do kabaretu. Berta ma wprawdzie kłopoty ze zdrowiem, co nie zmienia faktu, że to największa hipochondryczka jaką spotkałem w swojej karierze zawodowej. Te trzy gracje są niczym w porównaniu z Amalią. Uprzejma, kulturalna, je rybę pięcioma widelcami, zna języki, podróżowała po świecie i jest autentycznie niebezpieczna. Nie chcę cię ranić, Niki, ale powinnaś się jej bać. Ona ma największego fioła.

– Jestem na nią skazana. Naszym, męża i moim życiowym celem jest zdobycie mieszkania. Rzecz w tym, że zawsze i wszędzie będzie nam towarzyszyła – usta jej zadrżały, ale się opanowała. – Tymczasem żyjemy w nieprawdopodobnej ciasnocie, która nawet u ludzi zupełnie zdrowych wyzwala agresję. Pewne nadzieje wiążę ze swoją szwagierką, która tymczasem mieszka w dwuizbowym mieszkaniu Grätzów. Otóż mąż mojej szwagierki, Kazimierz, spodziewa się przydziału samodzielnego mieszkania służbowego. Gdyby mu się udało, zwolnią mieszkanie, które dotychczas zajmują...

– Chcesz zamieszkać z Grätzami? – przerwał jej, stawiając głośno filiżankę na spodku. – Przecież oni cię zjedzą bez soli!

– Wiem! Staram się wybierać pomiędzy złem znanym i nieznanym, bo nawet nie umiem powiedzieć, że pomiędzy większym a mniejszym.

– Musisz wybierać? – spojrzał na nią badawczo.

– Nie! – opuściła wzrok zakłopotana. – To kolejna kość niezgody. Mama histeryzuje, że jeśli się odważę to zabije mnie i dziecko. Niestety, wierzę w te pogróżki. Teściowa zaś żąda owoców naszego związku i grozi, że jeśli się nie postaram, namówi Włodka do rozwodu. Nie chcę się rozwodzić, chociaż Włodek najbardziej kocha wygodę i święty spokój i wiem, że mi nie pomoże. Jest jedynym, bliskim mi człowiekiem. Prócz niego nie mam nikogo. To głupie, jestem w pełni tego świadoma, ale boję się jednej i drugiej. Poradziłam sobie z tylu trudnościami, pokonałam tyle przeszkód, przeszłam przez tyle prób i nagle czuję, że znalazłam się pod ścianą. Mama ma za sobą siostry, z którymi kłóci się w świątek i piątek, chociaż żyć bez nich nie może i które mnie nigdy nie zaakceptują. Teściowa uczepiła się Kościoła, osobiście zaś Adlera. Ze wszystkim do niego lata. On, obficie sypiąc cytatami z Pisma Świętego, mąci jej w głowie, pozwalając na swobodną interpretację swoich słów.

Rozległ się dzwonek u drzwi. Gosposia wprowadziła młodego, sympatycznego blondyna o lekko falistych włosach.

– I jak tam idzie sprzątanie, pani Piontkowa? – zagadnął ze śmiechem Brandt.

Gosposia wzięła się pod boki:

– A czy mogę się zabrać do sprzątania, jeśli wciąż muszę wprowadzać gości? – spytała retorycznie.

Roześmiali się wszyscy troje.

– Pozwól, Niki, przedstawiam ci doktora Ryszarda Schillinga. Chciałbym, aby w przyszłości przejął moje mieszkanie i moją praktykę. Cieszyłbym się, gdybyście się zaprzyjaźnili. Doktor Schilling jest mi bliski jak syn. Jestem z niego dumny.

– W taki razie serdecznie gratuluję. – Bardzo mi miło – uśmiechnęła się do nowoprzybyłego.

– Rysiek to *selfmade man*. Wychowanek Domu Dziecka, bez rodziny. Zna nazwisko, bo znaleziono go w mieszkaniu, które zajmowali Schillingowie, więc uznano, że to ich syn. Jego rodziców wymordowali Rosjanie. Jest twoim rówieśnikiem. Cieszę się, że mogłem was sobie przedstawić.

– Bardzo się cieszę, że poznałam – wstała. – Muszę wracać, bo będą kłopoty.

Brandt odprowadził ją do drzwi. – Chwileczkę, Niki, wybacz niedyskrecję staremu nudziarzowi – zniżył głos do szeptu. – Jesteś taka inna, do nikogo niepodobna. Czy Amalia? – zawiesił głos.

– Nie!

– Tak myślałem.

*

Lato spędzili na wędrówce po Sudetach. Czterokrotnie składali podania o paszport, bo chcieli odwiedzić rodzinę Frauke w Wiedniu i Cléberów, mieszkających w Ulm. Nie pomogły zaproszenia – do każdego podania nowe zaproszenie i nowe zobowiązanie do pokrycia kosztów – ani zapewnienia, że na miejscu, w Polsce, mają pracę, krewnych. Nie i już! Może, gdyby tak osobno... Włodek nie mógł przecież zwalić się na głowę zupełnie obcych ludzi!

Za złożenie skargi w Biurze Paszportowym zostali zwymyślani i obsobaczeni przez tłustego kurdupla o twarzy, jak księżyc w pełni, który pryskał śliną przez ubytki w uzębieniu:

– Wyjechac i sostac, prawta, tego bysce chceli, jus ja was snam.

– Proszę pana, wiele razy wyjeżdżałam i zawsze wracałam – Nicole próbowała udobruchać ropuchę.

– Samkni pysk, kurfo, bo ja ci go samkne – ryczał aż pot spływał mu po tłustej gębie. – Myslis, ze jak mas obce obywatelstwo to nic ci nie srobimy?

Teras wysłas sa Polaka!
– Za Austriaka! – odwrócili się na pięcie i wyszli.

Amalia tryumfowała. Ilekroć Nicole spotykała jakaś przykrość cieszyła się, była w doskonałym humorze i bez przerwy szydziła z córki:
– Wiedna ci się zachciało, głupia klępo! Do tego trzeba inteligencji i rozumu. Ty i rozum! Takie zero i inteligencja!

Pogodzili się z porażką i pojechali w góry. Cisi, milczący, zgaszeni. Do ostatniej chwili drżeli, że Amalia zechce im towarzyszyć, bo wciąż wspominała znajome i ukochane miejsca: Schreiberhau, Hirschberg, Agnetendorf. Odetchnęli z ulgą dopiero, gdy przedobrzyła z Cholagogą numer trzy i dosłownie ją przysr…

Powędrowali na Samotnię, przeszli niewygodny szlak od Łabskiego Szczytu na dno Śnieżnych Kotłów, oglądali zdewastowany i sprofanowany cmentarz wokół Kościoła Garnizonowego w Jeleniej Górze i zamienione na śmietniki i publiczne toalety cmentarze w małych miejscowościach, jak Piechowice, gdzie spoczywali ich dalecy i zapomniani krewni. Największy kłopot był z wyżywieniem. Niewydolne, małe, źle prowadzone i nieprawdopodobnie brudne restauracje były oblężone od rana do wieczora przez zawianych, niechlujnych mężczyzn, sączących piwo. Jeśli udało się znaleźć wolne miejsce w porze obiadowej, trzeba było czekać około godziny na niejadalny obiad. Próbowali ograniczyć posiłki do śniadania i kolacji i z oszczędności wcinali chleb ze sztucznym miodem w pomarańczowo-brązowym papierowym kubku albo serek topiony, popularnie nazwany „mordoklejką".

Zamieszkali w prywatnej kwaterze u dobrej jak chleb, byłej żołnierki z okresu II wojny światowej. Przybyła na Dolny Śląsk ze wschodniej Polski, gdzie żyli jej dalecy krewni, wdzięczni losowi, że ubyło jednej gęby do wyżywienia i zamieszkała wraz z mężem i dwiema córkami na piętrze dość zniszczonego, poniemieckiego domu, z ubikacją na podwórzu. Życzliwa, pogodna i uśmiechnięta wypełniała zagracony, niedoszorowany dom swoją śpiewną mową. Harowała od rana do wieczora, prowadząc dom, troszcząc się o męża i córki, pracując na kolei i dbając o niewielkie gospodarstwo z ogródkiem, kurami, obsr … krową i świniami. Zawsze w dobrym nastroju, wstawała umorusana sadzą i kładła się spać z brudnymi nogami.

Z sercem na dłoni stale czymś częstowała, czego ani Nicole, ani Włodek nie mogli przełknąć, bo rąk nie myła wcale, a naczynia płukała w miednicy z letnią wodą, pokrytą grubą warstwą zakrzepłego, brudnego tłuszczu.

Nawet z deszczu nic sobie nie robili. Wspinali się na Wysoki Kamień w biblijnej ulewie, otuleni w płaszcze nieprzemakalne. Wszystko było lepsze od towarzystwa Amalii.

Wrócili z końcem lipca. Włodek ruszył do pracy, a Nicole została sama z szalejącą matką. Liczyła dni do powakacyjnej konferencji nauczycieli i czasem pozwalała się zaprosić na herbatę do Brandta. Długie godziny spędzali na dyskusjach o Rewolucji Francuskiej, którą lekarz się pasjonował i o religii, która była konikiem obojga, zarówno gospodarza jak i gościa.

Wciąż składali podania o paszport i stale otrzymywali odmowy. Tak minęły dwa długie lata. Praca Włodka, szkoła, ferie zimowe do szóstego stycznia, ferie w Wielkim Tygodniu i znowu lato i znowu Sudety.

W tysiąc dziewięćset sześćdziesiątym siódmym Lidka wyprowadziła się do własnego mieszkania. Nigdy się nie przyznała, dlaczego tak ochoczo opuszczała dom rodzinny i wprowadzała się do parterowej oficyny. W każdym razie zwolniło się mieszkanie i Włodek natychmiast zażądał przeprowadzki. Amalia uznała, że została przez zięcia śmiertelnie obrażona, ale ponieważ nie miała odwagi skakać mu do oczu a tym samym narażać się Grätzom, przystąpiła do ataku na córkę. Szło jej jak po maśle. Oprócz wyzwisk w powietrzu latały przedmioty. Pól biedy kiedy rozwścieczona matka ciskała halkami, pończochami czy pościelą. Gorzej, gdy rzucała dzbankami, garnkami, ciężką obsydianową popielniczką czy sztućcami.

Wyprowadzili się jesienią. Na „dzień dobry" teściowa wezwała synową do kuchni, gdzie w obecności teścia, dwóch młodszych sióstr Włodka i samego Włodka, na stojąco „bo przecież nie jesteś w ciąży" wysłuchała żądań i życzeń teściowej w kwestii mycia okien, schodów, ubikacji – wspólnej, niestety – a także słuchania radia i uczestnictwa w praktykach religijnych.

– A więc, moja droga, korytarz i schody winne być myte najpóźniej do godziny siódmej rano. Będziesz musiała wcześniej wstawać, ale to ci nie zaszkodzi dopóki nie spodziewasz się dziecka. Taka młoda kobieta ma krzepy za całą armię! Postaraj się zachowywać cicho, aby nikogo nie niepokoić, bo ludzie mają prawo się wyspać. Pamiętaj o nabłyszczaniu chromowanych tralek i drewnianej poręczy, dumy mojej nieboszczki matki, która urodziła dziesięcioro dzieci.

O ile bez mrugnięcia powieką przyjęła wiadomość, że odtąd czystość w domu – dość szerokie pojęcie – spoczywa na jej barkach, podobnie jak troska o to, by teść miał zawsze świeże koszule, a dziewczynki były schludnie ubrane i przynosiły dobre oceny, o tyle zaprotestowała w kwestii udziału w najróżniejszych nabożeństwach.

– Moja droga, to jest katolicki dom, a ja jestem katolicką matką. O proszę – zerwała się z krzesła, porwała leżącą na kredensie książeczkę do nabożeństwa, szybko odnalazła zatłuszczoną stronę – to „Modlitwa katolickiej matki", którą codziennie odmawiam.

– Godne uznania – przytaknęła. – Włodek ma dwadzieścia osiem lat i mama wciąż nie nauczyła się tej krótkiej modlitwy na pamięć?

Dziewczynki zachichotały a Ludwika zamarła.

– Czy to już wszystko? Chciałabym przygotować lekcje na jutro. Mama wybaczy. Oczywiście, wykonam wszystkie polecenia mamy. Dobranoc.

– Włodek, ty zostajesz – rozkazała teściowa tonem, nieznoszącym sprzeciwu.

Posłuchał.

Przygotowała kolację i usiadła nad lekcjami. Włodek wciąż tkwił u rodziców, w kuchni, skąd dochodził głos teściowej i teścia. Jedzenie stygło. Była głodna i zmęczona. Dwutygodniowy remont mieszkania dał się we znaki obojgu. Odłożyła podręczniki i poszła się umyć. Właśnie się podmywała, gdy do łazienki, bez pukania, wpadła teściowa.

– Życzę sobie, abyś codziennie chodziła na roraty. Włodek dojeżdża do pracy i nie może, za to ty, obowiązkowo. Rozmawiałam już o tym z proboszczem i podobnie jak ja uważa, że nauczyciel powinien świecić przykładem.

Wstała, wytarła się nie bez skrępowania:

– Proszę mamy, proszę nie wpadać do łazienki bez pukania. A co do rorat, to proszę się nie łudzić. Nie wybieram się na nie ani na życzenie mamy, ani proboszcza. Już rozumiem, dlaczego Lidka tak pośpiesznie się wyprowadziła.

Teściowa znieruchomiała, a potem wyszła trzasnąwszy drzwiami aż tynk się posypał.

Włodek zjadł z apetytem odgrzewaną kolację i bąknął:

– Oni znowu o dzieciach!

– Czy powiedziałeś im, że masz kłopot natury zdrowotnej i moja rola będzie żadna, dopóki nie pozbędziesz się swojego zmartwienia?

– Miałem o tym mówić w obecności tych dwóch smarkul?

– Poproś rodziców o rozmowę na osobności i wyjaśnij.

– Nie chcę.

– A zatem wciąż będę winną.

– Poradzisz sobie – zapalił papierosa – jesteś wyszczekana.

Zmywała naczynia w milczeniu. Starała się ukryć łzy, kapiące do wody.

– Idę spać, bo jutro muszę wcześnie wstać.

– Tak, oczywiście, ja również. Schody, poręcz, koszula teścia, fartuszki dziewczynek, no i roraty.

Siedziała w ciemności, otulona ciepłym szlafrokiem i spoglądała w okno. Czuła się osaczona, zapędzona do kąta. Po raz pierwszy pomyślała o śmierci. Uśmiechnęła się w duchu na wspomnienie uczonych wywodów Laskowskiego, który podobno „ludzką duszę rozumiał jak nikt". Czyżby? Bycie jeńcem wojennym, więźniem obozu, pilotem RAF-u, to dzielenie cudzej doli, świadomość wspólnoty doświadczeń i wiara, że los się odmieni. To nie samotność, poczucie opuszczenia. O tym Laskowski się nie zająknął. Pewnie nigdy osamotnienia nie doświadczył.

Własne, niezależne mieszkanie było jedynym rozwiązaniem najbardziej palącego problemu. Kochała szkołę, lubiła swoich uczniów, rodzice też ją lubili i szanowali, lecz wszystko to nie zbliżało jej ani o milimetr do upragnionych czterech ścian. Podjęła decyzję, że musi się zatrudnić w przemyśle, gdzie można zabiegać o wkłady mieszkaniowe.

Kiedy Włodek wstał i pośpiesznie jadł śniadanie poprosiła, aby się zainteresował możliwością uzyskania etatu w jego zakładzie pracy.

– Dobrze – powiedział. Ucałował ją na pożegnanie i bez mycia zębów pognał na przystanek.

*

Pożegnała się ze szkołą z ciężkim sercem. Wszyscy głośno protestowali i żałowali: uczniowie, ich rodzice – nierzadko wpływowe osoby – nauczyciele, dyrektor, nikt jednak nie śpieszył z pomocą w zdobyciu najmniejszego chociażby, byle niezależnego mieszkania. Kiedy odrzucono czternaste podanie o paszport, znowu wyjechali na urlop w Sudety. Tym razem z Amalią, której musieli zafundować zarówno przejazd, jak i pobyt, „bo przecież toleruję was u siebie i coś mi się za to należy". Przemilczała uwagę i fakt, że mieszkanie nie zostało przydzielone samej Amalii, lecz „matce z córką", a zatem mieszkali u siebie.

– Podróżować mogę tylko pierwszą klasą i muszę mieć jakąś podpórkę pod nogi – Puchną, biedactwa – pogładziła nogi – od żylaków.

Kupili rozkładany stołeczek i usadzili mimozę w wagonie pierwszej klasy.

– Chciałabym się napić świeżej herbaty – westchnęła na dworcu w Katowicach.

Nicole wyjęła termos i już chciała nalać do kubka.

– Nie!, chcę herbaty świeżej, w filiżance! – zażądała.

– Skąd weźmiemy mamie herbatę w filiżance o godzinie szóstej rano na peronie dworca kolejowego w Katowicach? – burknął Włodek i wpił się wzrokiem w budynek koszar.

– Idź do restauracji dworcowej, zostaw kaucję albo dowód osobisty i przynieś mi herbatę. Albo ona – wskazała palcem na córkę – niech idzie.

– Niech mama pije herbatę z termosu, albo nie pije wcale. Nikt z nas nie będzie latał po dworcu z filiżankami, bo może nie zdążyć do odjazdu pociągu – zabrał się do rozwiązywania krzyżówki.

Amalia zamilkła obrażona.

Nicole wtulona w kąt przedziału spoglądała przez okno na umykające domy, pola, lasy. Włodek, znudzony, odłożył gazetę i uciął sobie drzemkę. Nie miała odwagi szeleścić stronicami, nie ruszyła zatem odłożonej gazety. W szybie odbijała się zagniewana, zacięta twarz matki.

Od ostatniego pobytu nic się nie zmieniło. Nadal straszyły zbezczeszczone groby i zbory, wykorzystywane jako śmietniki, toalety lub chlewy. Amalia pragnęła zobaczyć, za wszelką cenę, dom w którym spędzała wakacje będąc dzieckiem i dorastającą panienką – *Haus Wittersheim*.

Uroczy pałacyk był całkowicie zdewastowany. Po niegdyś wytwornym dziedzińcu plątały się kury, kaczki i gęsi i wydziobywały karmę z talerzy *Rosenthal*, wykonanych na specjalne zamówienie. W parku, rzadkie okazy drzew, sprowadzone z dalekich krajów, poszły na podpałkę, a w ziemi ryły łaciate świnie. Niewielka kapliczka, w której brały ślub całe pokolenia kolejnych właścicieli, została zamieniona na chlewik. Nowi lokatorzy, brudni, zaniedbani i opryskliwi, najpierw poszczuli ich psami a potem, bardzo niechętnie, wpuścili do środka. Boazerie zostały wyrwane ze ścian. Na mosiężnych kinkietach wisiały wanienki, miednice i sznury do bielizny. W ozdobnych schodach wyłamano tralki zaś obrazem Cranacha zatkano okienko windy, wiodącej z kuchni na piętro.

W kuchni zostało zaledwie kilka kafelków biało-niebieskich, a na miejscu dwóch wygodnych westfalskich kuchni, stał piec ulepiony z gliny. Z łazienek zniknęły eleganckie, porcelanowe wanny, umywalki i bidety. W podłodze ziała przykryta deską dziura, z której unosił się nieznośny fetor.

Amalia pozieleniała i młodzi szybko wyprowadzili ją na powietrze, do dawnego warzywnika, gdzie teraz był śmietnik i gnojownik. Na skraju śmietnika stały zardzewiałe, pogięte westfalskie kuchnie i resztki, prawie dwumetrowego, wypchanego niedźwiedzia brunatnego, który kiedyś witał gości w lśniącym holu. Na gnojowniku dwie dziewczynki i chłopiec bez majtek, bawili się drewnianą skrzynką na owoce, a kury ochoczo wydziobywały z gnoju wijące się białe, tłuste robaki.

– Od końca wojny minęły dwadzieścia trzy lata – mówiła do siebie półgłosem Amalia.

*

Po powrocie z wakacji, Nicole zatrudniła się w zakładach metalowych. Jej szefem został chorowity niedouczek, który zdał wieczorową maturę, za to wstąpił do partii i był ważną osobistością. Zakład wpłacał wkłady mieszkaniowe do Spółdzielni Mieszkaniowej i udzielał pożyczek. Ponieważ wpłata wiązała się z podpisaniem wieloletniego zobowiązania do niezmieniania pracodawcy, zdecydowali się na dwie duże pożyczki z których wpłacili wkład we własnym zakresie. Odtąd pracowała w brzydkim biurze, mając za widok plątaninę rur i ponadstuletnie zabudowania fabryczne. Dojeżdżali oboje, najpierw pociągiem potem autobusem. Wychodzili z domu o piątej rano i wracali półżywi o siedemnastej. Nicole uświadomiła sobie z bolesną wyrazistością, że stoczyła się po równi pochyłej i spadła na dno poniżenia.

Tępawy zdechlaczek kazał się nazywać kierownikiem i skupiał całą energię na pieczętowaniu drzwi wejściowych. Zakładał „plombę" na przewleczonym sznurku od kiełbasy i odciskał tajemniczą pieczęć, z którą się nie rozstawał, na grudce brudnej i wymiętoszonej plasteliny. Bał się panicznie włamania, chociaż w pomieszczeniach były tylko fachowe książki i gazety, zdezelowana maszyna do pisania marki *Underwood* i żelazny piecyk na węgiel. O ten piecyk toczyła się bezustanna wojna, bo kaloryfery z tajemniczych powodów nie grzały, niedomagająca Nicole marzła, zaś wywalczony z trudem piecyk raził poczucie estetyki szefa. Ilekroć Nicole, z jakiegoś bądź powodu, nie tkwiła w biurze, tylekroć zdechlaczek kazał wyrzucać piecyk. On wyrzucał, ona kazała wstawiać na nowo. Kiedy w biurze, wysokim na trzy metry, znajdującym się w starym, prawie stuletnim domu z klinkierowej cegły temperatura osiągnęła wymarzone osiemnaście stopni, pan kierownik wpadał na chwilę, wskakiwał na biurko i szeroko otwierał duże, staroświeckie lufciki i natychmiast ulatniał się na niemal całą dniówkę do cieplutkiego i przytulnego biura, w którym pracowała jego żona.

Atmosfera u Grätzów gęstniała. Teściowa liczyła się trochę z nauczycielką licealną, z pracownicą fabryki już nie. Dziecko i kościół stały się tematami wiodącymi. Na domiar złego Ludwika i Amalia bardzo się do siebie zbliżyły, nawet nie przeczuwając, jak wiele ich dzieli.

Prawdziwe piekło rozpętało się w drugi dzień świąt Bożego Narodzenia.

Ludwika od rana chodziła na rzęsach, bo proboszcz miał przyjść z kolędą. Nicole i Włodek nawet nie drgnęli. Przez całe święta nie byli w kościele i nie zamierzali przyjmować księdza. Ludwika szalała.

Mieszkanie młodych oddzielały od salonu teściów drzwi zamknięte na stałe i zaparte szafą. Doskonale więc słyszeli jak Ludwika i Johann, drżącymi głosami, opowiadali oburzonemu proboszczowi o nikczemności Nicole, bo przecież nie Włodka.

– Kościoła nie szanuje, w Boga nie wierzy i dzieci jak nie było, tak nie ma. Takie nieszczęście. Za co Bóg nas tak doświadcza – szlochała.

– „Każde więc drzewo, które nie wydaje dobrego owocu, będzie wycięte i w ogień wrzucone"[65] – wzdychał proboszcz.

– Proszę księdza, przecież ksiądz zna mojego Włodka – uczciwy, prawy, pobożny!

Ale ślubu u mnie nie wziął – przemknęło przez myśl proboszczowi, podczas gdy przytakiwał Ludwice.

– To ona, ta przybłęda nie wiadomo skąd! Czy ksiądz zauważył, że nie jest do nikogo podobna? Nie wiadomo, co robiła przez sześć lat w dużym mieście i jeszcze powiada, że podróżowała! Może ma za sobą jakieś przygody i dlatego nie daje nam wnuka.

Nicole i Włodek spojrzeli na siebie.

– Ewangelista powiada: „Pozwólcie obojgu róść aż do żniwa; a w czasie żniwa powiem żeńcom: Zbierzcie najpierw chwast i powiążcie go w snopki na spalenie; pszenicę zaś zwieźcie do mego spichlerza".[66]

– Nic z tego nie rozumiem – przyznał zrezygnowany teść. – Jakie żniwa, w grudniu? I co to za żeńcy, przecież oni się już pożenili!

– Johann – proboszcz z rezygnacją przymknął powieki. – Żeńcy to nie ci, co się pożenili, tylko żniwiarze.

– Najgorsze jest to, że dzieci – tu wskazała na dwie dziewczynki – muszą patrzeć na to zgorszenie.

– „Lecz kto by się stał powodem grzechu dla jednego z tych małych, którzy wierzą we Mnie, temu byłoby lepiej kamień młyński zawiesić u szyi i utopić go w głębi morza. Biada światu z powodu zgorszeń! Muszą wprawdzie przyjść zgorszenia, lecz biada człowiekowi przez którego dokonuje się zgorszenie".[67]

– Wciąż nie wiem, o co chodzi – mruczał teść. – Nic z tego nie rozumiem. Nigdy nie chodziłem do polskiej szkoły, a języka się nauczyłem sam z tego, co słyszałem. Przyjechali tu po pierwszej wojnie tacy z wiklinowymi kuferkami i nuże ę, ą, no to się nauczyłem, bo miałem sklep i te gołodupce u mnie kupowały. Nie możecie, księże, trochę jaśniej? Wiem tylko, że ta moja... no, ta, jak to się nazywa,

– Synowa!

– No ta synowa, działa na nerwy mojej Ludwice, a Ludwika działa na nerwy mnie.

– Wytłumaczę ci to – krzesło zatrzeszczało pod księżym siedzeniem. – „Pewien człowiek miał drzewo figowe zasadzone w swojej winnicy; przyszedł i szukał na nim owoców, ale nie znalazł. Rzekł więc do ogrodnika: „Oto już trzy lata, odkąd przychodzę i szukam owocu na tym drzewie figowym, a nie znajduję. Wytnij je: po co jeszcze ziemię wyjaławia?". Lecz on odpowiedział: „Panie jeszcze na ten rok je pozostaw; ja okopię je i obłożę nawozem; może wyda owoc. A jeśli nie, w przyszłości możesz je wyciąć".[68]

– Rozumiem, księże proboszczu – powiedziała Ludwika z ogniem.

– A ja dalej nic nie pojmuję – teść zwiesił głowę. – Jakie figi?, jaka winnica?

– No i bardzo dobrze. Wszystkiego wiedzieć nie musisz. Mniej wiesz, mniej grzeszysz.

– Dziękuję księdzu proboszczowi za mądrą naukę i dobrą radę. Tego mi właśnie było potrzeba. – Bóg zapłać – koperta niedyskretnie zaszeleściła.

– No, to z Panem Bogiem. Zapraszam do konfesjonału, albo do kancelarii – krzesło jęknęło. – Bóg zapłać. Pokój temu domowi. Z Bogiem.

– Z Panem Bogiem – zawtórowali Grätzowie.

– Nic z tego nie rozumiem. Gdzie on tu winnicę widzi? Co za figi? Jakie figi? Muszę się napić – zadzwonił kieliszek.

– Za to ja, doskonale rozumiem.

*

– Włodku, czuję się bardzo źle, wciąż mi niedobrze, mam biegunkę, zobacz, umiem palcem ściągnąć skórę z podniebienia i policzków, lekarz stwierdził u mnie wysoką niedokrwistość i przepisał witaminy. – Popatrz na wodę w miednicy – właśnie myła długie włosy – przecież łysieję? Co się dzieje?

– Może to z nerwów, albo źle się odżywiamy. Przecież tak oszczędzamy, zwłaszcza na jedzeniu. Nawet nigdzie nie pojechaliśmy na urlop. Wkrótce spłacimy ostatnia transzę pożyczki i zaczniesz się lepiej odżywiać.

– Będziemy oszczędzali na meble i wyjdzie na to samo. Jestem okropnie zmęczona, bolą mnie nogi i nagle mam takie dziwne brunatne plamy na całym ciele.

– Za to mama cię chwali, że jesteś taka wyciszona i może jesteś w ciąży.

– Włodek wiesz najlepiej, że tak nie jest. Nie możemy sobie pozwolić na dziecko nawet gdybyś był całkiem zdrowy. Omijam twoją matkę wielkim łukiem, bo czuje się tak fatalnie, że nie mam siły z nią rozmawiać. Kiedy będziesz na kursie pójdę do Krzysztofa. Może on coś poradzi.

– Ten staruch cię podrywa.

– Być może. Ufam mu. Ma doświadczenie. Uważam, że dzieje się coś bardzo złego – znowu pobiegła do toalety.

Włodek wyjechał na tygodniowy kurs. Zadzwoniła do Brandta, przedstawiła się i wychrypiała do słuchawki:

– Krzysztofie!, czy mógłbyś znaleźć dla mnie chwilę czasu. Mam wrażenie, że dzieje się coś niedobrego. Przepraszam, że zawracam ci głowę.

– Niki? – zdziwił się lekarz. – Masz zmieniony głos. Proszę, zapraszam, podaj termin, będę na ciebie czekał.

– Może być w niedzielę? W dzień powszedni pracuję.

– Naturalnie! Wytrzymasz do niedzieli?

– Tak, oczywiście, to już trwa cztery miesiące, a może nawet pięć miesięcy. Straciłam rachubę czasu.

Zadzwoniła do drzwi. Krzysztof już czekał i natychmiast otworzył.

– Niki! – Brandt zaniemówił. – Co ci jest?

– Nie wiem. Chciałam się upiększyć i mam na sobie tonę makijażu. Dobrze, że nie widziałeś mnie *au naturel*.

– Dziewczyno – ujął ją za ręce i spojrzał na palce – Jezus, Maria, Niki! – aż pobladł. – Czy wiesz, co to jest?

– Nazywają to „kwitnieniem paznokci".

– Dziecko!, to pasma Mees'a.[69] Jesteś truta arszenikiem.

– Nie mogę chodzić od bólu nóg, stale mi niedobrze i mam rozwolnienie. Oto wyniki badań laboratoryjnych. Spójrz! – leciutko pociągnęła za włosy.

– Zostajesz u mnie. Nie wypuszczę cię stąd. Gdzie ten dupek?

– Na kursie!

– Dzwonię na milicję – zerwał się z fotela.

– Nie, Krzysztofie, nie rób tego. Czułam, że coś jest nie tak.

– W każdym razie, dziś zostajesz tutaj. Możesz nocować na sofie. Niech sobie ta twoja niedojda myśli, co chce.

Opowiedziała o podsłuchanej rozmowie podczas kolędy. Porywczy i zapalczywy Brandt był nie do powstrzymania. Wypadł z gabinetu i zanim obolała Nicole zdążyła zareagować już dzwonił do proboszcza Adler'a.

– Fred, tu Brandt, zbieraj się i zaraz przychodź do mnie.

– Zwariowałeś? Dopiero co wstałem po popołudniowej drzemce.

– Rusz się, jeśli nie chcesz mieć na karku policji, milicji, cholera ich tam wie.

– Krzysztof, czy ty się nawaliłeś?

– Jeszcze nie. Dobrze ci radzę. Bierz dupę w troki i przybiegnij w dyrdy, bo to MUSISZ zobaczyć.

– Ale…

– Nie ma „ale" – trzasnął słuchawką.

– Krzysztof, mogę do toalety – jęknęła.

– Biegnij, dziecko. Cholera jasna, co mam robić! – Brandt miotał się po gabinecie.

Gdzieś po pół godzinie zjawił się wyraźnie niezadowolony proboszcz. Zobaczywszy Nicole lekko się cofnął a potem znieruchomiał i spytał:

– Źle się czujesz?

– A jak ma się czuć? Jest truta.

– Cooo?

– Jeszcze śmiesz pytać, co? Spójrz na nią. Chodzić nie może, zobacz plamy na jej skórze, wciąż wymiotuje i ma sraczkę, włosy jej wyłażą, ma niedokrwistość i pasma Mees'a – Brandt pienił się i gwałtownie gestykulował.

– Widzę, że kiepsko wygląda, ale co ja mam z tym wspólnego? – rozsiadł się zakłopotany, a na policzki wystąpiły mu rumieńce.

– A kto pierdolił tej idiotce, Grätzowej o ścięciu drzewa figowego, o zawieszaniu kamienia na szyi...

– Ależ to Ewangeliści!

– Chcesz powiedzieć, że Niki próbują zamordować Ewangeliści, ilu ich tam było, z dziesięciu!

– Czterech.

– Nie wypuszczę jej do domu i zaskarżę ciebie i Grätzową. Ciebie za nakłanianie do zbrodni, a Grätzową za zamach na życie synowej. Nawet jeśli z tego wyjdzie, zapłaci życiem, bo zatrucia arszenikiem są kancerogenne. Chcieliście, żeby miała dzieci? Nie-do-cze-ka--nie. Ona tego nie przeżyje i dziecko też nie – Brandt trząsł się ze zdenerwowania. – Ty bydlaku sukienkowy. Zamąciłeś we łbie tej poprzecznej cipie, a ona postanowiła się pozbyć synowej. Zbrodniarz, morderca! Powinienem cię ukatrupić. Niki musi natychmiast trafić do szpitala. Nawet nie wiemy, w jakim stopniu jest zatruta! – rzucił się w stronę pobladłej Nicole, ułożył ją na kanapie i przykrył kocem. – Ty kanalio! – wymachiwał proboszczowi pięścią przed nosem.

– Krzysztof, proszę cię, uspokój się – niemłody już ksiądz miał zaczerwienioną twarz i obficie się pocił. – Nigdy, słyszysz, nigdy! nie namawiałem do uśmiercania kogokolwiek. Rozmawiałem z Grätzową, bo wyobrażałem sobie, że zmieni synową. Ta dziewczyna jest wrogiem Boga i Kościoła. Przez swoją postawę, swoje zachowanie, lekceważenie obowiązków i praktyk religijnych siała zgorszenie wśród młodzieży. Jej popularność sprawiała, że uczniowie odwracali się od Kościoła, bo szerzyła idee szkodliwe dla wiary i Matki Naszej. Nie ma miejsca dla człowieka bez Boga w sercu, zwłaszcza w kraju, gdzie ateizm spotyka się z urzędową aprobatą. Wypełniałem swoje obowiązki duszpasterskie najlepiej, jak umiałem.

– Teraz posiedzisz! – podszedł do telefonu.

– Nie!, nie wzywaj karetki, błagam cię! W szpitalu rozpoczną dochodzenie. Zrobi się z tego afera kryminalna. Gazety, radio będą krzyczały na cały kraj i świat, że ksiądz nakłaniał do zbrodni. Skończę w więzieniu i okryję hańbą cały polski Kościół.

– Nie mogę ukryć takiego przypadku, bo stanę się wspólnikiem w przestępstwie.

– Proszę cię, zatrzymaj ją u siebie. Pokryję wszystkie koszty i wezmę na siebie młodego Grätza. – Niki, gdzie jest Włodek? – przypadł do kanapy, na której leżała dziewczyna.

– Na kursie, szkoleniu, niech ksiądz to sobie nazwie, jak chce, niedobrze mi!

– Rzygaj, Niki – lekarz podstawił miseczkę. – Opowiedz mi, opowiedz nam, jak to się zaczęło.

– Nie pamiętam, Krzysztofie. Czułam się coraz gorzej. Włodek mówił, że to z przepracowania i marnego wyżywienia, bo spłacaliśmy pożyczkę, a teraz oszczędzamy na meble i różne graty. Poszłam do przychodni przyzakładowej i dostałam witaminy. Nie pomogły. Zdecydowałam się zasięgnąć twojej porady i oto jestem. Moja matka tryumfuje. Uważa, że to sprawiedliwa kara za to, że się od niej wyprowadziliśmy i narazili ją na plotki i obmowę. Chcieliśmy i chcemy tylko własnego kąta.

– I co, wykupiliście to mieszkanie? – proboszcz już przyszedł do siebie.

– Tak! Zapłaciliśmy prawie trzydzieści tysięcy: wpisowe, kandydackie i członkowskie. Teraz musimy czekać. Podobno do jesieni.

– Nie da się tego przyśpieszyć? – drążył proboszcz.

– Nie wiem. Słyszałam, że się da, tylko potrzeba dużo pieniędzy, których nie mamy. Moja matka też ich nie ma, a nawet gdyby miała, nie pożyczy.

– Amalia przeprowadza się z wami? – Brandt drgnął. – To psychotyczka. Dołożyła się do mieszkania?

– Nie dołożyła ani grosza, za to nie daje nam żyć, bo uważa, że procedura trwa za długo.

– Jutro zasuwasz z załącznikiem – lekarz spojrzał na księdza. – Rób, co chcesz, byleś załatwił. Niki zostanie u mnie. I z młodym Grätzem załatw, chociaż nie sądzę, żeby uwierzył, że jego matka jest zdolna

173

do zbrodni. – Spróbuję ją postawić na nogi. Zadzwonię do Ryśka i poproszę o niezbędne leki.

– Włodek nie uwierzy. Uzna, że szkodzę jego matce i przesadzam. Nie spodziewam się po nim żadnej pomocy. Chce mieć święty spokój i dlatego zaangażował się w sprawę mieszkania. Gdyby nie to, też darowałby sobie wszelki wysiłek.

– Skąd Grätzowa ma arszenik? – zastanawiał się proboszcz.

– Razem z innymi ograbiła drogerię i aptekę Schönhauerów, gdy w popłochu uciekli przed Ruskimi. W domu pełno jest pięknych, porcelanowych słojów aptecznych, wag – cacek, moździerzy. Niektóre to prawdziwe dzieła sztuki. Delikatne, a zarazem solidne. Sezam dla kolekcjonerów. Domyślam się, że zabrała słoje z zawartością.

*

Młodzi wprowadzili się do nowego mieszkania w czerwcu tysiąc dziewięćset sześćdziesiątego dziewiątego. Przydział otrzymali sześć tygodni wcześniej, które wykorzystali na przygotowanie swojego „M” do zamieszkania. Ściany były tylko pobielone wapnem, stolarka zagruntowana na szaro. Ich królestwo miało aż czterdzieści pięć metrów kwadratowych. Kuchnia, przedpokój i łazienka bez umywalki trochę powalały, bo każde pomieszczenie miało powierzchnię trzy metry, osiemdziesiąt centymetrów kwadratowych.

Amalia zajęła większy pokój, dwudziestometrowy, zaś Nicole i Włodek, mniejszy pokój z loggią. Pokoje były przechodnie, a połowa loggi wliczona do powierzchni mieszkalnej. Byli u siebie. Z Amalią.

Nicole, ustawicznie chorująca, złożyła wymówienie i odeszła z pracy. Ważyła czterdzieści dwa kilo przy metrze siedemdziesiąt wzrostu, miała niekończące się kłopoty trawienne i głęboką niedokrwistość. Do kompletu doszły kłopoty z nerkami.

Wciąż niezadowolona Amalia wydawała polecenia odnośnie ścian, firanek, mebli, stale się domagała, by coś dokupiono, poprawiono, przemalowano, zdjęto, zawieszono. Część mebli zabranych ze starego mieszkania kazała córce przemalować na biało. Na przedwiośniu, gdy trudno siedzieć przy otwartym oknie, chuda, niemal przeźroczysta Nicole malowała farbą olejną od rana do wieczora, nie przestając biegać do toalety. Włodek zmienił pracę i stale nie było go w domu.

Ponieważ żyli z jednej pensji, zmagali się z kłopotami finansowymi. Amalia przeszła na rentę, którą w całości odkładała.

– Oszczędzajcie na jedzeniu – rzuciła z przekąsem, gdy Włodek przyniósł żonie tabliczkę czekolady z orzechami. Od jesieni zaczęła szukać pracy. Nie było zainteresowania filologami, więc była gotowa przyjąć każde zajęcie. Wszędzie odsyłano ją z kwitkiem, bo żaden lekarz nie wystawił pozytywnego zaświadczenia o zdolności do pracy, nawet biurowej.

Brandt trzymał w swoich rękach jej chude dłonie i chociaż nie należał do ludzi, którzy łatwo się wzruszają, powtarzał cicho:

– Niki, nie mogę. Pomógłbym ci, uwierz, proszę, ale nie mogę. W tym stanie nie możesz pracować.

Dla odmiany Amalia, od rana do wieczora, zarzucała Niki lenistwo i niechęć do pracy. Odwiedzała przyjaciółki, krewne, znajome i wszędzie skarżyła się na nieróbstwo córki, brak czułości i przywiązania i obojętność zarówno córki jak i zięcia. Bardzo zbliżyła się do Ludwiki, chociaż przez wiele lat twierdziła, że jej nie znosi.

Całymi dniami siedziała na tapczanie i komentowała każdy gest, każdy ruch, każdą czynność. Nie odrywała wzroku od córki i ustawicznie popędzała i korygowała:

– Za długo obierasz ziemniaki!, dlaczego nie pracujesz szybciej?, wstań o pół godziny wcześniej, któż to widział wylegiwać się do piątej rano? Za często korzystasz z toalety i zużywasz bezcenny papier toaletowy. Po co ci nowe majtki, zaceruj stare. Kiedy przychodził ktoś z wizytą, mężczyzna, kobieta czy dziecko, pośpiesznie wyjaśniała:

– Córka tak brzydko wygląda, bo ma okres.

Bardzo lubiła pedicure i wciąż pielęgnowała stopy śmiecąc i ponaglając do sprzątania.

Nicole i Włodek nie mieli przyjaciół ani znajomych. Parę razy odwiedzili ich dawni współpracownicy, wkrótce jednak i oni się wycofali. Ilekroć ktoś przychodził z wizytą, natychmiast zjawiała się Amalia, obowiązkowo w szlafroku i stawała się najważniejszą osobą w towarzystwie. Robiła uwagi na temat zachowania się przy stole, wygłaszała oskarżycielskie mowy przeciwko powszechnie obowiązującemu brakowi manier. Gdy przyszedł ktoś bez krawata, zaraz sprowadzała rozmowę do stosownego i niestosownego stroju. Panie w szpilkach słuchały o tym, jak to szpilki niszczą podłogi i dywany. Rodzice dzieci, które przez nieuwagę poplamiły obrus dowiadywali się, że u sióstr bardzo dbano, by dziecko nie zachowywało się przy stole jak prosię.

Ledwie Włodek otworzył usta, żeby coś powiedzieć, zaraz go zniechęcała:

– Słyszeliśmy to setki razy.

Nicole nawet nie próbowała się odezwać. Wystarczyło, że otworzyła usta, żeby usłyszeć:

– Czy ktoś cię o coś pytał? – matka unosiła brwi w udawanym zdziwieniu. – Masz nam coś do powiedzenia, dziecinko?

Jesienią nadszedł list od Wesołowskiego. Trochę się zdziwiła, bo zerwała kontakty z Krakowem i ograniczała się do życzeń świątecznych i noworocznych. Wyraźnie zmartwiony donosił o ciężkiej chorobie Adama.

Dość długo się namyślała, zanim postanowiła pojechać z wizytą do chorego. Nie miała własnych pieniędzy, Włodka prosić nie chciała i bała się Amalii. Wreszcie się przełamała.

Przyjechała do Krakowa wiosną. Z dworca zadzwoniła do Laskowskich, aby spytać, czy może ich odwiedzić. Odebrał Adam. Miał zmieniony głos i w pierwszej chwili odniosła wrażenie, że jej nie poznaje. Już miała odłożyć słuchawkę, gdy usłyszała:

– Niki, to ty? Przyjdź, proszę, bardzo się cieszę.

Patrzyli na siebie, jakby się nie widzieli od półwiecza. Adam wychudł, poblladł, jego uśmiech był wymuszony. Opadł na fotel, bardzo zmęczony. Wciąż pracował, dużo pisał.

– Zakosztuję bezsilności, Nicole, tak jak zapowiedziałaś. Ty też nie wyglądasz najlepiej. Co robisz, czym się zajmujesz, czym jesteś?

– Nikim. W tej krótkiej odpowiedzi jest więcej ładunku emocjonalnego, niż mógłbyś przypuszczać.

– Mam wyrzuty sumienia. Nie zrobiłem nic, chociaż mogłem. Potrzebowałem czasu, aby to sobie uświadomić. Nikt z nas nie kiwnął palcem w bucie. Chciałbym usłyszeć, że nie ma tego złego, co by na dobre nie wyszło, widzę jednak, że tak nie jest.

Nicole długo milczała, wpatrując się w swoje ręce, oparte na torebce. Uniosła wzrok i spojrzała na Adama.

– Nie ma tego złego, co by na gorsze nie wyszło; w tym tkwi istota sprawy. Po prostu umarłam, Adamie. Uważasz, że przesadzam, że dramatyzuję, że histeryzuję. Nic z tego! Zwyczajnie, umarłam. Trudno się roztkliwiać nad własną śmiercią. Mnie już nie ma i nic, ani nikt tego nie zmieni. Miałeś swoją wielką szansę, mimo tragicznych przeżyć. Umiałeś ją wykorzystać, ku pożytkowi bliźnich i własnej satysfakcji. Wiem, że znalazłeś się w sytuacji bez wyjścia, ale gdy spojrzysz za siebie, widzisz życie wypełnione ważnymi zdarzeniami, wytężoną pracą. Pozostawisz po sobie uczniów, admiratorów, zatroskanych przyjaciół. Mnie odmówiono wszystkiego. Przed sobą nie mam nic i za sobą też nic. Gdyby choć pajęcza nić, której mogłabym się uczepić...

Siedział bez słowa, zatopiony w myślach. Gdzieś zegar wybił trzecią.

– Czas już na mnie. Muszę wracać. Cieszę się, że cię widziałam – wstała.

– Myślałem, że zostaniesz, przenocujesz...

– Nie, muszę wracać. Obiecałam, że wrócę jeszcze dziś. Może mi się uda znowu przyjechać, choć nie wiem, kiedy.

– Pożegnajmy się lepiej, Niki. Wybacz mi, jeśli potrafisz. Wiem, że proszę o bardzo wiele. Nie zapomnisz, choć będziesz się starała zrozumieć. Na tyle cię znam. Żegnaj.

Wracała brudnym, chyba nigdy nie sprzątanym pociągiem. Przyglądała się znajomym widokom i pasażerom i próbowała odgadnąć, gdzie tkwił błąd i kiedy do mechanizmu dostało się ziarnko piasku, które zniszczyło tak starannie i z mozołem wznoszoną konstrukcję. Z trwogą myślała o spotkaniu z matką. Ten układ nie mógł dłużej istnieć. Prędzej czy później wypadnie z gry, była tego pewna i ze wstydem odkrywała, że lepiej prędzej niż później. A gdyby tak samej przyśpieszyć rozwiązanie? Co za ulga dla matki, teściowej, Włodka.

– Niech będzie pochwalony – usłyszała obok siebie, gdy przesiadła się w Katowicach.

Odwróciła się zdziwiona i zobaczyła przed sobą proboszcza Adlera.

– Proboszczowie jeżdżą pociągami? – zdumiała się, nie bez złośliwości.

– Mam kuzyna w Brynowie. Musiałem podjechać do Katowic, bo nie wszystkie pociągi zatrzymują się w Brynowie.

– Nie decyduje się ksiądz na kupno własnego samochodu?

– To ogromny wydatek i musiałbym zatrudnić kierowcę, bo nie mam prawa jazdy.

– Rozumiem – uśmiechnęła się lekko.

– Wydaje ci się, że opływamy w dostatki, że tarzamy się w pieniądzach. Wciąż powtarza się do znudzenia obraźliwy slogan, że „kto ma księdza w rodzie, tego bieda nie ubodzie". Tak nie jest.

– Mam uwierzyć, że żyje ksiądz skromniutko, chodzi w pozieleniałej od starości sutannie, odżywia się fasolówką? Proszę księdza, parafia, którą ksiądz zarządza jest bardzo duża i bardzo bogata. W naszej miejscowości jest tylko jeden kościół i duża kopalnia, zatrudniająca niemal osiemdziesiąt procent miejscowych. Wszyscy oni chodzą do kościoła, bo innowierców i niewierzących jest ułamek procenta. Codziennie odprawia się przynajmniej trzy msze, a w niedziele i święta mszy pięć. Śluby, chrzty, pogrzeby, wypominki no i kolęda. Tacę trzeba wymieniać dwa, a czasem trzy razy w czasie jednej mszy, a siostry wsypują pieniądze do kartonu, ukrytego w szafie z ornatami. Proszę zauważyć, że nie wliczyłam zapowiedzi, tzw. odstępnego, gdy narzeczeni są z różnych parafii, opłat za miejsca na cmentarzu, „co łaska" za odwiedziny u chorych. Mieszka ksiądz na pięknej, wygodnej plebanii, do której przynależą pola uprawne, pastwiska, kawałek lasu, duży sad i doskonale prosperujące gospodarstwo. Miód macie znakomity, masełko czyste i niefałszowane sprzedaje na targu beznosa Elfryda, takoż twarożek i śmietankę, o jajkach i drobiu nie wspomnę. Świniobicie odbywa się dyskretnie i bez rozgłosu i przynosi niezły zysk. Podobno zaczyna ksiądz wyprzedawać pola przylegające do plebanii, jako działki pod zabudowę? Działki mają po około pięćset metrów kwadratowych, czyli takie większe chusteczki do nosa i doliczyłam się ich po jednej stronie topolowej alejki, mniej więcej dwadzieścia, a po drugiej tyle samo. Razem, bagatela, czterdzieści działek budowlanych. Pamiętam o moim załączniku. Nie jestem ani niewdzięczna, ani nie cierpię na brak pamięci. Ile na to poszło? Taca z cichej mszy? Niewiele jak na pokutę za nakłanianie do morderstwa – dokończyła szeptem.

– Ciiicho! – ksiądz gwałtownie zamachał rękami. – Przez ciebie młodzież zaczęła unikać kościoła, uczniowie dojeżdżający do szkoły twierdzili, że autobus, albo pociąg przegapią, jeśli przyjdą na lekcje religii i prosto ze szkoły gnali do domu, na rekolekcjach zjawiała się garstka tych, których popędzili rodzice – szeptał gorączkowo. – Teraz udzielasz korepetycji i też ich demoralizujesz!

– Niech ksiądz uważa, bo wchodzi na grząski teren. Co tam słychać na Opolszczyźnie?

– *Sei still, kein Muchs mehr.*[70] Podobno musiałaś się zwolnić z pracy?

– Tak, nie mogę znaleźć zatrudnienia i nawet Krzysztof mi nie pomoże. Boi się, że mogę zacząć chorować i uczepią się jego zaświadczenia.

Włodek wyjeżdża do pracy do NRD i zamierzam mu towarzyszyć. To umowa na dwa lata. Mama będzie zachwycona, bo zostanie w dużym mieszkaniu sama, a pieniądze będą spadały z nieba. Tylko, że po dwóch latach wrócimy i wtedy rozegra się dramat. Przyzwyczajona do wygody mama, będzie musiała się pogodzić z naszą obecnością. Wiem, że zaraz usłyszę, że przypomina to baśń *Die kluge Else*,[71] ale trochę się boję.

*

Po dwóch dniach spędzonych w czystym, schludnym, choć nieciekawym hotelu, otrzymali przydział na służbowe mieszkanie. Bez żalu opuścili pokój pomalowany na gołąbkowy kolor, z niebieskimi zasłonami i stojącą lampą z błękitnym kloszem, której światło było skierowane ku górze. Ponieważ w pokoju nie było oświetlenia sufitowego, włączyli stojące dziwactwo i dwie nocne lampki z niebieskimi abażurami. Spojrzeli na siebie i po raz pierwszy parsknęli śmiechem.

– Czy ty tu mieszkasz, czy straszysz? – spytała Nicole, patrząc na widmowe oblicze swojego męża.

– A wiesz, rozglądałem się za święconą wodą. Wyglądamy w tym świetle, jak wampiry. Komu przyszło do głowy urządzać pokój na niebiesko? Przecież tu można popaść w ciężką depresję.

– Mój drogi, nie rozumiesz istoty sprawy. Poszłam po rozum do głowy i już wszystko pojęłam. Chodzi o to, że przy takim oświetleniu można latami nie zmieniać pościeli, bo nikt nawet nie zgadnie jakiego jest koloru i czy była używana, czy też nie. Któż zliczy, ilu naszych drogich sojuszników wygrzało bieliznę. Śmierdzieć, nie śmierdzi – przytknęła nos do poduszki.

Trafili na osiedle im. Karola Marksa. Prostokątne bloki z wielkiej płyty, wokół bloków zadbane lecz zupełnie wyludnione zieleńce z ławeczkami, tu i ówdzie opustoszałe place zabaw i kilka pustawych sklepów, po których snuło się parę starszych kobiet ze spuszczonym wzrokiem.

– Kupmy coś do jedzenia, bo nie wiadomo, gdzie będziemy się stołowali – zaproponowała.

Weszli do sklepu spożywczego. Rudawa, piegowata ekspedientka zagadnęła:

– Pażałsta?

Nicole opadła szczęka. Zaraz się pozbierała i poprosiła, też po rosyjsku, o dwadzieścia pięć deko krojonej kiełbasy, bochenek chleba, sześć jajek, masło, herbatę.

– Sachar toże? – spytała kobieta.

– Nie, dziękuję, nie jadamy cukru.

Zliczyła szybko i poprosiła o jedenaście marek.

Płacąc, Nicole nagle spytała: – *Entschuldigen Sie, bitte, sprechen Sie kein Deutsch?*[72]

– *Aber natürlich!*[73] – lisiczka spłonęła rumieńcem i uśmiechnęła się od ucha do ucha.

Zamieszkali w wygodnym mieszkaniu, wyposażonym we wszystko, co potrzebne w domu. Jedynym mankamentem była ślepa kuchnia. Sąsiedzi, bardzo uprzejmi, omijali ich wielkim łukiem. Włodek całymi dniami siedział kamieniem w pracy, a gdy wracał padał z nóg. Zjadał w milczeniu obiadokolację, brał prysznic, zapadał przed telewizorem i zasypiał.

Nicole wykorzystała zamieszanie wywołane zakwaterowaniem obcokrajowców i po nałożeniu na siebie grubej warstwy makijażu, zgłosiła się wyelegantowana i wyszczekana w Wydziale Oświaty, oferując swoje usługi jako nauczyciel francuskiego. Zaskoczenie było całkowite. Otumanieni biurokraci tak zbaranieli słysząc niemiecki bez akcentu, że zatrudnili ją na poczekaniu, nie żądając żadnych zaświadczeń prócz dyplomu. Uprzejma, uśmiechnięta, rozgadana, towarzyska, pochwaliła mieszkanie, „Ordnung"[74], spytała, kiedy i gdzie ma się stawić, zajarzyła po rusku, do wszystkich zwracała się per „Genosse"[75] i wyfrunęła z biura w szeleście wykrochmalonej sukienki. Dotarła do domu, ustępując miejsca w autobusie dwom szparkim staruszkom i sprężystym krokiem wsiadła do windy, rzucając „Schön'guten Tag".[76]

Wpadła do mieszkania i runęła do łazienki, ścięta wymiotami i rozwolnieniem. Straciła przytomność i wróciła do siebie na lodowatej posadzce totalnie obrzygana i obsr...

Przebrała się po prysznicu i wyprała zapaskudzoną garderobę. Gdy spojrzała w lustro, aż się przestraszyła. Wyglądała jak z filmu o zjawach i duchach. Włosy potargane, trupio blada twarz, zsiniałe usta.

Zabrała się do pitraszenia posiłku. Nie miała siły, by przygotować coś więcej niż makaron podsmażany na cebulce z kawałkiem filetu drobiowego i sałatą.

Włodek wszedł do mieszkania, powłócząc nogami:

– Rany boskie, jak ty wyglądasz?!

– To bez znaczenia, od jutra rozpoczynam pracę w szkole. Będę musiała wcześniej wstawać, żeby zrobić makijaż.

– Niki!, padniesz jak mucha przy pierwszym chłodzie.

– Nie!, muszę przetrzymać.

Codziennie przeznaczała czterdzieści minut na makijaż i uczesanie oraz odpowiedni strój. Koledzy w pracy byli profesjonalnie mili i uprzejmi, uczniowie bardzo karni. Prowadziła lekcje z dużym ożywieniem i gdzieś po dwóch tygodniach, zjednała sobie zarówno uczniów, jak ich rodziców i nauczycieli. Uczyli się wierszy, piosenek, z okazji Pierwszego Maja wystawili zabawną jednoaktówkę w języku francuskim. Zebrali oklaski i pierwszą nagrodę za najlepsze przedstawienie. Zorganizowała zespół muzyczny, który wykonywał tradycyjną muzykę klasyczną, francuską i niemiecką.

Wykupili z Włodkiem posiłki w stołówce i razem z pracownikami firmy wcinali kartofle z sałatką z kwaszonej kapusty i jakieś mięcho, chyba królicze, choć Włodek twierdził, że szczurze. Nie była w stanie przygotowywać posiłków, straciła na wadze i nosiła odzież młodzieżową.

Latem przysługiwał im miesiąc urlopu. Włodek chciał pojechać do domu, ale Nicole się uparła, że chce pojechać na wczasy w Góry Harcu. Wreszcie mogła się wysypiać do woli. Leżała całymi dniami w łóżku i przesypiała dnie i noce. Włodek, zaniepokojony stanem żony, skontaktował się z lekarzem starszego pokolenia, któremu opowiedział o problemie. Lekarz zbadał Nicole i niezwykle dyskretnie, za to bardzo skutecznie, zabrał się do leczenia pacjentki. Wciąż się bał, wyniki badań natychmiast niszczył i wyprawiał cuda z receptami. Miał tylko miesiąc na leczenie, ale w ciągu tak krótkiego czasu dokonał rzeczy niemożliwej. Wróciła o dwa kilo tęższa i z lepszym samopoczuciem.

Niestety, firma Włodka otrzymała polecenie rozpoczęcia robót w innej miejscowości, więc Nicole, uzbrojona w doskonałe opinie i pochwały, ruszyła szukać szczęścia na północy NRD. Los jej sprzyjał i znowu się zatrudniła przy pełnej akceptacji uczniów i pedagogów. Skłonność do starannego szorowania klatki schodowej i wycieraczki, też przyniosła pożądane rezultaty. O ile w pierwszych dniach dosłyszała określenie „die Russin",[77] to gdzieś po tygodniu była już „unsere liebe Frau Grätz".[78] Z zapałem podlewała rachityczne krzewinki przed domem, myła okna i schody, z ogniem w oku kłaniała się paniom: „guten Tag Frau Lehman, Struck usw, wie geht es Ihnen".[79] Frau Grätz stała się popularna, jak truskawki w sezonie.

– Jak ty to robisz? – dziwił się Włodek.

– Pamiętasz „Przeminęło z wiatrem"? „Więcej much łapie się na miód niż na ocet". Ta zasada pozostaje niezmieniona od wieków.

Spędzili kolejny przepiękny urlop nad Bałtykiem. Przez dwa tygodnie wędrowali po wyspie Hiddensee. Zamieszkali w liczącej trzystu dziewięćdziesięciu stałych mieszkańców osadzie Kloster, położonej na północnym zachodzie wyspy. Nazwę miejscowość wywodziła od klasztoru Cystersów, istniejącego na wyspie w latach 1296–1536. Ponieważ wyspa ma zaledwie osiemnaście kilometrów długości, pokonali je w trzech skokach, nocując kolejno w Vitte i Neuendorf. Poniosło ich aż do południowego krańca, do ścisłego rezerwatu „Der Gellen", który zwiedzili w towarzystwie uprzejmego strażnika, a potem jednym marszem pokonali owe osiemnaście kilometrów do swojej stałej kwatery. Wszędzie witano ich życzliwie, z uśmiechem, podawano skromne lecz smakowite dania, ucinano pogawędki przy kawie i domowych wypiekach i prześcigano się w zachwalaniu osobliwości, które „durchaus"[80] musieli zobaczyć.

Włodek zrujnował się w pobliskim Stralsundzie na kopię krzyżyka, wchodzącego w skład złotego „skarbu z Hiddensee", znalezionego na plaży w Neuendorf, po niszczycielskich sztormach z lat 1872–1874.

Po kilku sympatycznych dniach w Stralsundzie, pojechali na dziesięć dni do sielankowego Bad Doberan. Jeździli kolejką przecinającą miasteczko, przy dźwięku wypolerowanego, lśniącego dzwonu, wcinali smaczne posiłki w rynkowej restauracji i sycili oczy pięknem pocysterskiego kościoła z roku 1368.

Aż żal było rozstawać się z pięknymi zakątkami.

Amalia słała życzliwe listy, pełne ciepła i serdeczności, zapewniała, że tęskni, ale do powrotu nie zachęcała. Latem tysiąc dziewięćset siedemdziesiątego drugiego wygasł dwuletni kontrakt i Grätzowie zaczęli się pakować. Urządzono im uroczyste przyjęcie pożegnalne, obdarowano prezentami, młodzież się popłakała i ruszyli w drogę powrotną, zaopatrzeni w zaświadczenie potwierdzające, że wszystko, co ze sobą wwożą, to prezenty „towarzyszy z enerde, zachwyconych owocną i harmonijną współpracą". Celnicy mogli im nadmuchać.

Jechali w milczeniu, w prawie pustym przedziale.

– Włodku – przerwała ciszę – wracamy do Amalii. Bardzo się boję.

– Nie przesadzaj – wydawał się znudzony żoninymi obawami.

– Taka czy inna, to zawsze matka. Powinnaś się opanować, nie reagować na zaczepki i próbować łagodzić sytuacje, zamiast je zaostrzać.

Spoglądała na krople deszczu, spływające po szybach i starała się nie słuchać banałów, wygłaszanych przez męża. Może NRD i było państwem policyjnym, może nawet donosili na siebie nawzajem. Była jednak spokojna. Robiła co do niej należało i niczego nie oczekiwała. Miała pracę, mieszkanie, męża i wszystko jakoś funkcjonowało. Nagle poczuła, że oddala się od Włodka, że już nie jest ten sam. Dlaczego powiedział, że nie powinna zaostrzać sytuacji? Niczego takiego nie robiła. Przypomniała jej się powieść „Portret Doriana Grey'a". Włodek zmieniał się w rytm kół pociągu. Im bliżej domu, tym bardziej krytyczny wobec niej, wręcz wrogi.

Zaoszczędziła dość dużo pieniędzy, które zamierzała zainwestować w modernizację mieszkania. Wieźli drobiazgi do wyposażenia: wykładziny, dywany, tapety. To wszystko zdobyła ciężką pracą i ukrywaniem zdrowotnych kłopotów.

– Chciałabym pójść do pracy.

– A po co? Mama już ma swoje lata. Zajmij się lepiej domem.

– Ma dopiero sześćdziesiąt cztery lata!

– A ty trzydzieści dwa. Chyba dostrzegasz różnicę!

– Tak! – lodowata gula utknęła w gardle. – Tak! – powtórzyła.

– Już mówiłaś, słyszałem.

*

Amalia powitała ich słodko-kwaśno. Nicole natychmiast zaczęła rozpakowywać bagaże, żeby wręczyć matce przywiezione prezenty i poprawić jej humor. Pomysł okazał się nietrafiony, bo nocna koszula była biało-niebieska, a brunetkom w niebieskim nie do twarzy, zwłaszcza zaś piwnookim brunetkom. Należało poszukać czegoś w cieplejszym kolorze. Puszysty szlafrok w kolorze ciemnego burgunda, nie pasował do biało-niebieskiej koszuli i świadczył o marnym guście córki. Śnieżnobiały komplet bielizny damskiej z całą pewnością szybko zażółknie i będzie do niczego. Ładnie skrojony prochowiec, kupiony po znajomości, bo pochodzący z Niemiec zachodnich, będzie wymagał częstego prania, zaś pasujące do prochowca buty z weluru, torebka, rękawiczki i apaszka, były zbyt młodzieżowe.

– Czy to wszystko, co mi przywiozłaś? – matka pogrzebała w pozostałych walizkach. – Lepiej pokaż, co przywiozłaś dla siebie.

– Nic. Kupiłam parę rzeczy dla Włodka i drobiazgi do domu: pościel, kapy na łóżka, firanki, wirówkę do bielizny...

– Za wiele to nie przywieźliście, chociaż mieliście do dyspozycji dwie pensje.

– Nie zapomnij, że odłożyliśmy pieniądze na modernizację mieszkania, przesyłaliśmy przekazy do domu dla opłacenia czynszu, prądu, gazu…

– Właśnie! – tryumfalnie rozłożyła zeszycik. – Musiałam ze swojej skromnej renty dołożyć do wyżywienia. Proszę! – trzepnęła dłonią w kartkę zapełnioną słupkami.

– Mamo, nie było nas całe dwa lata i niczego, co tu wpisałaś nie wzięliśmy do ust. Sami też musieliśmy coś jeść, ubrać się i nawet we dwójkę nie byliśmy w stanie utrzymać dwóch domów.

Amalia mówiła coraz głośniej, mięła prezenty i ciskała nimi wokół siebie, wymierzyła walizce tęgiego kopniaka.

– No to, kiedy wreszcie weźmiecie się za tę cholerną modernizację, lenie śmierdzące!

– Jak się rozpakujemy – nie wytrzymał Włodek.

– A przywieźliście coś dla Ludwisi? – uśmiechnęła się do zięcia. Jej pobladła ze złości twarz przypominała makijaż gejszy. – Żeby jej nie było przykro.

– Tak. Kupiłam kupon koronki, bo teraz są modne koronkowe kamizele.

– A mnie obdarowaliście jakąś beznadziejną bielizną – warknęła.

– Też chciałabym kamizelkę z koronki – marzyła głośno, przykładając do siebie materię.

– Masz tyle rzeczy wokół siebie – Nicole wskazała na tapczan, na którym piętrzyły się stosy prezentów.

– Śmieci – parsknęła – same śmieci!

Zrzucała na podłogę starannie ułożony płaszcz, szlafrok, białą bieliznę. Cisnęła torebką i rękawiczkami, rzuciła butami. Złapała za nożyczki i przekroiła apaszkę po przekątnej:

– Może tak, da się to nosić. Czy ja wiem?

Nicole zaczęła sprzątać bagaże. Przygotowała bieliznę do prania, odczyściła walizki i schowała do wnękowych szaf, wyszczotkowała płaszcze, zapakowała do foliowego worka odzież, którą należało odnieść do pralni.

– Kiedy się wreszcie zabierzesz do przygotowywania posiłku – Amalia uważnie studiowała swoje stopy. – Ile można czekać?

– Mamo! – przysiadła obok matki i pogładziła ją po ręce.

– Nie dotykaj mnie brudnymi łapskami – Amalia odepchnęła jej dłoń z obrzydzeniem.

– Chcę zrobić trochę miejsca, bo tu nie można się ruszyć – wstała.

– No właśnie, o tym też chciałam porozmawiać – uklepała kraciasty pled. – Sami widzicie, że to mieszkanie jest zbyt małe dla trzech osób.

– To jest M-4, czyli mieszkanie przeznaczone nie dla trzech lecz czterech osób – nieoczekiwanie wtrącił się Włodek.

– Nie rozumiem, jak dwoje młodych, zdrowych ludzi, może tolerować sytuację, w której biedna, stara, schorowana kobieta musi mieszkać w pokoju dziennym, gdzie panuje ruch, jak na dworcu kolejowym! Nie oczekuję złotych gór ani pałacu, pragnę tylko samodzielnego mieszkania, aby żyć w nim jak cywilizowany człowiek i umrzeć z godnością. Dlaczego nie znajdziecie sobie własnego mieszkania, nie usamodzielnicie się wreszcie, tylko wciąż i wciąż siedzicie mi na karku.

Nicole spojrzała na męża z rozpaczą.

– Niech mnie mama dobrze posłucha – Włodek przysiadł na rogu stołu. – To nie my mieszkamy u mamy, lecz mama u nas i to nie my siedzimy mamie na karku, lecz mama nam. Każda rodzina ma prawo do jednego tylko lokalu mieszkalnego, a my z Nicole stanowimy rodzinę. Choćbyśmy stanęli na głowie, drugiego mieszkania nie dostaniemy, zatem nie ruszymy się stąd ani na krok, bo zwyczajnie nie mamy dokąd. Jeśli ktoś z nas może się starać o własne mieszkanie, to tylko mama. Nie przypominam sobie, żebym prosił mamę, aby się z nami przeprowadziła. Popadła mama w konflikt z gospodarzami swojego poprzedniego mieszkania, bo chociaż zgodziła się mama na wspólną z nimi łazienkę i swoją zgodę potwierdziła własnoręcznym podpisem, zaczęła robić trudności i uniemożliwiała korzystanie ze wspólnego pomieszczenia. Jakby tego było mało, latała mama po kominkach i oplotkowywała ich bez skrupułów. Robiła mama dokładnie to samo, co próbuje robić tutaj. Wkręciła się mama do cudzego mieszkania, a potem zaczęła wykopywać gospodarza.

Amalia rozpłakała się teatralnie.

– Na starość w łachmanach i bez dachu nad głową – zaszlochała.

– Nieprawda mamo, nie jesteś w łachmanach, masz własną szafę, która pęka w szwach. Staraliśmy się sprawić ci przyjemność i przywieźliśmy masę rzeczy, o których mogę tylko pomarzyć. Mieszkasz w wygodnym mieszkaniu, urządzonym według twojego, a nie naszego gustu i zajmujesz największy pokój. Dlaczego mówisz, że nie masz dachu nad głową?

– Bo muszę mieszkać z wami! – wrzasnęła.

– Przecież tego chciałaś. Stałej opieki, wolności od uciążliwych obowiązków, obsługi w zdrowiu i chorobie przez dwadzieścia cztery godziny na dobę i to wszystko ci zapewniliśmy. Czego jeszcze pragniesz?

– Żebyście się stąd wynieśli. Mieszkanie jest za małe dla trzech osób. Działacie mi na nerwy. Czterdzieści pięć metrów kwadratowych to klitka dla jednej osoby. Kupcie sobie własne mieszkanie! – gestykulowała, strącając przedmioty z komódki.

– To JEST nasze mieszkanie – zrezygnowany Włodek zapalił papierosa. – Nie mamy dokąd pójść.

– Nie chcecie po dobroci, to was wykurzę – przeszła do pogróżek.

– Co chcesz przez to powiedzieć? – Nicole pobladła. – Proszę cię, mamo, nie groź mi. Przeżyłam swoje, wyniosłam się na całe dwa lata, wciąż się leczę i nikomu nie powiedziałam, co mnie spotkało. Nawet tobie. Lekarze zachodzą w głowę, co mi jest, stale zlecają nowe, bolesne i żenujące badania i popatrują na mnie podejrzliwie. Co mam powiedzieć? Że z poduszczenia księdza, teściowa próbowała mnie zabić i, że ten morderczy zamach uszedł obojgu na sucho, w zamian za pomoc w szybszym uzyskaniu mieszkania, z którego teraz chcesz nas wyrzucić?

– Chciała cię zabić? Ale zawaliła sprawę, ciemięga jedna! Jestem od niej bystrzejsza – chlusnęła na córkę ziołami z garnuszka.

Odskoczyła, zasłaniając oczy i pobiegła pod kran, żeby spłukać z twarzy gorący osad. Nieruchawy i obojętny zazwyczaj Włodek, zaklął szpetnie i pośpieszył żonie z pomocą. Amalia wpadła w furię. Przeklinała, rzucała naczyniami, tłukła talerze i szklanki i próbowała dopaść córki.

Nicole podała jej tabletki i poprosiła:

– Jesteś zdenerwowana i szkodzisz swojemu wątłemu zdrowiu, weź witaminy!

– No wreszcie zrozumiałaś, że moje zdrowie jest w ruinie i bliżej mi do śmierci niż dalej.

– Co to za witaminy?

– B complex.

Połknęła krzywiąc się i stękając dwie tabletki Elenium i położyła się na tapczanie, żądając zachowania bezwzględnej ciszy. Zamykając oczy zdążyła rzucić:

– Zobaczysz, jak cię urządzę. Pożałujesz, że się urodziłaś.

Po chwili spała snem sprawiedliwego.

– Włodek, boję się, jest niebezpieczna. Może należałoby porozmawiać z jakimś specjalistą?

– Daj spokój. „Pies który szczeka, nie gryzie". Rozrabia, to fakt. Powinnaś być pokorniejsza, schodzić jej z oczu, unikać zatargów. Przytakuj i będzie spokój.

– Rozumiem. Nie mam wprawdzie pojęcia, jak to zrobić, ale coś wymyślę.

Za blokiem, w którym mieszkali, rozciągał się gęsty las, poprzedzony leśnym parkiem. W parku znajdował się zaniedbany i zapomniany, bo nieużytkowany, cmentarzyk pobliskiego szpitala psychiatrycznego. Bez względu na pogodę wychodziła z domu na całe godziny i przysiadywała na porośniętych mchem resztkach nagrobków. Gdy było ładnie czytała książkę, kiedy padał deszcz cierpliwie siedziała samotnie pod parasolką, aby tylko czas upłynął.

Nigdy nikogo nie spotkała. Śmiała, ruda wiewiórka tak do niej przywykła, że przybiegała, ciekawska, dzierżąc w przednich łapkach jakiś smakołyk i głośno chrupała. Czasem pojawiał się humorzasty jeż, przystawał, wąchał i ruszał dalej, tupiąc i sapiąc. Najzabawniejsze i o dziwo, najśmielsze, były zające, które stawały słupka i spoglądały z nieskrywanym zdziwieniem na intruza. Robiła, co kazał Włodek. Była pokorna, schodziła z oczu, unikała zatargów.

*

– Czy podczas naszej nieobecności nie przyszły żadne listy, nikt do nas nie napisał, nie zadzwonił? – Nicole smarowała bułkę dżemem.

188

– A tak, coś tam przyszło. Wrzuciłam do szuflady. I dzwonił kilka razy jakiś Wiśniewski, Wrzesiński...

– Nie znam – łamała sobie głowę, kim mógł być tajemniczy Wiśniewski czy Wrzesiński i nagle olśnienie. – Przepraszam, mamo, czy to nie był pan Wesołowski?

– A może i Wesołowski.

Znieruchomiała nad otwartą szufladą. Pośród kartek z życzeniami wyróżniały się dwie koperty z żałobną obwódką. Rozpieczętowała je, czując lód w sercu. Pierwsza była od pani Laskowskiej. Donosiła, że Adam umarł w czerwcu. W drugiej znajdowało się lakonicznie zawiadomienie o przedwczesnej śmierci Ludmiły Wesołowskiej. Usiadła na podłodze i ukryła twarz w dłoniach.

– Czego ryczysz, idiotko? – Amalia od rana była nadzwyczaj ruchliwa.

– Umarły dwie bliskie mi osoby.

– No i co z tego? Dogorywam na twoich oczach, a jakoś szlochów nie słyszę. Też coś! Obcy ludzie kopnęli w kalendarz, a ta kretynka ryczy. Gdy matka kona, ani drgnie.

Popołudniu zadzwoniła do sędziwego, bardzo życzliwego profesora Stragańskiego. Starszy pan bardzo się ucieszył, od razu wiedział, kto mówi i serdecznie zaprosił do siebie, do mieszkania, które dzielił z chimeryczną córką i zarozumiałym zięciem. Poinformował szczegółowo o swoim skromnym planie dnia i dokładnie wyliczył, gdzie i o której można go zastać, gdyby się okazało, że nie ma go w domu. W głosie profesora wyczuła niemal dziecięcą radość ze zapowiedzianej wizyty.

Gdy Włodek wrócił z pracy, opowiedziała o smutnym odkryciu i zapowiedziała, że wybiera się do Krakowa, bo chciałaby odwiedzić groby Adama i Ludmiły i dowiedzieć się czegoś bliższego o okolicznościach niespodziewanej śmierci młodej kobiety. Jeśli ma czas i ochotę może jej towarzyszyć. Nie odpowiedział wcale i odniosła wrażenie, że zlekceważył jej słowa.

– Rzeczywiście, komuś swoją wizytą pomożesz! Lepiej byś się wzięła za odmalowanie okien przed zimą, zamiast trwonić czas i pieniądze na odwiedzanie obcych nieboszczyków – matka przeglądała się w lusterku, napinając palcami skórę twarzy.

– Ci ludzie byli mi kiedyś bardzo bliscy. Żałuję, że nie mogłam wziąć udziału w pogrzebie. Chciałabym przynajmniej odwiedzić ich groby, postać chwilkę, pomyśleć, położyć kwiatki, zapalić świeczkę.

– Jadę z tobą – Włodek wytarł usta serwetką i nie wiadomo, dlaczego cisnął nią na stół, jakby rozzłoszczony.

Przyjechali do Krakowa wczesnym, październikowym rankiem. Pora była zbyt wczesna na wizyty, poszli zatem na śniadanie do „Literackiej", a potem prosto do profesora.

Zostali powitani ciepło i serdecznie i nawet kostyczna córka profesora zdobyła się na życzliwy uśmiech. Przy kawie i ciepłych, miniaturowych rogalikach słuchali o ostatnich dniach Laskowskiego, który najpewniej zapłacił krótkim życiem za pobyt w obozie w Hiszpanii, i o tragicznej śmierci Ludmiły Wesołowskiej.

Wesołowscy wybrali się na kilka dni odpoczynku do malowniczo położonej leśniczówki, gdzieś na Lubelszczyźnie. Przy pięknej pogodzie odbywali dalekie spacery, czytali książki, wieczorami słuchali muzyki. Stołowali się u gospodarzy. Pewnej nocy, Ludmiła poczuła się bardzo źle. Miała mdłości, zawroty głowy, rozwolnienie. Gospodarze i Stanisław, mąż Ludmiły, byli bardzo zaniepokojeni, bo nikt inny nie chorował, chociaż wszyscy jedli na kolację to samo. Chora spędziła cały dzień w łóżku, nie mogąc przełknąć nawet herbaty. Około dwudziestej straciła przytomność i Stanisław wezwał pogotowie, które zabrało ją do kliniki w Lublinie. Mimo nadludzkich wysiłków personelu Ludmiła umarła o świcie. Wobec przypadku nieoczekiwanej śmierci tak młodej kobiety, zarządzono sekcję zwłok, która wykazała, że przyczyną śmierci było zatrucie grzybami.

Przeprowadzono drobiazgowe śledztwo, które nie wniosło do sprawy nic nowego. Wszyscy domownicy jedli dokładnie to samo, przyrządzone w ten sam sposób, z tych samych produktów. Nikt nie zachorował, nikt się źle nie poczuł, nikomu nie zaszkodziło. Odchodzący od zmysłów Stanisław, zabrał ciało żony do Krakowa, by złożyć je w rodzinnym grobowcu.

Wybrali się na cmentarz Rakowicki we dwoje, chociaż profesor chciał im towarzyszyć. Uznali, że taka wyprawa może być zbyt wyczerpująca dla ponad osiemdziesięcioletniego dżentelmena, poruszającego się o lasce. Groby wyzłocone w jesiennym słońcu, pod rudą kołderką z liści, wyglądały przytulnie i radośnie. Ciekawska wiewiórka przysiadła obok tablicy z nazwiskiem i świdrowała ich rozumnym spojrzeniem lśniących ślepków. Nicole nie mogła powstrzymać łez.

– Niki! – Włodek pociągnął ją w stronę niewielkiej ławeczki.

– Niki, wiem, że ci nieznośnie ciężko. Jestem gburem, mrukiem, miewam humory. Tak zostałem wychowany. U nas w domu nikt z nikim nie rozmawiał. Każdy żył własnym życiem i z niczego się nie zwierzał. Mama rządziła i nikt nie protestował, nie podważał jej decyzji i to nie dlatego, że wzbudzała głęboki szacunek, który zamykał usta. Wręcz przeciwnie. Nikogo z nas nie obchodziło, co sobie wymyśliła. Zrobiła obiad i podała. Kto chciał, jadł, kto nie chciał, nie jadł. Coś tam mruczała, co psa z kulawą nogą nie wzruszało. Kazała iść do kościoła, to się wychodziło z domu i jeśli któreś z dzieci chciało iść na nabożeństwo, to szło, a jeśli nie chciało, to zamiast na mszę szło do koleżanki, kolegi, do hali sportowej albo do kina. Dziwactwa Amalii są dla mnie czymś zupełnie nowym, żeby nie powiedzieć szokiem. Próbuję sobie poradzić z nowym doświadczeniem, chlapię byle co, mielę ozorem, a po paru godzinach nagle sobie uświadamiam, że cię zdołowałem i przyznałem jej rację, chociaż wcale tego nie chciałem. Przerasta mnie teściowa i sytuacja, w jakiej się znalazłem. Po raz pierwszy w życiu mam do czynienia z szajbuską i nie wiem, co robić.

Wciąż nie wierzę, że moja matka dybała na twoje życie. Nie mieści mi się to w głowie. To nie może być prawda. Nie jest zdolna do podstępnego, długotrwałego działania. Jest na to za głupia! Nie cierpi cię, nie może cię znieść, bo uważa, że ukradłaś jej syna i domaga się wnuków nie z miłości do dzieci, czy pragnienia zachowania rodu. Brak jej rozumu, by roztrząsać tak zawiłe kwestie. Chce żebyśmy mieli dzieci, bo wtedy ty będziesz zajęta i z konieczności zaczniesz mnie zaniedbywać. Wrócę więc na łono rodziny, pod opiekuńcze skrzydła kwoki.

Ojciec gotuje się na twój widok i najchętniej by się nawalił jak stodoła po żniwach, bo nie rozumie, o czym mówisz. Wariuje pomału i systematycznie. Widzę wysiłek w jego oczach i mimice i wiem, że jest bezradny, jak dziecko we mgle. Zwracasz się do niego:

– Proszę ojca, wolałabym, żeby ojciec nie wchodził bez pukania. I on ma panikę w oczach, bo nie wie, o co chodzi.

Jakbyś wrzasnęła: klupać trza! To by zrozumiał, ale „przepraszam", by nie powiedział, bo jego zdaniem to wygłup.

Powiedziałaś mu:

– Nie będę się z ojcem sprzeczała w obecności dziewczynek.

Facet zgłupiał. Zrozumiałby:

– Dziołchy wylazować, bo chca fatrowi nawciepować.[81]

Ściągnąłem nieszczęście na twoją biedną głowę i nie widzę wyjścia. Zachowuję się strasznie, wiem o tym. Jesteśmy jak dwie planety, krążące po różnych orbitach. Imponowałaś mi i nadal imponujesz, nigdy ci nie dorównam. Reprezentujemy sobą dwa światy. Możemy sobie nawzajem pomagać, iść na ustępstwa, starać się znaleźć wspólny język, przekonywać i argumentować, nigdy jednak nie będziemy na tej samej długości fali. Jesteśmy jak dwa źle ustawione radia, jak nie szumy, to przebicia z innych stacji.

– Jeśli tak precyzyjnie potrafiłeś zanalizować sytuację, dlaczego nie możemy się porozumieć? Znajomość mechanizmu, pomaga w jego obsłudze.

– Bo zawsze zostaję o krok w tyle!

– Albo ja mam same falstarty.

– To próba wpisania kwadratu w koło i zawsze tak będzie.

– Nawet nie zauważysz, jak mnie matka uziemi. Znowu nie będziesz mógł uwierzyć.

– Co mam zrobić? Myślałem już o tym, żeby Amalii kupić własne mieszkanie. Zapożyczę się, zadłużę i wyprowadzę zgagę z domu. Tylko, że to niewiele zmieni, bo będziesz musiała obrabiać dwa mieszkania.

– Nie o to chodzi. Mogę obrabiać mamę i jej mieszkanie. Poradzę sobie. Problem polega na tym, że mama nie chce innego mieszkania, lecz nasze, a tego właśnie nie dostanie, bo przede wszystkim nie jest członkiem spółdzielni i nie ustawiła się w kolejce do mieszkania. Jeżeli opuścimy mieszkanie, otrzyma je najbliższa rodzina, oczekująca w kolejce, a nie mama, która jest poza wszelką kolejką. Ponadto, nasze mieszkanie ma czterdzieści pięć metrów kwadratowych i jest przewidziane dla czterech osób, a nie dla osoby samotnej. Kto jej to wytłumaczy?

– Nie wiem, Niki.

– Gdybym tak popełniła samobójstwo, mógłbyś się ożenić z kobietą, którą wybrałaby twoja matka, zaś Amalia zostałaby przeniesiona do mieszkania kwaterunkowego. To najlepsze wyjście, wręcz jedyne.

– Przestań, Niki. Nawet żartem tak nie mów. Muszę pogłówkować.

– Tymczasem Amalia mnie zabije. Nie znasz jej, Heinz.

– Słyszałem, że podobno będzie można wracać do właściwych imion. Znowu stałbym się Heinzem.

– I nikt nie będzie wiedział, o kogo chodzi. Od tysiąc dziewięćset czterdziestego piątego jesteś Włodzimierzem – Włodkiem. Od dwudziestu siedmiu lat wszyscy znają cię jako Włodka i Włodkiem pozostaniesz. Tak kazali i to się nie zmieni, chociaż nie ty wojnę wywołałeś, bo gdy Niemcy wkroczyli do Polski miałeś niespełna cztery miesiące.

– Wracajmy, bo profesor zaprasza na obiad do „literatów", na Krupniczą.

Wrócili do domu późnym wieczorem głodni, brudni i zmęczeni. Po drodze z dworca Nicole wyznała, że czuje jakiś nieokreślony, wewnętrzny niepokój, lęk.

– Może mama znowu coś zmalowała? – zwolniła kroku.

– Niee, boisz się na zapas! Przecież nie było nas w domu przez cały dzień i pewnie czuła się, jak ryba w wodzie. Lodówka chyba pusta, bo pozapraszała znajome i częstowała „czym chata bogata", podłogi zadeptane, papier toaletowy zużyty, bo panie stale latają do klopa... Eee tam! – machnął ręką.

– Państwa nie było?, dobry wieczór – sąsiad wyprowadzał psa – myślałem, że państwo remontują mieszkanie.

– Nie, wracamy z Krakowa – wyjąkała i spojrzała na zaskoczonego Włodka.

Wstępowali po schodach powoli i gdy dotarli na swoje piętro, oniemieli.

Na dość dużym korytarzu stały krzesła, stojąca lampa, jakieś buty, kubełki. Przyglądali się przedmiotom, nie wierząc własnym oczom. Zastali Amalię wygodnie rozpartą w fotelu, uśmiechniętą i zadowoloną, w swoim nieśmiertelnym szlafroku. Odzież, bielizna osobista, stołowa, pościelowa leżały na ich tapczanie i zaścielały podłogę.

– Nie chcecie się wyprowadzić po dobroci, to może was zmobilizuję. Koleżanki mi pomagały. Muszę was stąd wykurzyć, bo jesteście za tępi, żeby zrozumieć, że przeszkadzacie i powinniście się wyprowadzić. Od młodych, silnych, wykształconych ludzi można oczekiwać większej aktywności. Meble sobie wyniesiecie sami. Mam was dość.

Wciąż mówiła, powtarzała w kółko, że mają się wyprowadzić, bo mieszkanie jest jej. Słowa płynęły nieprzerwanym strumieniem, podczas gdy Nicole z mężem, ledwie umywszy ręce zabrali się do sprzątania. Zapowietrzyła się grubo po północy i chociaż, jak twierdziła, cierpiała na bezsenność, zasnęła jak kamień, głośno chrapiąc.

Uporali się z porządkami około drugiej nad ranem i nic nie jedząc padli skonani.

Następnego dnia Włodek poszedł do pracy, a Nicole sprzątała totalnie zabałaganione mieszkanie. Myła i pastowała podłogi, trzepała dywany, szorowała korytarz.

Właśnie wracała z pobliskiego sklepu ze zakupami i zamierzała przygotować obiad, gdy pojawiły się cztery koleżanki matki. Podała kawę, przywiezione z Krakowa ciasto, grzecznie przeprosiła i poszła do kuchni.

Za nią majestatycznie wkroczyła najmniej sympatyczna, wielka jak gdańska szafa, pani Tekla. Rozejrzała się niepewnie po miniaturowej kuchni, w której chudziutka Nicole kroiła warzywa, wciśnięta pomiędzy stół i wąską, jednodrzwiową szafę kuchenną i stanęła w progu, pomiędzy kuchnią i przedpokojem.

– Droga pani – zaczęła protekcjonalnie. Jako radna, ZBOWID--owiec, członek komisji orzekającej w sprawach rent inwalidzkich, uchodziła wśród koleżanek za autorytet w kwestiach wszelkich. Sama również ceniła się wysoko, bo gdzieś w okresie po powstaniach śląskich, ukończyła seminarium nauczycielskie i dość długo pracowała jako nauczycielka najniższych klas szkoły podstawowej. Nigdy nie wyszła za mąż, nie miała własnych dzieci, za to dużo wolnego czasu, który poświęcała na naukę języka angielskiego i poradnictwo dla rodzin z problemami. Znali ją miejscowi angliści, którzy na wspomnienie o pani Tekli robili zbiedzone miny i przypominali sobie, że powinni się wybrać do dentysty.

– Droga pani – powtórzyła – jestem zmuszona wtrącić się do spraw prywatnych swojej przyjaciółki i czynię to z zażenowaniem, bo do tej pory sądziłam, że osoby wykształcone powinny dysponować nie tylko wiedzą fachową, lecz również posiadać dostatecznie szerokie horyzonty, by roztropnie postępować w życiu rodzinnym.

Przerwała, wyraźnie zadowolona, że udało jej się wygłosić, bez zająknięcia długie, kwieciste, choć stylistycznie kulawe zdanie. Nicole uśmiechnęła się zachęcająco, nie przestając kroić marchwi, pietruszki i selera.

– Pani mama – ciągnęła nie może mieszkać w warunkach urągających jej godności i państwo, młodzi i na dorobku, powinni to zrozumieć. Czas już najwyższy, aby państwo znaleźli sobie własne mieszkanie i pozwolili mamie w spokoju dożyć swoich dni.

Nicole wsypała pokrojone warzywa do salaterki, umyła ręce, zdjęła fartuszek i nie przestając się uśmiechać, zwróciła się do swojej rozmówczyni:

– Pani pozwoli? Może przejdziemy do pokoju.

Przy stole, w milczeniu, siedziała nabzdyczona matka w towarzystwie trzech pozostałych koleżanek.

– Panie wybaczą – przeniosła filiżanki, talerzyki, dzbanuszki, ciasto na podręczny stolik i położyła na stole gruby segregator.

– Oto przydział na mieszkanie, pokwitowanie opłat czynszowych i opłat za gaz, światło i RTV, potwierdzenie opłat, dokonanych na konto Spółdzielni Mieszkaniowej za wynajem mieszkania, dowody spłaty pożyczek, zaciągniętych w celu dokonania częściowego wykupu lokalu i potwierdzenia spłat kredytu mieszkaniowego.

To pliki rachunków za zakup: mebli, drugi za dywany i firanki, trzeci za lodówkę i telewizor, czwarty za farby i lampy, dowody zakupu naczyń, bielizny a także odzieży dla mamy – od kapelusza po buciki. Osobno rachunki za opłacone przez nas wizyty mamy u prywatnych lekarzy specjalistów: okulisty, laryngologa, ortopedy, internisty.

Rachunki za wczasy i wycieczki, dowody opłat za opiekę nad mamą, podczas naszego pobytu w NRD, w tym za mycie klatki schodowej.

To zaś – pomachała kopertą – dowody zapłaty za niepotrzebne wezwania pogotowia ratunkowego do mamy z powodu: anginy, kataru, zerwania mięśnia w lewym ramieniu, bólu ucha, ogólnego podenerwowania.

Na koniec zostawiłam wyciąg z „Prawa Spółdzielczego", z którego panie będą mogły się dowiedzieć, jaka jest mamy i nasza sytuacja prawna. Życzę przyjemnej lektury – wyszła do kuchni.

Nie mogła opanować drżenia rąk i dostała krwotoku z nosa. Na szczęście panie były tak zajęte wertowaniem papierów, tak gorączkowo dyskutowały, tak się sprzeczały, że nawet tego nie zauważyły.

Zadzwonił telefon. Weszła do pokoju, przeprosiła i odebrała.

– Masz dziwny głos – zauważył Włodek.

– Mamę odwiedziły przyjaciółki – powiedziała, siląc się na wesołość.

– Zwolnię się z pracy i za kwadrans będę w domu. Podjadę taksówką. Dobrze się czujesz?

– Nie za bardzo.

Pojawienie się Włodka wywołało popłoch. Zarumienione, rozindyczone damy zaczęły się szybko zbierać, strącając ze stołu papierzyska.

– Amalko, kochanie, pamiętaj, że masz oddane przyjaciółki – ściskały ją jakby się wybierała na wojnę.

– W razie czego, możesz na mnie liczyć – zagrzmiała Tekla, patrząc groźnie na Włodka.

– Przepraszam, czego? – Włodek nie znosił pani Tekli. – Mama się boi, że ją zgwałcę?

– Nigdy nic nie wiadomo! – pani Tekla uniosła wysoko podbródek. – Nigdy nic nie wiadomo!

– Panie same zejdą ze schodów, czy pomóc? – Włodek kipiał.

Goście wyszli, Włodek zwrócił się do teściowej.

– Niech mnie mama dobrze posłucha. Jeśli jeszcze raz, pod moją nieobecność ośmieli się mama zaprosić swoje przyjaciółki, żeby nękały moją żonę, zwrócę się do psychiatry, aby mamę przebadał. Pastwi się mama nad Nicole, odgraża się jej i nie daje mi w spokoju ani pracować, ani mieszkać. Cierpi mama wskutek problemów psychiatrycznych, które się nasilają i wymagają interwencji specjalisty. Amalia usiadła na tapczanie i przez dwa dni cięła nożyczkami zdjęcia. Napełniła pudło od telewizora.

*

– Pani Grätz, jak to dobrze, że panią widzę – po raz nie wiadomo który stwierdziła, że pan Mariusz ma niepokojącą urodę. Swego czasu Włodek okazał irytację, gdy pan Mariusz poprosił o pomoc w napisaniu podania. Robił to dość często. Był człowiekiem z ogromną wyobraźnią techniczną. W głowie obracały mu się kółka, kręciły trybiki, łańcuchy i przerzutki przenosiły energię z jednego końca urządzenia w drugie. Bez rozkładania mechanizmu potrafił precyzyjnie określić, jak funkcjonuje. Ortografia pozostawała jednak kontynentem do odkrycia, zaś ułożenie prostego zdania, wielokrotnie przerastało jego możliwości.

Zbyt okazale też się nie prezentował i Nicole westchnęła:
– Ależ to brakujące ogniwo!

Włodka to uspokoiło i słusznie. Sam był wysokim, szczupłym brunetem o agatowych oczach, łatwo opalającym się na złocisty brąz, milczącym i poważnym. Co najważniejsze, radził sobie doskonale z problemami technicznymi i pisma oraz podania produkował bez niczyjej pomocy.

– Mamy taki problem – ciągnął pan Mariusz.
– My, to znaczy, kto?
– No w Komitecie Powiatowym – speszył się i powiódł dłonią po tłustych włosach koloru zgniłej słomy.
– Panie Mariuszu, nie jestem członkiem partii i nie zamierzam do niej wstępować. Z zasady nie przystępuję do żadnych partii, kółek, kongregacji, sodalicji i nigdy tego nie robiłam.
– Wiem o tym, proszę pani. Wiem również, że ze względów zdrowotnych ma pani trudności ze znalezieniem pracy, chociaż tych enerdowców udało się pani wyrolować.
– Proszę pana... – Nicole wyprężyła się, jak struna.
– Chwileczkę, przepraszam, nie powinienem był, no tak, jeszcze raz przepraszam. Proszę mnie tylko wysłuchać i przemyśleć propo-

zycję. Widzi pani, prowadzimy w Komitecie Uniwersytet Marksizmu i Leninizmu...

– Co? – przerwała mu w pół zdania – co takiego? UNIWERSYTET?! Czy wyście powariowali? Kto, kto, kto wam pozwolił deprecjonować nazwę „uniwersytet"? – aż się zakrztusiła.

– Ciszej, droga pani, ciszej, bardzo proszę! Płacimy całkiem nieźle. Potrzebujemy pilnie kogoś po studiach, kto gotów byłby poprowadzić zajęcia z religioznawstwa. Zaproponowałem panią, bo mój najmłodszy syn był kiedyś pani uczniem i wydaje się pani do tego stworzona. Komitet obiecał, że nie będzie nalegał w sprawie pani dystansu do partii. Proszę się zastanowić. Trochę grosza się przyda, żeby, no, na przykład panią Amalię – zrobił ręką gest odsuwania – tego, do innego mieszkania, bo starsza pani, no tego, trochę nierówno – znowu powiódł dłonią po głowie. Kiedy mógłbym zadzwonić, żeby się dowiedzieć, co pani postanowiła?

– Co do mamy, to rzeczywiście, zupełnie nierówno, można by rzec same wyboje, a zadzwonić może pan jutro. Proszę o czas do jutra.

Zadzwoniła do Włodka do pracy i poprosiła, żeby nie pozwolił sobie narzucić nadgodzin, bo chciałaby z nim porozmawiać w sprawie niecierpiącej zwłoki, najlepiej bez świadków. Umówili się w ponurej, zadymionej kawiarni na piętnastą piętnaście.

Włodek zjawił się zadyszany i niespokojny.

– Co się stało?

– Właściwie nic. Otrzymałam następującą propozycję – wyłuszczyła dokładnie, o co chodzi.

Włodek zamyślił się nad stygnącą herbatą w tłustej szklance.

– Przede wszystkim przeanalizujmy zalety. Wyrwiesz się z domu na tę godzinkę, a ponadto, gdy mama się dowie, że przygotowujesz się do zajęć, które przyniosą pieniądze, mor..., to znaczy usta sobie zaszyje, zanim się odezwie, bo oprócz siebie kocha pieniądze. Będziesz miała zagwarantowany spokój.

– I ty też – wtrąciła.

– Niki, proszę. Już wyjaśniałem, tłumaczyłem, przepraszałem.

– Co to, to nie! Nie przepraszałeś!

– Teraz przepraszam. Przyjrzyjmy się wadom. Dostrzegam właściwie tylko jedną – narobisz sobie wrogów wśród dewotek i duchow-

198

nych. Mnie to nie robi różnicy. Nie zabiegam o popularność i jeśli się zdecydujesz, poprę cię i będę ci towarzyszył na wieczorowe zajęcia. Ostateczna decyzja należy jednak do ciebie. I co?

– Przyjmę tę fuchę. Chociażby tylko na rok.

Na pierwszy wykład stawili się słuchacze Wieczorowego Uniwersytetu, których wytypowały Podstawowe Organizacje Partyjne. Przedstawiła się i na wstępie poinformowała, że nie jest członkiem partii, że nie zamierza nikogo zniechęcać do praktyk religijnych, uprawianych w wielkiej tajemnicy, ani też zohydzać wierzeń wpojonych w dzieciństwie. Pragnie ograniczyć się do faktów historycznych i ściśle trzymać się tematu, bez zbaczania na kręte ścieżki ideologii, które bądź nie znajdują poparcia w faktach, bądź też wynikają z wewnętrznych, osobistych przekonań.

Na drugi wykład przyszło kilka osób więcej i tak z wykładu na wykład trzeba było się przenieść ze zwykłej sali posiedzeń do dużej sali posiedzeń plenarnych. Wkrótce słuchaczy przybyło i zabrakło miejsc siedzących.

Tymczasem w parafii zawrzało. Pierwsze kazania piętnowały „odwodzenie od wiary" i „mącenie w umysłach". Syn pana Mariusza, który lubił i cenił swoją byłą nauczycielkę, stał się nagle gorliwym słuchaczem kazań, na które stawiał się karnie z magnetofonem pod kurtką lub marynarką i z wypiekami na twarzy doręczał jeszcze świeże nagrania, bawiąc się w detektywa, szpiega czy agenta.

Gdy zaczęto zaczepiać Amalię i dopytywać się „czy to pani córka bluźni Bogu" sytuacja stała się napięta. Miasto huczało od plotek, które wkrótce przekroczyły granice parafii i rozlały się szeroko po powiecie. Dalsi i bliżsi krewni i znajomi wpadali z wizytą „po drodze", żeby spytać „co u was słychać". Któregoś dnia zjawiła się nieoczekiwanie Ludwika, bo „właśnie chciała kupić fartuszki i pomyślała, że rzuci okiem na syna". Od czasu przeprowadzki, Nicole i Włodek nie odwiedzali rodziców. Oficjalnie byli zajęci, a Ludwika rozgłaszała, że taki to już krzyż przyszło jej dźwigać. Bóg zechciał wystawić ją na próbę i zesłał na nią synową, która oddaliła syna od rodzonej matki. O zamachu na życie podłej synowej przezornie milczała.

Rozmowa się nie kleiła. Nicole nie mogła opanować zdenerwowania, ręce jej drżały, nie wiadomo po co grzebała w szafie, mówiła coś bez ładu i składu. Włodek swoim zwyczajem milczał. Oparł brodę na złożonych dłoniach i wbił wzrok w blat stołu. Amalia trajkotała o swoim wątłym zdrowiu, wygłaszając przy tym teorie medyczne zdolne powalić najbardziej doświadczonego eskulapa. Gdzieś po dwóch godzinach męki, Ludwika uznała, że pora wracać do domu.

– Włodku, odprowadzisz swoją mamę do autobusu, prawda? Tymczasem z Nicole pozmywamy naczynia – Amalia mówiła przesadnie głośno i wyraźnie.

– Nicole pójdzie ze mną. Poczekamy aż się ubierze w coś ciepłego. Jeśli mama chce, może zmywać, jeśli nie, proszę zostawić, zmyjemy jak wrócimy. – Ubieraj się, Niki – dotknął jej drżącego ramienia.

Amalia z Ludwiką rozmawiały ze sobą półgłosem, usiadłszy ciasno na niewygodnej kanapie. Strzępki rozmowy docierały do uszu rozedrganej Nicole.

– ...tak, musisz! Adler mówił, że trzeba odwagi, aby zwalczać zło w zarodku. Gdzie jest wina, tam musi być i kara! Wszystko ci wyjaśnię. Kiedy przyjedziesz?

– ...ma imieniny, dwudziestego, ach!, co ja mówię dziewiętnastego marca i zostanę u niej na noc. Mogłabym przyjść dwudziestego.

– Obchodzi imieniny? Pierwsze słyszę.

– Bo ma imieniny i urodziny tego samego dnia. Ksiądz mówił, że lepiej obchodzić imieniny i dlatego nie mówiłam o urodzinach.

– No to do widzenia, Lía – panie się uściskały. – Czekam, wszystko przygotuję.

Na rogu ulicy Włodek zatrzymał taksówkę. Podjechali pod dworzec autobusowy, pomogli wsiąść Ludwice i pomachali na pożegnanie.

Wracali spacerkiem. Nicole opowiedziała, co podsłuchała.

– Nie przejmuj się – Włodek mocniej przytulił jej ramię. – Spotkały się dwie plotkary.

Kiedy Amalia pojechała na dwa dni na urodzino-imieniny. Włodek został w domu, bo wziął dwa dni urlopu. Spali do godziny ósmej, zjedli smakowite śniadanie, łazili rozmamłani, oglądali stare zdjęcia i slajdy, pośmiali się ze szkolnych przygód, ucięli sobie drzemkę, słuchali ukochanego Mozarta, postawili sobie pyszną kolację i poszli spać przed północą.

Następnego dnia znowu wstali dopiero o ósmej, po śniadaniu pobiegli na szybkie zakupy, a po powrocie rozpili flaszkę „Pliski" i zasnęli przy „Kojaku".

– Mam wrażenie, że przeżywamy miesiąc miodowy – westchnął Włodek, przytulając się do żony „na łyżeczkę".

– Oby to się nie okazało stypą – szepnęła.

– Niki, nie przesadzaj – delikatnie pieścił jej nagie ciało. Miał gładkie, miękkie, delikatne dłonie i Nicole, nie wiadomo dlaczego, łzy popłynęły po policzkach.

Wielkanoc wypadała w połowie kwietnia. Oboje postarali się, aby niczego nie zabrakło, co przy permanentnych brakach w zaopatrzeniu wcale nie było łatwe. Nicole przygotowała buraczki z chrzanem, upiekła świąteczne ciasto, przyrządziła jajka w solance. Włodek wytrzasnął, ze sobie tylko znanego źródła, piękną, wonną szynkę. Świąteczny stół cieszył oko obfitością i barwami. W ostatniej chwili Włodek zniknął, by za chwilę pojawić się z różowym, pachnącym hiacyntem.

Radośni i pogodni zasiedli do wielkanocnego śniadania, złożywszy sobie uprzednio świąteczne życzenia. Amalia, jak zwykle, milczała obrażona i odzywała się, gdy uznawała to za konieczne, nie zapominając dodać do każdego zdania: idiotko, kretynko, imbecylu.

Postanowili podtrzymać świąteczny nastrój i nie dać się sprowokować.

– Cudownie pachnie ten hiacynt – rozpromieniła się Nicole.

– Od gówna, którym go obłożono. Ktoś nasrał do doniczki i wsadził cebulę, a potem sprzedał cebulę razem z gównem takim idiotom, jak wy. – Amalia odsunęła talerz, na którym nieapetycznie wymieszała buraczki z jajkiem.

Udali, że nie słyszą. Po śniadaniu wybrali się na spacer. Zachwycali się każdą bazią, każdym rozwijającym się pączkiem, każdym źdźbłem trawy, każdym krokusikiem.

W drugie święto Nicole poczuła się źle. Uśmiechnęła się z przymusem, gdy Włodek lekko popryskał ją wodą, a potem zasłabła.

Z każdym dniem czuła się gorzej. Wciąż mdłości, wymioty, biegunka. Do tego doszły objawy, przypominające grypę: zapalenie spojówek, drapanie w gardle, katar. Lekarze w przychodni stwierdzili grypę i zaordynowali Asprocol, jeden, Aspirynę, inny. Objawy się nasiliły.

W czerwcu Włodek skontaktował się z gabinetem doktora Brandta. Telefon odebrał doktor Ryszard Schilling i z żalem poinformował, że doktor Brandt wyjechał do swojego przyjaciela ze studiów do Stanów Zjednoczonych i nie wróci przed końcem października. Bardzo uprzejmie zainteresował się, kto dzwoni, a usłyszawszy znajome nazwisko, natychmiast zaofiarował się z pomocą.

Przyjechał jeszcze tego samego dnia, obejrzał wychudzoną, pożółkłą pacjentkę i poprosił Włodka, aby go odprowadził. Po drodze wyznał, że nie ma najmniejszych wątpliwości, że Nicole jest najzwyczajniej podtruwana i zaproponował, aby umieścić chorą w szpitalu, choć na krótko, żeby pośpiesznie postawioną diagnozę potwierdzić lub wykluczyć. Włodek doskonale wiedział, że żona się na to nie zgodzi. Po prostu nie znosiła szpitali i odczuwała trudny do wytłumaczenia lęk przed izolacją w zakładzie zamkniętym. Lato upływało pod znakiem nieopisanego cierpienia. Do powalającego upału doszły ustawiczne dolegliwości trawienne, głęboka niedokrwistość, wypadanie włosów, żółtaczka. Miejscowi lekarze, u których szukała pomocy bąkali o psychicznym podłożu dolegliwości i doszukiwali się przyczyn choroby w niespełnionym macierzyństwie.

W Amalię wstąpiły nowe siły. Pogodna i zadowolona żądała świeżych warzyw w diecie i to koniecznie kupowanych na targu. Kazała Nicole wychodzić z mężem, idącym do pracy, do oddalonego o pół godziny marszu targowiska i przynosić pełne siatki kalafiorów, które pozostawiała nietknięte na talerzu, młodych ziemniaczków, botwinki. Uginająca się pod ciężarem zakupów, ostatkiem sił wpadała do mieszkania lądowała natychmiast w toalecie, wstrząsana torsjami, zwijając się z bólu. Matka, bez pukania, otwierała drzwi łazienki i przyglądała się ciekawie siedzącej na sedesie i wymiotującej do miednicy. Nie czuła ani wstrętu, ani obrzydzenia. Przeciwnie, uważnie śledziła męki i komentowała:

– Ależ ty wyglądasz... Szkoda, że nie może cię widzieć ten twój pacan. Może też by się porzygał? Rzygaj sobie i sraj, to cię nauczy pokory i wyprostuje twój charakter.

W oddalonej o osiem kilometrów wsi mieszkała znajoma, która prowadziła niewielkie gospodarstwo: dwie świnki, parę gęsi i indyków i kilkanaście kur. Co tydzień Nicole jeździła na wieś po jajka. Zabierało jej to cały dzień. Ledwie wsiadła do autobusu robiło jej się niedobrze i musiała wysiąść na najbliższym przystanku i czekać na kolejny autobus, w którym znowu robiło jej się niedobrze, więc znowu wysiadała. Wkrótce kierowcy autobusów poznawali ją i pozwalali przysiąść na masce silnika, bo wiedzieli, że zaraz będzie musiała wysiąść. Najśmieszniejsze było to, że nigdy nie skosztowała tych zdobytych z trudem jajek. Matka częstowała nimi swoje krewne i przyjaciółki, czasem zięcia, bo „jajka ci nie służą", albo „na ciebie szkoda tak świeżych, wartościowych jajek". Włodek czasem się irytował i zapowiadał, że nie pozwoli więcej ani razu... Najczęściej jednak milczał.

W połowie września tysiąc dziewięćset siedemdziesiątego czwartego, w upalny, słoneczny dzień, wyruszyły na wieś we dwie. Amalia w białej, letniej sukience, Nicole, wstrząsana dreszczami, w wełnianej garsonce i białej bluzce z żabocikiem.

Dwukrotnie wysiadła z autobusu. Amalia, wściekła, pojechała na miejsce i czekała nad szklanką kawy aż blada, ociekająca zimnym potem córka, dotarła do gospodarstwa z dwugodzinnym opóźnieniem.

Gospodyni, prosta, wiejska kobieta rzuciła badawcze spojrzenie na gościa i nagle, niespodziewanie, pochwaliła się, że kupiła nowe meble do saloniku. Ujęła pod rękę Nicole i pociągnęła za sobą:

– Fajne, co? – spytała, wskazując nowiutki komplet wypoczynkowy – legnicie se[82] bequem, ni.[83] Poleżcie se, zrobia wom tyju[84] – wyszła.

Wracały autobusem, obładowane śliwkami, jabłkami i jajkami, po które pojechały. Nicole błagała matkę, by nie przyjmowała owoców, bo ich nie doniesie, ale Amalia uważała, że gdy dają coś za darmo należy brać, ile się da. Ujęła w dłoń zgrabną torbę, plecioną ze szafirowych pasków nylonu, do której ułożyła dziesięć jajek, córce kazała dźwigać torbę wypełnioną śliwkami i pełną siatkę jabłek – opadałek. Wysiadły z autobusu na dworcu autobusowym i na prośbę półżywej Nicole skręciły w dość stromą, za to cienistą uliczkę, którą można było dojść na skróty do domu. Szły bardzo wolno, przystając raz po raz, aż Amalii znudziła się powolna wędrówka.

– Pójdę przodem, bo mogłabym zemdleć w tym upale, idąc jak za pogrzebem – rzuciła zirytowana i pognała przed siebie.

Nicole wlokła się z ciężkimi torbami, spoglądając pod nogi, bo ilekroć unosiła wzrok domy zdawały się falować przed oczami. Dotarła do domu, odstawiła torby, przebrała się w podomkę i runęła na łóżko.

Już z niego nie wstała. Zwijając się z bólu głowy i brzucha, pośród nudności, gwałtownych wymiotów i biegunki, straciła przytomność i umarła, rzekomo wskutek wylewu krwi do mózgu.

Doktor Schilling szalał. Domagał się sekcji zwłok, odwoływał się do prokuratora, przedstawiał dokumentację lekarską. Wszystko na nic. Zmarła leczyła się od lat i w końcu umarła na udar mózgu. Tym samym została ustalona przyczyna dolegliwości, na które uskarżała się od wielu lat. „Miała po prostu guza mózgu" – rzucił obojętnie lekarz, wręczając Włodkowi akt zgonu.

Została pochowana na miejscowym cmentarzu, w grobie ziemnym, bez nagrobka ani tabliczki. Jakoś zapomnieli, no i drogi taki nagrobek…

*

Amalia córkę opłakała, przywdziała żałobę i… zabrała się za remont mieszkania, dając zięciowi do zrozumienia, że nie może mieszkać z samotną kobietą, bo „co ludzie powiedzą".

Wdowiec wrócił zatem do swojej rodziny.

Trzy miesiące po śmierci córki, Amalia odebrała pismo wzywające do natychmiastowego stawienia się w Administracji Spółdzielni Mieszkaniowej. Wystrojona w głęboką czerń, przybrała zbolałą minę i chwiejnym krokiem ruszyła do urzędu, przygotowana na wygłoszenie karcącej przemowy, w której zamierzała zbesztać bezdusznych urzędników za to, że ośmielają się niepokoić pogrążoną w żałobie staruszkę.

Trafiła na przerwę pomiędzy Świętami Bożego Narodzenia a Sylwestrem i urzędniczki, zajęte urządzaniem przyjęć i przygotowaniami do balów i zabaw nawet nie dopuściły ją do głosu, tylko wręczyły nakaz bezzwłocznego opuszczenia mieszkania. Zaproponowały kupno własnościowej kawalerki, albo zwrócenie się do Gospodarki Komunalnej, zarządzającej miejskimi zasobami mieszkaniowymi. Zasłabła i wezwano pogotowie ratunkowe. Sytuacji to jednak w niczym nie zmieniło. Musiała opuścić mieszkanie, dla którego nie cofnęła się przed niczym i zamieszkała w miniaturowej, zapyziałej kawalerce.

W październiku tego samego roku doktor Brandt wrócił ze Stanów Zjednoczonych i dowiedział się od zrozpaczonego Schillinga o śmierci Nicole. Rozpoczął burzliwą kampanię w celu ekshumacji zwłok i ustalenia prawdziwej przyczyny śmierci trzydziestoczteroletniej kobiety. Sprawa ciągnęła się latami. Nikt nie wyrażał zgody na działania do jakich nie przywykła ani peerelowska milicja, ani wymiar sprawiedliwości, ani służby sanitarne. Zwłaszcza że zmarła leczyła się od wielu lat i z powodu złego stanu zdrowia nie mogła znaleźć zatrudnienia.

Proboszcz Adler, dotknięty cukrzycą, przeszedł na zasłużoną emeryturę i zamieszkał w uroczym domu, otoczonym sadem i z czystym sumieniem oddał się hodowli wysokopiennych róż. Szczególnie sobie upodobał czerwono-złotą, rzadką i bardzo nietrwałą odmianę o upojnym zapachu, którą nazwał, nie wiadomo dlaczego, Nicole. Umarł otoczony powszechnym szacunkiem i uznaniem, w roku tysiąc dziewięćset osiemdziesiątym siódmym i spoczął, na własne, wyraźne życzenie, na honorowym miejscu, w pobliżu kościoła, którego był proboszczem przez wiele lat. Gwałtownie protestował, gdy proponowano mu, by pozwolił się pochować u boku, dumnych z syna, rodziców, na wiejskim cmentarzu na Opolszczyźnie, która zapamiętała bosonogiego chłopaka, mięszącego błoto wiejskiej drogi i wlokącego się za matką, również bosą, w chłopskim stroju.

Włodek ożenił się ponownie, w rok później, po krępującej interwencji chirurgicznej, na którą Nicole nigdy by nie pozwoliła. Poślubił, wybraną przez matkę, nieśmiałą i małomówną Jadzię, która urodziła mu córkę i syna. W wieku sześćdziesięciu pięciu lat przeszedł na emeryturę i żyje u boku swojej milczącej żony, otoczony wianuszkiem wnucząt, którym poświęca niewiele uwagi. Czasami, bez zapowiedzi, wyjeżdża do Krakowa, by pospacerować po mieście. Jadzia nie protestuje, bo przecież mężczyźni mają prawo do swoich dziwactw.

Johann i Ludwika umarli w odstępie trzech lat i od ćwierć wieku spoczywają na tak zwanym starym cmentarzu. Kochające córki troszczą się o grób, bo Włodek go nie odwiedza.

Amalia dożyła prawie dziewięćdziesiątki. Jej grób, zadbany i romantycznie porośnięty bluszczem, jest przedmiotem troski byłych sąsiadów, którzy uważają, że była uroczą osobą.

Po śmierci Brandta, który nie ustawał w staraniach o ustalenie rzeczywistej przyczyny zgonu Nicole, jego mieszkanie i praktykę przejął doktor Schilling.

W roku dwa tysiące czwartym, gdy przystąpiono do likwidacji grobu, nieżyjącej od trzydziestu lat Nicole, emerytowany i wielce zasłużony lekarz uzyskał wreszcie pozwolenie na pobranie doskonale zachowanych złotych włosów denatki. Wyniki badań wstrząsnęły pracownikami laboratorium, którzy wykryli końską dawkę arszeniku.

Sprawcy jej śmierci pozostali bezkarni, bo tego, czy Włodek wiedział, czy nie wiedział, co się dzieje pod jego bokiem, udowodnić się nie da.

Niewiele osób pamięta, jak wyglądała Nicole. Na starych, grupowych zdjęciach szkolnych wyróżnia się jako jasna plama, którą postarzali i niedowidzący znajomi rozpoznają jako Nicole. Gdyby kogoś spytać, czy słyszał o takiej kobiecie, odpowiedzią byłoby wzruszenie ramion i obojętne: nie znam.

Przypisy

1 Karlheinz Deschner „Kryminalna Historia Chrześcijaństwa" t. II, przekład Marek Zeller, wyd. URAEUS, Gdynia 1989.
2 „Wielka Księga Świętych", t. II, autorstwa Zbigniewa Bauera i Adama Leszkiewicza, Kraków, 2003 r.
3 (fran.) kim pan jest?
4 Ew. wg św. Mateusza, 19, 5–6, Biblia Tysiąclecia, Wyd. III, Poznań – Warszawa 1980 (wszystkie cytaty w tekście pochodzą z tego źródła).
5 (wł.) kto milczy, ten się zgadza.
6 *Centre National de la Recherche Scientifique* – Narodowe Centrum Badań Naukowych
7 (fran. gwar.) co ci jest?
8 (fran. gwar.) jestem padnięta.
9 (fran.) no, wio!
10 (fran.) ty, jak się nazywasz?
11 (fran.) no dobra, idziesz do kuchni. Nie chcę nieboszczyków.
12 (fran. gwar.) tak, psze pana.
13 (fran.) pozwoli pan?
14 (fran.) otóż to!
15 (fran.) niech pan zabiera tę Marię Antoninę.
16 (fran.) proszę pani, dość na dzisiaj.
17 (niem.) każdemu to, co się należy.
18 (fran.) mała różnica.
19 Miejsce na parkowych ławkach było za darmo. Za siedzenie na krzesełku, trzeba było uiścić opłatę.
20 (fran. wulg.) co to za bajzel?
21 (fran.) czekałam tylko na panią, żeby się zmyć.
22 (fran.) ni tak, ni siak.
23 (fran.) popularna piosenka, śpiewana podczas winobrania.
24 przypis 4, id.
25 Adam Mickiewicz „Pan Tadeusz", księga pierwsza „Gospodarstwo", wers 17–18. Adam Mickiewicz, Wybór pism, Książka i Wiedza, Warszawa 1952.
26 (niem.) nie powinnaś wyskakiwać przed szereg.
27 (niem.) no i tak właśnie robiłam.
28 (niem.) Szczurołap.
29 Psalm 118,8 (117,8) patrz przyp. 4
30 Exodus 20,5 id.
31 Ew. wg św. Łukasza 10,7 id.
32 Psalm 26,1 (25,1) id.

³³ Psalm 39,2 (38,2) id.
³⁴ (gwar. śl.) No to powodzenia. Może się jeszcze kiedyś spotkamy, bo wie pani z powrotem nie pojadę. Choćbym miała czyścić nocniki. Jadę do Essen.
³⁵ (fran.) tylko łyczek, panienko.
³⁶ (fran.) święta Niedotykalska.
³⁷ (wł.) Dobry wieczór ciociu!
³⁸ (wł.) pani!
³⁹ (wł.) jesteś tą komunistką z Rosji?
⁴⁰ (wł.) przybyłam z Paryża.
⁴¹ Wezwania z Litanii Loretańskiej.
⁴² (wł.) wuju Mateuszu!
⁴³ (wł.) szybko, szybko.
⁴⁴ (wł.) myć.
⁴⁵ (wł.) przepraszam, proszę wybaczyć.
⁴⁶ Od lat trzydziestych aż do roku 1967 z Wielkiej Brytanii i Szkocji deportowano do Australii od siedmiu do jedenastu tysięcy dzieci z ubogich rodzin. Rodzice, zwłaszcza w rodzinach wielodzietnych, chętnie pozbywali się swojego potomstwa, zachęcani obietnicą „lepszego życia". Nikogo nie informowano, że przybysze będą stanowili tanią siłę roboczą. Zaledwie piętnaście procent małoletnich imigrantów było sierotami. Dzieci, w myśl hasła „dziecko najlepszym imigrantem", często trafiały do odległych farm, albo gospodarstw, zarządzanych przez państwo i Kościół. Rodzicom zaś wyjaśniano, że ich dzieci zostaną adoptowane przez zamożne rodziny, chociaż nie informowano, że rodzeństwa zamierzano rozdzielić. Brutalne traktowanie, praca ponad siły, molestowanie seksualne, przemoc fizyczna i psychiczna były codziennością tych, których nazywa się „zapomnianymi Australijczykami". Wielu z tych „zapomnianych Australijczyków" dowiedziało się prawdy w wieku dojrzałym, albo z chwilą przejścia na emeryturę, gdy ich rodzice już nie żyli. Dziewczęta często trafiały do sierocińca Neerkol, na północy Queensland, prowadzonego przez zakonnice, chłopcy zaś do instytucji Tardum, na zachodzie Australii, prowadzonej przez duchownych katolickich. W sumie przez sierocińce i ośrodki charytatywne przeszło około pół miliona dzieci. Ówczesny Minister do Spraw Imigracji Arthur Caldwell podkreślał, że wymagany jest „zastrzyk białej krwi". Ilość dzieci wzrasta dziesięciokrotnie, jeśli wliczyć deportowanych do innych krajów Commonwealthu – Kanady i RPA. W 2009 r. premier Australii, Rudd, przeprosił za krzywdę wyrządzoną niewinnym, co z wdzięcznością przyjęła Caroline Carroll, przewodnicząca Związku Zapomnianych Australijczyków. Kanada, Wielka Brytania i RPA nie wypowiedziały się w sprawie.
⁴⁷ (wł.) Też sobie idę!
– Głupia!
– Odchodzę.
⁴⁸ (wł.) wynocha, precz!
⁴⁹ Michelangelo Merisi da Caravaggio (1573–1610) jeden z najwybitniejszych malarzy włoskiego baroku a zarazem człowiek o burzliwym życiorysie, w którym

nie zabrakło oskarżenia o zabójstwo Ranuccia Tommasoni. Jego przedwczesna śmierć, w tajemniczych okolicznościach wywołała w czterechsetną rocznicę jego odejścia falę domysłów, spekulacji i zapoczątkowała prawdziwe śledztwo, godne sensacyjnej powieści.

50 (wł.) hotel, także: zajazd, oberża.

51 (wł.) dziękuję i dobranoc.

52 Charles Baudelaire (1821–1867) znakomity poeta francuski, autor „Les Fleurs du Mal" (*Kwiaty zła*), działał jako krytyk sztuki; w latach 1845 i 1846 opublikował sprawozdania z Salonów.

53 Antoni Kępiński „Lęk", wyd. Sagittarius 1992, str. 210.

54 (niem.) całuję rączki.

55 (niem.) ach tak!, a więc za rogiem.

56 Karen Horney „Nerwica a rozwój człowieka" PIW, Warszawa 1980, seria Biblioteka Myśli Współczesnej, str. 144.

57 Tomás de Torquemada (1420–1498), urodzony w Valladolid. Hiszpański dominikanin, który w roku 1482, jako człowiek ogromnej wiedzy i wielkiej pobożności, został mianowany inkwizytorem. Zredagował Instrukcję dla Inkwizytorów (*instrucciones de los inquisidores*) i wypełniał swoje funkcje z niezwykłą gorliwością i niezrównanym okrucieństwem. Jego nazwisko budziło grozę wśród współczesnych i stało się synonimem brutalności i religijnego fanatyzmu.

58 Jean – Louis Flandrin „Le sexe et l'occident", éd. Seuil 1981.

59 „Kto w grze nie uczestniczy, nie dyktuje jej reguł" powiedział Spiro Agnew, wiceprezydent St. Zjed. w związku z odrzuceniem przez papieża pigułki antykoncepcyjnej.

60 (niem.) Wesołych Świąt i Szczęśliwego Nowego Roku. – Dziękuję, Helmuth, powodzenia. Wsiądź lepiej szybko, bo inaczej pojedziesz ze mną.

61 Podczas drugiej wojny światowej, niektóre wyspy Polinezji były zaopatrywane zrzutami. Tubylcy uwierzyli, że to bogowie ich zaopatrują i powstał kult „cargo".

62 Tradycyjne potrawy wigilijne na Śląsku. Makówki – przekładaniec z sucharów i maku. Moczka – deser, przypominający szary sos do ryb.

63 Ew. wg św. Marka, 10,7–8, patrz przyp. 4.

64 *Tempora mutantur et nos mutamur in illis* – czasy się zmieniają, a my zmieniamy się wraz z nimi – Lotariusz I (815 855), władca Franków.

65 Ew. wg św. Mateusza, 3,10 i 7,19, patrz przyp.4

66 Ew. wg św. Mateusza, 13,30, id.

67 Ew. wg św. Mateusza, 18,6,7; wg św. Marka, 9,42; wg św. Łukasza 17,2 id.

68 Ew. wg św. Łukasza, 13, 6–9 id.

69 Pasma Mees'a – białe, półkoliste wykwity na paznokciach, pojawiające się w zatruciach arszenikiem.

70 (niem.) cicho bądź, ani słowa więcej!

71 (niem.) *Die kluge Else* – „Mądra Elsa", baśń braci Grimm.

72 (niem.) proszę wybaczyć, czy pani nie mówi po niemiecku?

73 (niem.) ależ oczywiście!

74 (niem.) porządek.
75 (niem.) towarzysz.
76 (niem.) piękne dzień dobry!
77 (niem.) Rosjanka.
78 (niem.) nasza kochana pani Grätz.
79 (niem.) dzień dobry pani Lehman, Struck itd., jak się pani miewa?
80 (niem.) koniecznie.
81 (gwar. śl.) dziewczęta wychodźcie, bo chcę ojcu nawrzucać.
82 (gwar. śl.) proszę się położyć.
83 (gwar. śl.) wygodnie, co?
84 (gwar. śl.) proszę poleżeć, przygotuję pani herbaty.